日本を創った12人

堺屋太一

PHP文庫

日本を創った12人

堺屋太一

PHP文庫

○本表紙図柄＝ロゼッタ・ストーン（大英博物館蔵）
○本表紙デザイン＋紋章＝上田晃郷

はじめに――今こそ歴史を

今、日本は大きな変革の時期を迎えている。

この変革期の日本において、何が変わるのか、何が変わらないのか。そして変わるとすれば、どういう要素を残して、どういう要素を新しく採り入れ、どのように変わることができるのだろうか。

そういったことを考えるとすれば、まず、日本と日本人の心となり血となり肉となってきた歴史の流れを知ることが重要である。

われわれが「日本的」と考えているものの中にも、太平洋戦争後になってできたもの、さらには一九八〇年代末のバブル景気や少子化社会になってから拡《ひろ》まったものなど、ごく短期的なものもある。だが一方では、連綿と受け継がれた歴史の中で培われてきたものもある。恐らくその多くは、非常に変え難い民族性や国民性になっていることであろう。

古来、日本には様々な文化が入ってきた。衣食住をはじめ技術・学問・芸術・道徳・宗教・政治など生活形式と内容を含むそれらを、われわれの先祖は、まず驚きを持って接し、やがて厳しく選別し、あるものを拒み、あるものを消化して、やがて「日本的」「日本式」に改造して積み重ねてきた。新しい文化が入っても、以前の文化をまったく捨てるのではなく、ある部分を残して重ねていく――それが日本と日本人の大きな特徴である。

今、日本は激動期にある。冷戦の終焉によって世界は新しくなり、心地よかった日本の「戦後体制」も崩壊した。こんな時期にこそ歴史を振り返って、日本の由来を探り、日本人が積み上げてきた社会と文化の特色を、しっかりと把握することが大切だろう。

その日その時の政局や景気の動きなど時事問題は分かり易く、訴えるのも易しい。誰もが聞き耳を立て、マスコミも大きく扱う。しかし本当にわれわれが日本と日本人の将来について、あるいは世界との関わりを考えるためには、長い期間に積み上げてきた日本及び日本人の歴史と心の本質を見極める必要がある。

日本と日本人の特徴、日本社会の特色を創り上げてきた根源に、「モノ」と「ヒト」、つまり「風土」と「人物」がある。

風土において、日本は世界的に見ても確かに特別な地勢だ。まず第一に、アジア・モンスーン地帯に属し、気候が比較的温暖かつ湿潤である。これがコメを作るのには向いていた。

したがって米作農業が大いに発展した。日本の歴史を繙《ひもと》くと、縄文といわれる採取漁労時代があり、すぐ次に米作農耕時代が現れる。世界の歴史では重要な地位を占めている「遊牧・牧畜」が日本にはなかった。急峻な山と狭い平野の日本国土は、動物の群れを追って遊牧するのには適していない。このため、日本人と家畜との関わりは薄く、意思あるものを制御する手法が、有畜時代を経験した諸外国と非常に異なったものになった。

第二に、日本国土を形成する四つの島は、他の国々からは「狭くない海」で隔てられていることだ。したがって、大量の人々が集団的組織的に、軍事目的や政治目的を持って渡海することは非常に難しかった。しかし、この海は古代の技術でも渡れぬほどには広くない。日本人が中国の王宮に現れた記録は、紀元一世紀に遡る。

つまり、日本列島には軍事的・政治的孤立性と共に、文化的交流性が古くからあったのである。幸いなことに、この狭くはないが広すぎもしない海の向こうの朝鮮半島や中国大陸は、人類の文明史の中で最も早く開けた先進地域の一つであった。

日本と似たような距離で大陸と離れている国といえば、キューバやマダガスカルが挙げられる。だが、そういった国の場合は、対岸のアメリカ大陸やアフリカ大陸には、古代文明がそれほど発達していなかった。したがって、大陸から高度の文化が絶えず入ってくることはなかった。

その意味では、大量の軍隊が渡来できないほど離れていて、文化が渡来できるほど近かった日本の地理的位置は、世界唯一のものといえるだろう。

第三に、日本国土の主要な四つの島は非常にまとまりがよい。北海道の開発はずっと後れるが、九州、四国、本州は一体の国となって育つ自然条件を持っていた。そのため、同一文化が育ち、どこかに中核的な政治勢力ができると、全体が一つの国家になり易かった。

このため、七世紀前半から現代まで、少なくとも文字に残っている歴史の時代、約千四百年の期間には、様々な政争があり、内戦が行われたが、自らが「われらは日本とは別の国だ」と宣言したケースは見あたらない。国土の主要な部分が長期間にわたって外国に支配されたこともなく、国家として分裂したこともない。

以上の三つの条件、つまり、地勢と気候、国際的な位置、そして国土のまとまりが、日本の歴史に重大な影響を与えていたことは事実である。そのせいか、日本人は「風土」論が大好きであり、何事も風土から説きたがる。しかし、風土論だけをあまりに重視するのは危険なことでもある。

例えば、織田信長は非常に闊達な性格だが、これも濃尾平野のひろびろとしたところで育ったからだ、という説がある。しかし、信長が生まれ育った頃の濃尾平野は、泥沼が多く河川が入り交じり、馬が走り回れるような場所は少なかった。平野で育ったから信長のような性格になるとは、とてもいえないであろう。

つまり、風土論から人間の性格や、その時々の政権の状況を説明するのは無理がある。日本国土の風土は、日本及び日本人に非常に大きな影響を与えたのは事実だが、すべてをそれから証明するのは誤解を招き易い。

むしろ、特定の「人物」、あるいはそれに象徴される階層や集団から受けた影響も決して小さくない。今、われわれが当たり前だと思っていることも、ある時ある人が行ったことが、日本の独自性を生み、独特の国民性を創り上げたことも珍しくない。

もちろん、それは個人の能力や偶然だけによって起こったわけではない。その人その階層がたまたま歴史的必然の仕事をした、という方が正しいかも知れない。ただ、それを分かり易く理解するためには、特定の人物に象徴化されていると見るのも悪くない方法であろう。

本書では、今日の日本にまで深く影響を残している象徴的な十二人の「人物」を取り上げた。

それらの人々が歴史のどの段階で、どう行動し、それが今、われわれの心の中にどう生きているのか。われわれの発想、われわれの社会をどう規制しているのか。

そしてそれが、これから世界と付き合っていく時に、どういう影響を与えるだろうか。本書では、そんなことに視点を置いて「人物」を論じることにしたい。

中には、その「人物」の歴史的業績、正確な経歴、生きた時の本当の姿よりも、歴史の中で神話化された「事実」も入っている。しかし、それを含めた全体として、現在の日本と日本人にどういう影響を与えているか、今後の日本に何を残し、どういう形で影響していくのか、そういった面を意識してとらえてみた。

堺屋太一

日本を創った12人

目次

第二章

光源氏

――「上品な政治家」の原型

第三章

源頼朝

――「二重権限構造」の発明

第四章 織田信長
――「否定された日本史」の英雄

第七章

石田梅岩

――「勤勉と倹約」の庶民哲学

第八章 大久保利通

――「官僚制度」の創建

第九章 渋沢栄一
――「日本的資本主義」の創始

第十二章

池田勇人

――経済大国の実現

第十二章 松下幸之助

——日本式経営と哲学の創出

第一章

聖徳太子

——「神・仏・儒習合思想」の発案

◉日本人の宗教観の「元祖」

聖徳太子は日本の歴史上でも最もよく知られた「人物」の一人であろう。生前のお名前は、厩戸皇子《うまやどのみこ》、または上宮厩戸豊聡耳皇子《かみつみやうまやどのとよとみみのおうじ》（太子）であった。

亡くなられてからの諡号《おくりな》が「聖徳太子」であり、

一九六〇年代までに生まれた人なら、旧五千円札や一万円札に描かれた聖徳太子の肖像画を憶《おぼ》えているに違いない。もちろん、これは二王子と一緒に描かれた肖像画の一部であり、どれほど写実的であったかは議論の余地があるが、とにかく「聖徳太子の顔」として知られている。

宗教や文化の面でも太子伝説は多く、八〇年代後半には聖徳太子を描いた漫画の本が若い人たちの間でベストセラーになったこともある。歴史上の人物で、どちらかといえば講談や物語になりにくい宗教や外交の面で活躍された方が、劇画となって今も売れるのは珍しい。

聖徳太子を〝日本を創った十二人〟の第一に挙げたのは、この方が千四百年間、ずっとわれわれの心を支配してきた宗教観、それを具現化した「神・仏・儒習合思想」の発案者兼実践者だからである。

これは日本土着の宗教である神道と、インドから中国を伝い朝鮮半島を経て日本へ流入した最も先進的な宗教である仏教と、中国で生まれた生活規範的道徳律である儒教、この三つを習い合わせていく発想である。

太子自身が「神・仏・儒の習合」という言葉を用いたわけではないが、そういった習合的発想の元祖であったことは確かである。

以来、その発想は日本人の宗教観や文化観を決定し、様々な外国の文化や技術を日本が取り入れる時の対応の仕方にも、大きな影響を残した。

同時にまた、習合思想が根付いたため、それ以降の日本では、宗教は重要な対立軸ではなくなってしまった。あらたな宗教（例えばキリスト教）が流入しても、習合すべき対象が一つ増えるに過ぎず、信仰の違いはせいぜい重点の置き方の差に留まってしまうからである。

われわれ普通の日本人には宗教戦争など、本当はよく分からない。中東の問題やボスニア・ヘルツェゴビナでの紛争を考える時、宗教問題に入るとまったく理解できなくなる。宗教の違いの故に命がけで戦うなど、日本では聖徳太子時代の蘇我《そが》・物部《もののべ》の戦い以降一度もないからである。この国の人々がそうなった発端は聖徳太子である。少なくとも、太子に象徴される時代精神から生まれた、といえるだろう。

本項では、以上のような観点から聖徳太子という「人物」について述べるわけだが、まず太子はどういう時代を生きたのか、そのことを見てみたい。

◉「始代」から「古代」への転換期

この島国・日本に、文明といえるほどのものが定着した時代はいつごろか。実は考古学的研究が進むにつれて、だんだんと時代は遡っているが、かつては二世紀あたりであろう、というのが通説であった。

卑弥呼という女王がいて、村落というぐらいの集落をいくつか支配して周辺部をも従えていたらしい。人々は、麻布の真ん中に穴をあけて首を出すような服を着ていた。そんな記述が『魏志倭人伝《ぎしわじんでん》』にある。ここでいう魏とは、『三国志』に出てくる魏《ぎ》・呉《ご》・蜀《しょく》の一つである魏であり、かの曹操《そうそう》の子が創建した国である。中国が『三国志』の頃、日本は前述のような状況だったわけである。

ところが、よく知られている事実に、この卑弥呼の時代より百五十年以上も前の西暦五七年、既に倭（日本）の奴《な》国王の使いが中国の後漢の都・洛陽に現れ、光武帝に貢ぎ物をして「金印」（金の印綬）をもらった、という話がある。この話は『後《ご》漢書《かんじょ》』に記述されているのだが、その「金印」と思われる物が、徳川時代に福岡県で発見され、今も福岡の博物館で見ることができる。

また最近の調査で、卑弥呼の時代には近畿地方に相当の勢力を持つ王朝があったことを示す古墳が次々と出てきた。そういった事実から考えると、どうやら日本の文明は卑弥呼の時代よりかなり遡ることができるようだ。

あるいは紀元前後に、既に農耕が発達して、王朝が生まれていたのかも知れない。しかし、その頃に王朝があったとしても、私の定義する「始代」国家であり、まだ物質の数量増加を尊ぶ「古代」には入っていなかったことは確かだ。

西洋史ではピラミッドができる頃からローマ帝国の崩壊まで、中国史では殷《いん》・夏《か》の太古から唐代まで、つまり中世以前をすべて「古代」と呼んできた。しかし、この長い「古代」の中でも前と後には大きな違いがある。

だから私は、人類が自然条件の恵まれた土地で種蒔きと収穫だけを行っていた時代、それ故に人知や勤勉よりも神への祈りが重視された時代を「始代」と呼び、利水や深耕によって土地の改良が進み、それ故に技術と勤勉が尊ばれるようになった農業革命以後を「古代」と分けるのが正しいと思う。

卑弥呼の時代は、はっきりと「始代」であり、灌漑《かんがい》や堤防など土地改良の技術はなかったようだ。したがって、それぞれの地域での農耕可能面積が小さく、一つの地域に大きな国家権力は生まれなかった。

しかし、だんだんと土地改良の技術が進み、灌漑が普及するようになると農耕面積が広がる。その結果、自然のままでは農耕できなかった周辺の地域まで支配しようとする領域国家が現れてくる。技術の進歩が倫理の変化を生み、国家の形態をも都市国家から領域国家へと変化させたのだ。これが「始代」から「古代」への転換である。

土地改造が進むと、周辺地域へ農耕面積が拡大しただけではなく、生産性も向上する。したがって、人口が増え、余剰生産物が発生する。他人を働かせて収奪する権力が生まれ、そのための組織と制度が確立する。

始代エジプトの都市国家時代には、壮大なピラミッドが造られた。ピラミッドの石を運ぶ辛い仕事は、ムチで追い立てながら奴隷にさせたに違いない、さぞかしピラミッド時代には多くの奴隷がいただろうと想像した人は多かった。

しかし、実際には、ピラミッドが建設された太古のエジプトには、奴隷はほとんどいなかったことが分かってきた。一人の人間を働かせてもその一人を養う以上の生産ができないのでは、奴隷を使う意味がないからだ。奴隷制度は、余剰生産物が発生する「古代」になってから大仕掛けになったのである。

日本で土地改良技術が河内平野から大和盆地へと拡《ひろ》がり、それによって近畿地方に「古代的」な王権が生まれたのは、西暦五〇〇年代（六世紀）といわれている。やがてこれが大和王朝として確立する。

聖徳太子が生まれたのは、そうした古代国家が定着する時期、つまり六世紀の後半である。

◉仏教公認をめぐる対立

始代から古代へ、生産力を飛躍的に高めたのは、大陸から流入した技術だ。当然、それと共に新しい思想や宗教も入ってきた。

これには、航海技術の進歩で朝鮮半島と日本の交通が容易になったのに加えて、朝鮮半島自体の軍事的・政治的情勢の変化もあった。当時、朝鮮は三国時代（新羅《しらぎ》・高句麗《こうくり》・百済《くだら》）の戦乱期。その混乱から逃れて、優れた技術や文化を持った人々が日本に渡来してきた。「帰化人」と呼ばれる人たちだが、一族郎党を引き連れて日本に渡ってくる者も多かったらしい。彼らが中国で発達した文化や技術を日本に持ち込んだが、その一つに仏教があった。

仏教の最初の公伝は西暦五三八年と記録されているが、これは「朝廷が認めた」ということで、それ以前から民間には入っていたに違いない。これが大いに流行、朝廷も無視できなくなって、蘇我氏に「仏を祀《まつ》れ」、といい渡した。今の言葉でいうと仏教信仰の自由を公認したということである。

完成された宗教として入ってきた仏教には、宗教的・哲学的な要素だけではなく、体系的な「文化」が付随していた。建築や工芸の技術、土地改良の技術、医療や栄養学、そういったものが仏教と共に持ち込まれてきた。

こうした「文化」に憧れて、日本人の中にも、仏教に帰依する人々が急増し出した。明治初期に西洋近代文明と共にキリスト教が流入したのと似たようなことが、何倍もの規模と格差で起こったのである。このため、仏教自体よりも、むしろ技術学習や格好の良さなどの現世的利益を求めて帰依した人々も多かったことであろう。先進国から宗教や思想が伝わる時は常にそうではある。

ところが、仏教公伝の十数年後、西暦五五二年頃から、崇仏派の蘇我氏が寺を建てると疫病が流行するということがあり、仏教公認論争が発生した。排仏派の代表は物部氏だ。

物部氏は、大和朝廷を氏姓制度によって支えた諸豪族の内でも、大伴《おおとも》氏と並ぶ最有力者で代々大連《おおむらじ》に就任していた。つまり大和朝廷の軍事担当、いわば歴代陸軍大臣を務める家柄だが、軍事に携わる者の常として「守り神」があり、日本古来の宗教にこだわった。

その一方で、蘇我氏を中心とする仏教信仰派は、単なる信仰の自由では満足せず、元首である天皇に対しても仏教を崇拝せよと働きかけるようになる。

この大論争の最中に敏達《びだつ》天皇の御代が終わり、用明《ようめい》天皇が即位された。敏達天皇の弟であり、聖徳太子の父である。

用明天皇は日本で最初に仏を拝された（五八五年）天皇である、と記録されている。しかし、それは用明天皇個人としての非公式参拝であったようだ。当時としては、この辺が天皇の限界だったのであろう。

用明天皇は、在位わずか一年八カ月で崩御される。そうすると、次の天皇の人選も絡んで、大連の物部守屋《もりや》と大臣の蘇我馬子《うまこ》の抗争が爆発した。日本古来の神を擁護しようとする物部氏や中臣《なかとみ》氏と、仏教を国家宗教にしようという蘇我氏を中心とした帰化人の勢力及びその文化技術を求める諸豪族との間で、戦争状態が勃発してしまったのである。

この時、日本の豪族の圧倒的多数が、崇仏派の蘇我氏を支持したのは、この当時既に日本人が神権政治よりも、新しい技術や社会制度によって物財を量産する文明的な進歩を願う古代精神を持っていたことを意味している。日本は、はっきりと始代から古代へと移っていたのだ。

この戦いで聖徳太子は、蘇我氏の側に立って戦場にも征かれた。その折に四天王の像を彫って勝利を祈願され、もし勝利を得たならば堂宇を建立して四天王を祀ろうという誓願を立てられた。その結果、みごとに勝利を得たことが、やがて国家祭壇として四天王寺を難波に創建する契機にもなったのである。

◉天皇家・蘇我氏の「連立政権」

戦《いくさ》に勝って排仏派の物部氏を滅ぼした蘇我氏が擁立したのは、崇峻《すしゅん》天皇である。ところが、いよいよ政《まつりごと》をされると、天皇は深刻な政治的矛盾に直面する。天皇家から天皇が出るのは、天皇家が天照大御神《あまてらすおおみかみ》の子孫であり神武《じんむ》天皇の後裔である、という神道神話に基づいてのことだ。その神道を否定してしまったのでは、なぜ天皇家だけから天皇が出るのか、その必然性が失われてしまう。

この時代、日本に入ってきた中国の文化は、決して仏教だけではなかった。儒教も、道教も入ってきた。役行者《えんのぎようじや》に代表される神仙思想も入っていた。もちろん、中国では古くから重要な政治理論であった易姓革命の思想も入っていたに違いない。

易姓革命というのは、天は有徳の者を皇帝に選ぶ。これを天命という。その子孫は、先祖の徳によって天下を治めるが、代を重ねてその徳が尽き果てて、子孫から不徳の者が出ると天命が尽きる。ここで天は改めて他姓の有徳者に天命を与えて王朝を開かせる。つまり「姓を易《か》え命を革《あらた》む」のは、これ天の命であるというものだ。この発想は孟子によって理論化され、司馬遷の『史記』にも出てくる、中国独特の過激な革命肯定思想である。

聖徳太子の時代の中国は隋《ずい》王朝が成立して間がない。六朝《りくちょう》時代または南北朝と呼ばれる動乱期を経て、ようやく全土統一が成り立ったばかりだから、王朝の交代は至極当然のことだった。だから、どの時代よりも易姓革命の思想は吹聴されていたはずだ。そういった中で仏教が発達し、日本へ伝わってきたのである。

したがって当時、日本にも易姓革命が入っていたことは間違いない。いわば万世一系は大事ではなく、有徳な者が天皇になるべきだというのだから、天皇家の位置は累卵の危うきである。

しかも、現実にも蘇我氏のように有力な交代候補者がいた。そんな中で、天皇家が天皇である前提の神道神話を否定してしまったら、いよいよ危うい。このことに崇峻天皇は気が付いた。このため、崇仏派の蘇我氏に擁立された天皇でありながら、たちまち排仏に偏っていかれたわけだ。

その結果、五年後に崇峻天皇は蘇我馬子によって暗殺されてしまう。歴史上で、「殺された」と明記されているのは、五世紀の安康《あんこう》天皇とこの天皇の二人だけだ。崇峻天皇を暗殺することが可能なほど、蘇我馬子は勢力を持っていたともいえるだろう。

そのあとの天皇に誰を立てるか、天皇家は苦慮したらしい。結局、聖徳太子の叔母にあたる推古天皇が即位する。東アジアにおける、最初の女帝である。

中国で最初で最後の女帝である則天武后《そくてんぶこう》（武則天《ぶそくてん》）が登場するのは唐代前半（即位六九〇年）だから、推古天皇より百年ほどのちのことだ。朝鮮半島でも四十年ほどのち（新羅の善徳女王、即位六三二年）である。

この時、天皇家に適任の男性がいなかったわけではない。聖徳太子御自身既に十九歳、当時の年齢感覚からいうと立派な成人、現代でいえば三十過ぎの感じだろう。それにもかかわらず、三代前の后である女性を天皇の位に即《つ》けたのである。

東アジアではじめて女性帝王を誕生させたこの人事には、かなり苦労の跡が見える。天照大御神以来の女性崇拝の伝統を利用して推古天皇を選んだのは、蘇我氏と天皇家との間に複雑な妥協があったと推測される。女帝にしておけば動かし易いという蘇我氏の考え方と、蘇我氏と真っ正面から衝突したくない天皇家、とりわけ聖徳太子の思惑との絡み合いの結果だろう。

推古天皇を位に即けたことで一応、人事は固まった。しかし、この「天皇家蘇我氏連立政権」がうまくいくかどうか。最大の問題である宗教問題は解決していなかった。そんな時に天皇家から大天才が現れた。翌五九三年、摂政となった聖徳太子である。

◉世界唯一の「習合思想」を発案

太子は熱心な仏教信者であった。前述したように、蘇我・物部の戦いでは四天王の像を彫って勝利を祈願し、国家祭壇として四天王寺を草創されたほどである。また、朝鮮半島から渡ってきた高麗の慧慈《こまのえじ》という大僧正について仏教を学び、『法華経』をはじめいろいろな経典についての解説もされた。その上、仏像も造れば、仏教建築にも詳しかったというのだから、当時としては日本における仏教学の最高権威であったと思われる。

実際にも仏教の布教に努められ、自ら個人の寺として法隆寺を建てられた。ところがその一方で、推古天皇の十五年には「敬神の詔《みことのり》」という詔を出しておられるのである。

太子の歴史的な業績としてよく知られているのは、第一に仏教の研究と普及である。これには寺院の建築から仏像仏具の製造まで、様々な技術開発を伴った。

第二には「十七条憲法」や「冠位十二階の制」など国家制度を定め、日本を豪族支配の国から官僚制度の整った組織行政の国にするきっかけをお作りになったことだ。太子が定められた「十七条憲法」の第一条は、「和をもって貴《とうと》しとなし、忤《さか》うこと無きを宗となす。人皆党有《ひとみなたむらあり》」という有名な言葉である。

今日の日本は官僚主導国だが、聖徳太子の時代は、まさにこの官僚制度のはじまりに当たっていた。それまでの日本は官僚制度も国家制度もはっきりしていなかった。そんな中で「冠位十二階の制」その他を定められたのは、官僚制度を確立しようという努力の現れである。

したがって、聖徳太子は「和をもって貴しとなし」といいながら、その次に「人皆党有」、つまり、それぞれに組織を作って仲良く話し合いながらやろうじゃないか、といっているのだ。

聖徳太子の歴史的な業績の第三は、遣隋使の派遣に代表される外交である。有名な「日出づる処《ところ》の天子、書を日没する処の天子に致す」という言葉にはじまる国書を持って、はじめて日本の公式外交使節が中国に派遣された。ここに日本は、中国とも朝鮮半島とも別個の独立国であり、対等であるという立場を明確にしたわけだ。

また同時に、新羅討伐軍の派遣も計画されたともいわれている。太子の弟の来目《くめの》皇子《みこ》を総司令官とした軍を派遣し、百済を援護する計画を立てたというが、実際には皇子が病没したため実現しなかった。いや、もともとそんな計画は「話だけ」だったのかも知れない。それでも「話」が出たこと自体、日本国という発想が根底にあった、というべきだろう。

そして第四には、斑鳩《いかるが》の里を開発して飛鳥の都に代わる文化首都を造られたことが挙げられる。斑鳩に宮を遷されたのは、飛鳥の地を支配していた旧来の豪族、なかんずく蘇我氏の勢力を避けたといえる。太子はここから大坂の難波の浜に出る道を開き、蘇我氏と縁の深い朝鮮半島を経由しないで、隋に直結する交易を行いたかったのであろう。

もっともこれは、蘇我氏の怒りを呼び、政治的経済的には必ずしも成功しなかった。そのことがかえって太子を学問文化の分野に埋没させ、すばらしい文化遺産を残させた、といえる。

聖徳太子には、以上のような様々の大きな業績があった。けれども、太子が現在の日本に残している影響として、私が最も強調したいのは、仏教を布教し、自らも熱心な信者であり研究者でありながら、同時に「敬神の詔」を出されたところである。このことは『古事記』や『日本書紀』に記述されているが、やや唐突に出てくる。したがって、後に『日本書紀』を書く時挿入されたのではないかと疑う人もいるほどだ。太子の熱心な仏教信仰から見ると、奇妙な感じがするからである。

だが実は、ここにこそ非常に重要なものが含まれているのだ。つまり、一方で仏教を普及し研究しながら、他方では日本古来の神を否定しなかった。「敬神の詔」だけではなくして、伊勢神宮の斎宮《いつきのみや》は聖徳太子の姉にあたるが、これを呼び戻すこともしなかった。垂仁《すいにん》天皇の頃から御代ごとに未婚の皇女が伊勢神宮の祠官最高位として斎宮になる慣例は、南北朝の後醍醐天皇の時代までつづいた。明治以降は皇族をもって神官祭主にあたられ、今日でもその原則が踏襲されている。

つまり、聖徳太子は仏教を信仰し普及させたが、神道を弾圧した気配はまったくない。むしろ神道にも理解を示し、援助を与えた。ここに日本人の宗教観を決定する要素があった。

太子は個人としては仏教徒だったが、政治家としては天皇家の一員であり、神道神話の保護者でなければならなかった。この矛盾を理論的倫理的に解決するものとして、「神・仏・儒の習合思想」なるものを考え出したのである。

聖徳太子も「時代の子」である。太子が生きた時代的背景は、先に述べたように、仏教が伝来し、帰化人が高い文化を仏教と一緒に持ち込んできた。これと日本古来の惟神《かむながら》の道（神道）とを、どう調和させていくか。日本人のすべてがこの深刻な問題に直面していた。聖徳太子はそれを、自らは仏教信者として振舞いながら、神道をも擁護し肯定することで乗り越えたのである。

これは決して容易なことではなかった。先進文明を伴った宗教が流入した時、在来の宗教や社会制度とどう調和させるかは、どこの国でも生じた問題である。例えば、ギリシャやローマも、キリスト教が入ってきた時に、オリンポスの神々の信仰、ジュピターの信仰をどうするかという問題に直面した。あるいはドイツ地方のゲルマン人も、地中海地方からキリスト教が入ってきた時、ゲルマン古来の信仰をどうするかという問題に出会った。インドにイスラム教が入ってきた時も同様であった。

ところが、いずこにおいても習合思想は、ついぞ出なかった。そのため二者択一を迫る宗教戦争が繰り返された。いわば宗教的な純粋性を追求したため、宗教対立から戦争と憎悪が生まれるのである。

世界でほとんど唯一の例外が日本である。日本でも、蘇我・物部の宗教対立は戦争になった。だが、そのあとには、宗教対立による戦争はない。

織田信長は比叡山を焼き、一向一揆を討伐した。だがそれは、寺院の持つ武力と土地、つまり世俗的権力を崩すための戦いであった。信長が、天台宗や一向宗を宗教として弾圧した形跡はない。

信長の周囲には、天台宗徒も一向宗徒も大勢いた。世俗の軍人や官僚、あるいは僧侶として信長に忠実である限り、敢えて棄教改宗を迫ることはなかった。

豊臣秀吉や徳川幕府のキリシタン禁制も、この宗教が外国の勢力と結びついて日本の政権を危うくすることを恐れた結果である。

日本で宗教対立を主因とする戦争がなくなったのは、聖徳太子という天才が現れ、理論構成の巧みさと訴求力《アピール》の強さによって習合思想をはじめたからだ。

聖徳太子が、仏教とそれが運んできた先進文明の採用と、神道神話に支えられた天皇家の立場とを両立させようとして発案した習合の思想は、当時の悩める日本人に大きな救いを与えたに違いない。

このため、たちまちのうちに肯定されて普及し、思想的にも理論的にも徐々に洗練されたものになり、やがて奈良時代には確立された思想体系となったのである。

◉「ええとこどり」の気風

聖徳太子は世界でただ一人、習合の思想を発案した偉大な思想家である。そしてそれが今日に至るも日本人の骨身にまで浸《し》み込んでいる。

当時の日本人は、先進国からきた新しい文化である仏教を取り入れ、技術もファッションも習いたいと思った。しかしながら、先祖伝来の宗教を捨てるのには抵抗を感じた。こうした状況は世界史に何回も出てくる。

例えばヨーロッパの歴史では、キリスト教が伝わった時には、いくつもの大事件が起こっている。

宣教師が「キリスト教を信じないと地獄に落ちるぞ」という。これを信じたゲルマンの有力な王様が、キリスト教に改宗しようとしたが、念のために「キリストの教えを知らないで死んだ俺の父親はどうなったか」と問うた。「それは地獄に落ちている」と宣教師が答えた。それを聞いて怒った王様は、「たとえキリスト教のいう地獄が、どんなに恐ろしいところでも、私は父のいるところへ行きたい」といって、キリスト教の弾圧をはじめた。そうした例はいくらもある。

仏教はキリスト教ほど厳格ではないが、同じような気持ちは当時の日本人にもあったはずだ。そこへ太子が、仏教を信じても神道を捨てる必要はない、といい出した。当時の新しい文化と先祖に対する心情との狭間で葛藤していた日本人は、これに、どっと飛びついた。

日本古来の宗教と外国伝来の仏教とが両立する、これは恐るべき詭弁《きべん》である。聖徳太子は、その間に宗教というよりは生活の規範である儒教を加えて、三つのものが併存し得るという論理を展開した。

事実、中国においては厳密な意味での土着宗教は育たず、社会生活規範としての儒教やこれに反発した老荘思想が発達していた。のちには、これらも仏教的祭礼を取り入れ、仏教と一体化した「中国的宗教総体」を作り上げることになる。

このため、「中国人は仏教徒でもあり儒教徒でもある。また道教徒でもある」といわれるが、決して同時に三つの宗教を信仰しているわけではない。三つの要素を混合した一つの宗教「中国的宗教総体」を信じているのだ。

宗教的にいうと、一つを信仰することは他を排することでもある。だから、複数の宗教を同じ人間が同時に信じてもよいというほどの堕落はない。聖徳太子の発想と実践は、宗教的には堕落である。けれども政治的には飛躍である。これを考えついたのは、世界広しといえども聖徳太子ただ一人だ。日本以外の国で、多数の宗教を同時に同一人が信じてもよいといった宗教者は、まずいないであろう。

かくして、仏教が入ってきても、伊勢神宮は信者をまったく失わなかった。そして連綿と今日に至るも御遷宮《ごせんぐう》が行われ、お伊勢参りの人は絶えない。

聖徳太子によって習合思想の芽が出されたならば、あとはその応用と拡大である。

仏教が入ってきた時、仏教のいいところだけを取って、気に入らないところは忘れればよかった。次にキリスト教が入ってくると、その面白いところ、カッコいいと思うところだけを取り入れればよい。クリスマス・パーティーや教会での結婚式だけは取り入れる。けれどもお葬式は仏寺で執り行う。盆踊りにも行けば、初詣にも行く。座禅も組めば御輿《みこし》も担ぐ。これに何の矛盾も感じることなくわれわれは行っている。

宗教のような厳格なものでも「ええとこどり」ができるのなら、あらゆる文化は「ええとこどり」ができる。だから、明治時代になり西洋文明が入ってくると、たちまちその優れた機械《し》技術を取り入れて鉄道や通信網を造った。議会制度も取り入れたし、徴兵制度も布いた。技術も制度も学校も洋式にした。

だが、西洋の自由思想や家族制度は取り入れない。これを「和魂洋才」と称して悦に入っていた。こうした思想的伝統があったればこそ、日本は外国の文化や技術をどんどんと取り入れることができたのである。

十八世紀から十九世紀にかけて西洋文明は全世界に拡《ひろ》まった。インドもトルコもペルシャも、日本よりずっと前に西洋近代文明に触れている。

ところが、これらの国々は、それぞれ自分自身のオリジナルの文化を持っている。したがって、文化を「ええとこどり」ではなく体系的に考える。このため、西洋の新しい制度や技術が入ってきた時にも、これを取り入れたら自分たちの社会体制や家族制度、国の政治や地域社会がどう変わるかという議論をはじめた。「キリスト教を信じたらジュピターは捨てねばならない」という考え方だから、町の形から暮らしの方法まで変わってしまうと考えたのだ。

その典型は、中国である。明治維新の二十年ほど前に、中国は阿片戦争でイギリスの凄まじい近代的軍事力を経験した。当然のことながら、強い国になるためには、近代的な軍隊制度や軍事技術を取り入れるべきだ、西洋に学んで新技術と新制度を拡める必要がある、という進歩派が登場した。

だが、たちまち「その技術を取り入れたら、わが村はどう変わるのか、家族や教育はどう変わるのか」という議論が沸騰した。この結果、中国は容易に近代技術や西洋の制度を導入することができなかったのだ。

ところが、日本の場合は、新しい文化を入れることは、必ずしも古い文化を捨てることを意味しない。仏教の信者になったからといってお宮参りをしてはいけないとは一向に思っていない。単に一つ追加するだけである。

だから気楽に、それは面白そうだ、それもよさそうだ、というだけでどんどん取り入れる。日本がアジア、アフリカ諸国の中で唯一、近代技術、近代制度を素早く取り入れることができたのは、このためだ。

それだけではない。聖徳太子以来の「ええとこどり」の発想は、見栄も外聞もなしにデッドコピーを造ることをも許した。つまり、その国の思想や社会状況などを考えないで、特定の技術だけ、特定の制度だけをそっくりそのまま真似ることができるのである。

日本の歴史を見ると、大体、外国から学んで四十年経つと、教えた国よりも日本の方が上手になっている。それというのも、まずデッドコピーを造り、師のなすところをそっくりそのまま学ぶという、きわめて効率のよい技術導入方法を取り得たからである。

明治時代に西洋の軍事技術や工業技術を取り入れ、鉄道や電信を敷設した時でさえ、これを入れたら日本の社会や家族制度はどう変わるのか、という議論はほとんどなされていない。誰もそれを深刻には考えなかったのだろう。

◉「職縁社会」の源流

こうした「ええとこどり」の発想は、まさに聖徳太子の生み出した習合思想に根源がある。実は戦後の改革なるものも同様だった。日本の社会の根源的発想を変えないで表面的な民主化だけを進め、アメリカの技術や運営ノウハウを取り入れた。このため、最もアメリカ的な先端技術や経営手法を持ちながら、アメリカとはまったく異なる、日本独特の官僚主導型集団主義の「職縁社会」が生まれてしまった。

今日、日本の社会には、職場というものが強力な結束体になる「職縁社会」ができ上がっている。これにはいくつかの理由があるが、その一つは職場に代わる結束体としての宗教集団がほとんどないことだ。聖徳太子のはじめた習合思想なら、職場の活動の妨げになる宗教的戒律や集会行事は容易に避けることができる。今日の日本人のエコノミック・アニマル的な性格を作るのにも「ええとこどり」の発想は大きく働いているともいえるだろう。

また、この思想が「そこにいる人重視」の人間関係を生み出したことも見逃せない。ユダヤ教、キリスト教、イスラム教といった一神教の世界では、神と自分一人が対峙する、そして他の人間との関係は神を経由して存在する。このことが日本人には、まことに分かりにくい。

例えば、結婚式で神父さんに「汝はこの女を妻とするや、汝はこの男を夫とするや。死が二人を分かつまで永久に愛し合うことを誓うや」と聞かれて「アイ・ドゥ」という時、日本人の中にはいまだに、男女二人が互いに誓い合っていると思っている人がいるようだ。これは、それぞれが神に対して誓っているのであって、神を証人として人間同士が誓い合っているのではない。神を証人として人に誓うことは「汝誓うなかれ」として、キリスト教では禁じているのだ。

したがって、カトリックでは男女の協議が成立しても離婚を認めなかった。神との契約は二人の協議では取り消せないからである。これがキリスト教の基本的な考え方である。

キリスト教などの一神教では、何事も神と人の対峙として考えられている。死ぬと、親も妻も友人もなく、会社も上司もなしに、ただ一人神の裁きの前に立つ。だからこそ、自分が神に恥じないことなら仲間にどんなに嫌われてもよい、という発想になる。また、仲間がどんなにすすめても、神に対して恐ろしいことはできない。人間関係が希薄になり、個性と独創が育つわけだ。

ところが、日本では、すべてが「ええとこどり」だから、今日は仏さんに誓って、明日は八百万《やおよろず》の神に誓って、明後日は天に誓っても恥じることがない。むしろ大切なのは、今、自分の属している人間関係の方である。これが日本的な職場共同体を形成する精神的基盤になり、いわゆる「会社人間」の大集団を作ったのだ。

「会社人間」ができたのは戦後、特に昭和三十（一九五五）年頃からである。それ以前の日本は、血縁社会と地縁社会だった。親類一族の大家族があり、村落共同体や隣近所といったものが大事だった。犯罪事件などを起こす人がいたら、まず第一にいったのは「親類の面汚し」、その次には「村の恥」だった。神との契約に違反したという気持ちなどほとんどなかった。

ところが、戦後の復興と高度成長の過程で、地方在住者がどんどんと大都会へ出てくるようになった。その結果、親と子の居住地が離れ、大都会に出てきた人々は血縁地縁に関係なくバラバラに住んだ。このため、大家族的な血縁社会は崩壊、村落などの地域社会も消滅してしまった。結果として、日本人の唯一の帰属意識は職場、つまり会社になったのである。

日本人が人間集団に帰属するのは、聖徳太子の時代以前からあった。原始的な氏族社会から育った神道の伝統であろう。それを聖徳太子は、仏教を布教する過程でも破壊しないで温存した。その結果、日本人は人間集団に忠実な、いわゆるタテ社会の構造を作り出したのである。

戦前は大家族や村落共同体に向けられていた帰属意識が、戦後は職場共同体になった。対象はまったく変わったが、考え方の根本、「そこにいる人重視」の発想には変化がない。

古い日本において最も基本的な人間集団だった地縁的村落共同体は、本質的には経済的生産集団である。日本の村落共同体は、共にコメを作る地域社会だ。異民族闘争の厳しい外国の地域社会は職場共同体であるよりも防衛共同体としての性格が強いが、日本の地域社会は、あくまでも同じ水の流れの中で田圃《たんぼ》を耕し、コメを作る人たちの集団である。それが今は企業や官庁になっただけである。

このように考えれば、今日の日本人の発想と日本社会の構造の中にも、聖徳太子の習合思想から生まれた「ええとこどり」の発想が深くかかわっていることが分かるだろう。

聖徳太子は、それ自体が古くから信仰の対象でもある。太子信仰は、その人自身が創造した習合的発想の中で、心地よい位置を占めることができた。太子は外来の仏教の普及に最大の貢献をしながら、日本文化の源流を創り出すような大きな仕事もされたのだ。今日のわれわれが日々の生活の中で、聖徳太子から受けている最大の影響は、文化において選択的利用ができる「ええとこどり」の発想であろう。

第二章

光源氏

――「上品な政治家」の原型

◉「光源氏」は実在したか

光源氏は、いうまでもなく『源氏物語』に描かれた架空の人物である。

なぜ、架空の人物が〝日本を創った十二人〟の一人なのか。そして、現代にどういう影響を与えているのか。意外に感じられるであろうし、怪しまれる読者も多いと思うので、まずこの点について述べておきたい。

大正、昭和初期の有名な歴史学者、津田左右吉《そうきち》博士は、当時としては実証的な歴史研究を重視した人として知られている。感傷を徹底的に突き放す学風で、『古事記』や『日本書紀』に書かれていることは神話であるから、事実ではない、と率直に述べた。

つまり、『神代史の研究』などの著書において、記紀の皇室系図は『帝紀』と宮廷に伝わってきた様々な物語である『旧辞《くじ》』を基にして作られた、天皇制を正当化するためのものである、として天孫降臨などの文献批判を行った。

昭和十年代になると、国粋的な日本主義者から、「津田はけしからん、日本の神話、天皇家の成立について疑問を差し挟んでいる」と攻撃され、著作は「皇室の尊厳をおかすものだ」という批判の声が高まり出版法違反で起訴された。

これは結局、時効にかかっているという理由で免訴となるのだが、その公判廷で津田博士は、日本の神話は「歴史的事件の記述ではないが思想上の構成として見るにふさわしい」という有名な釈明をされた。

つまり、「みなが信じてきたから思想上の構成としては否定はできない。自分も否定はしていない。しかし歴史的事件として起こったことではない。例えば天上に国土のあるはずもなく、天から人が降ってくるはずもないから、是《これ》は説話でありまず。説話としてはじめて古事記の記事も生きてくる」というものである。

当時としては止むを得なかったとはいえ、かなり苦しいいい逃れだが、津田博士がその時、歴史的事件ではない思想上の構成として存在し得た典型を示す例として引かれたのが、光源氏である。

つまり、光源氏は『源氏物語』に著された架空の人物であるから、『源氏物語』は歴史的事件の記録ではないが、あのような感じの貴族政治家が平安時代に存在したことはまさに事実である、というのだ。

実際、今日の日本においても、光源氏ほど平安貴族または貴族政治家の原型をよく伝えている「人物」はいないだろう。

そういう意味では、光源氏は架空の人物であり、その存在は歴史的事件ではないが、日本人に影響を与えている思想上の構成としては、まさしく存在しているといえる。こういった説明を津田博士はしたのである。

たしかに、われわれが平安貴族をイメージしたり、その生活ぶりや精神世界を想像するよすがとしては『源氏物語』が最も分かり易い代表格だ。そしてそれが現代のわれわれ日本人のものの考え方や価値基準に大きな影響を及ぼしていると思われる。

その意味で、紫式部によって創作された光源氏という架空の人物を〝日本を創った十二人〟の一人に取り上げたわけである。

◉平安貴族の代表例

ところで、有名な『源氏物語』に描かれている主人公「光源氏」とは、一体どんな経歴の持ち主か。光源氏という名が知られているわりには、経歴と事跡については知られていないのではないだろうか。

光源氏の時代は、『源氏物語』の著者、紫式部が生きた時代よりも数十年前と想定されている。現在でいえば昭和初期を舞台に戦後の作家が書いた感じだが、もちろん、高度成長経済や技術変化のあった時代ではないので、生活様式などはほとんど変わっていなかっただろう。年代でいうと延喜《えんぎ》から天暦《てんりやく》まで（九〇一～九五七年）あたりのことである。

その時代を舞台にして書かれた『源氏物語』には、何人かの主要な架空の人物が登場する。

まず、桐壺天皇。この天皇の最愛の第二皇子として生まれたのが光の君だ。ところが、生母である桐壺の更衣（側室の位）の身分が低かったので、臣籍に降下されて源氏姓となる。そしてその美貌ゆえに「光源氏」と呼ばれ、様々な女性との恋の遍歴を重ねながら、結局は亡き母に似た中宮・藤壺との苦しい恋に陥っていく。藤壺は父帝の寵妃だったからだ。

その間に不義の皇子が生まれる。罪の子であるが、桐壺帝の皇子として育ち、後に冷泉帝となる。

だが源氏は、異母兄である朱雀帝が即位し、強力な後援者であった父君の桐壺帝が亡くなると逆境に陥って、須磨、明石をさまようこと約二年。これが「須磨、明石の段」として不遇な皇子を描いている。

やがて対抗者である朱雀帝とその母・弘徽殿《こきでん》太后が病気がちとなり、勢力が衰えてくると、源氏は京へ戻り、都の権力中枢に返り咲く。

以後は、幼い冷泉帝の後見として、内大臣、太政大臣と出世しつつ勢威が備わり、六条院に大邸宅を築く。そして最愛の紫の上のほか関係のあった多くの女性を住まわせた。源氏の地位は准太上天皇に達する。ここまでが第一部である。

そのあとの第二部では、初老の光源氏が朱雀院に頼まれてその最愛の息女・女三の宮と再婚し、だんだんと老境の生活を送る。そして大物政治家として権威が備わってくる。いわば大政治家、大実力者になったのだ。

なお第三部では、息子の薫の君が登場するわけだが、私が取り上げたいのは、光源氏であり、平安の貴族政治家の代表的な形であったと信じられている光源氏の生き方である。

では延喜から天暦の頃の平安貴族はどういう状態にあったのか。

これに先立つ奈良時代は、天皇家を中心とした豪族たちが相競う中央集権志向の時代であった。

ところが、平安時代になると天皇及び天皇家は雲上人《うんじょうびと》となり、その下の藤原家を中心とした貴族時代になる。これら大貴族は全国に荘園を持ち、その土地の管理を現地に居住する地頭《じとう》、のちに武士として台頭する現地のマネージャーに任せ、不在地主として不労の年貢を得ていた。つまり伝統的な権威だけで荘園から年貢を得る有閑不労所得層だったわけだ。

これに対して現地の地頭は、貴族から与えられた権限によって荘園管理に当たり、取り立てた年貢の恐らく過半数を手数料として中間搾取していたと思われる。彼らはそれができる暴力（武力）を備え、それを許す貴族を支持していたわけだ。貴族と地頭は持ちつ持たれつの関係にあった。現代でいえば大株主の未亡人とやり手の経営者とでもいった関係だろう。

しかし、だからといって平安貴族がまるまるの遊び人だったわけではない。京の都に住まう彼らには、国政を担当し反乱を抑える「政治」という大事な仕事があった。問題はその「政治」の内容とやり方である。

◉貴族政治家の仕事

当時の日本は、中国唐朝の組織を模した律令体制が確立されており、太政大臣以下、左大臣、右大臣、大納言、少納言などがおかれていたが、こうした高位に就くのは、天皇家出身者及び源平藤橘《げんぺいとうきつ》の貴族に限られていた。

では、その人々が行っていた政治とは、どんなものだったのだろうか。太政大臣以下の貴族政治家は何をどのようにしていたのか。このことが光源氏という人物に非常によく現れている。

先に述べたように、光は皇子《みこ》として生まれ、その美貌ゆえに恋の遍歴を重ねながら成長し、その間に地位がだんだんと上がっていくけれども、父帝が亡くなると、貴族間の勢力争いや閨閥争いの渦に巻き込まれ、須磨、明石に追放される。

このような状況になれば、誰しも自らの不運に悩み政敵を恨むだろう。あるいは、政権復帰を目指して政治運動を展開し、政見政策を掲げて同志を集めようとするだろう。ところが、光はそのようなことはほとんどしていない。長く大臣を務め、やがては太政大臣にまで昇り詰める光が、どのような政見を持ち、どのような政策を実現しようとしていたのか、あの長い物語の中でも、ほとんど見ることができない。

光が須磨、明石の不遇時代から脱し京に復帰するのも、政治運動の結果でなく、京の都における政権人脈の変化によって呼び戻され、出世したのである。

しかし、不遇時代の過ごし方として「須磨、明石の段」は、非常に参考になるところもある。その一つは、不遇の時代にも光は決して堕落しなかったし、反逆しなかったことだ。

都を離れたわびしい田舎住まいを哀しみ、望京の念に涙しながら悶々と生きるが、決して反社会的にも怨念的にもならなかった。当時の貴族は他から断絶した世界に生き、内面性での不満の克服のためにも美意識の世界に没入していく。それこそが当時の貴族のあるべき生き方であり、今日に至るまで日本における上品の原点ともなっているものでもある。

さて、光源氏は二年間の須磨、明石における不遇時代を経て京都へ帰ると、まず重要な地位に立ち、遂には今日の総理大臣に当たる太政大臣になり、さらに総理大臣の中でも大物の准太上天皇という地位に就く。ところが、それほどの大政治家である光源氏が『源氏物語』をずっと読んでみてもほとんど政治らしい政治はしていない。紫式部が書いたあの長い物語の中には、外交問題もなければ国防や治安の問題もない。財政や税制について議論している場面もほとんど見当たらない。

ところが、それが不思議と奇妙な感じを与えない。むしろ平安時代の貴族ならば、このようであったろうと納得してしまうのである。

この時代の日本は、菅原道真の提言により遣唐使を廃止し、公的には鎖国をしていた。

聖徳太子が遣隋使を送られて以来、奈良時代を通じて隋に代わって唐に対しても遣唐使外交を行い、平安初期までつづけていた。ところが八七五年頃から唐で内乱が多発、新たな技術や文化の進歩がなくなったというので、遣唐使も長く断絶することになった。八九四年に至って菅原道真が、もう唐に行っても得べきものはない、持ち帰って参考になるようなものはなくなった、という提言をして、遣唐使は打ち切られてしまった。

実際、唐王朝が八七五年の王仙芝《おうせんし》・黄巣《こうそう》の乱から衰退し、八八六年頃からは慢性的内乱状態になり、統制力を失ったのは事実である。このため長安の都へ行っても、立派な文物は得られない。少なくとも当時の日本人にはそう見えた。だが、実はその唐末五代の時期にこそ、次の宋代亜近代を創り出す石炭利用や羅針盤、火薬などの新技術が生まれつつあった。しかし、日本の平安貴族は、そうした産業技術にはほとんど興味を示さなかったのである。

光源氏はこうした鎖国状態の日本にあり、外交問題はもちろん、産業発展にも財政問題にもほとんど関心を持つことがなかった。

しかし、この時期の日本国内が気楽な時代だったわけではない。平安貴族の権威と武力が衰え、東では平将門の乱（九三五～九四〇年）、西では藤原純友《すみとも》の乱（九三八～九四一年）が起きてくる。光源氏はその直前に太政大臣職にありながら、治安や財政にはあまり問題意識もなく過ごしていたらしい。

ところが、『源氏物語』を読む人も、論評する人も、政治家としての光の無為無能を批判することは滅多にない。むしろ、治安や財政などの現実的な重要問題に貴族政治家は直接タッチせず、荘園の現地管理人である地頭、のちの武士階級に任せているのが当然だ、と感じてしまう。

◉「上品」という概念の原点

では、当時の貴族や、貴族が支配していた日本の中央政府の仕事は何だったのか。それは地頭が徴収した税（年貢）によって都の消費を賄い、仏教系や神道系の様々な儀式を行うことで国の気風と様式とを全国に伝えることによって、日本国としての風格を保ち、全国的な心理的文化的統一を維持するのが、最大の仕事だった。各地の治安や産業の問題は自治に任せていたのである。

奈良時代には日本全国様々な街道を造り、各地に国分寺を設置して、中央集権的な制度を完成させた。ところが、平安時代になると中央集権の力はだんだんと弱まり、地方分権化から地域分立化が進んでいった。

例えば、今日、高速道路を造る場合、合理的に考えていくと古代の道とほぼ同じルートになるといわれている。いわば一直線に奈良の都から全国各地へ行く「弾丸道路のようなもの」を、古代国家は造ったのだ。平安時代になると、それが、次第に草むして失われ、全国的な移動には時間と危険がかかるようになり、移動する人々も非常に少なくなる。いわば日本の中世化が進んでいたわけだ。

したがって、中央政府の権限と権力は低下、政府のコストもそれほど高くはなくなった。いわば地方分権と小さな政府が実現したのである。貴族政治家の仕事も、宗教的国家的な儀式を維持するのが主であり、全国的な美意識の規範となることであった。極端ないい方をすれば、この時代の日本は、美意識の共通性によって保たれていたとさえいえる。そんな時代の政治家として、光源氏はまさしく「思想上の構成」として存在したのである。

平安時代の中央政府は、「小さな政府」だったが、それさえ維持するための財源を徴収するのは楽な仕事ではなかった。『源氏物語』の中にも貧しい公家や落ちぶれた貴族の荒れ果てた屋敷の様子などが出てくるが、太政大臣となった光源氏が、没落貴族救済問題もあまり深刻に議論をしている気配は見られない。

むしろ気の毒な貧乏貴族には近寄らず、見て見ぬ振りをしている。当然、庶民の貧苦にもそうであったろう。個人的には同情しても、政治家として福祉政策など考えることはない。

太政大臣であった光源氏はただ美意識の世界に耽溺《たんでき》していた。和歌や服装、儀式における振舞いや席次などの議論が多い。そして女性関係をめぐる恋と争い。政治とはもっぱら人脈、とりわけ血脈であったことを考えれば、恋もまた重要な政治だったのだ。

もし、今日の政治家が外交や治安、財政といった問題にはまったく関与しないで、美意識だけに耽溺していたとすれば、どうであろうか。意外に地頭に当たる官僚が巧くやってくれるかも知れない。平成の世にも、米国大統領との会見に際してマフラーの巻き方ばかりを気にした総理大臣もいたけれども、この首相が平安貴族の末裔だったとすれば、「なるほど」と頷けるだろう。

不思議なことに、この光源氏に関しては、政《まつりごと》を治めない太政大臣でありながら、いやらしいところがないし、無能感も感じない。最近は女性の人権という立場から、『源氏物語』にはあまりにも登場する女性が多いと嫌悪感を持たれる方もいるようだが、政治家としての光源氏を憎む気にはなれないだろう。それも一種の人徳というものだ。

平安貴族の典型的な人物が光源氏として描かれ、今日に至るも日本人に広く知られている。歴史の中に光源氏がいなかったら、つまり、紫式部が『源氏物語』を書かなかったとしたら、われわれは、平安時代の貴族のあり方、平安貴族の暮らし方を今日ほど詳しくは知らなかったのではあるまいか。

そしてそれが日本の貴族像、さらには「上品」の概念の原点になった。したがって、日本人は今も光源氏のような人物を、ある条件付きで肯定する。今日の日本人の生き方や社会的評価にも、それが重大な影響を与えているという意味で、光源氏もまた「日本を創った」一人に数えるべき人物であろう。

◉「光源氏」型政治家の登場

「何もしなかった政治家」光源氏の影響は、現代日本のどんなところにどんな形で現れているのだろうか。

まず第一は、日本的な貴族政治家または「上品な人」の原型を創り出したことだ。

実際、この国にはしばしば、「光源氏」型の政治家が現れる。つまり、一見上品で人柄はよさそうだが、現実の政治はほとんどやらず、やる気さえなく、行財政の細部と実務には知識も関心もない、というタイプの政治家である。

その典型は昭和十二（一九三七）年に内閣を組織した近衛文麿であろう。

近衛文麿は、身長一メートル八十で、当時としては抜群に背が高くてカッコよかった。チョビ髭を生やし、顔だちも整っていた。何よりも近衛家は五摂家筆頭、つまり藤原家の本流であり、公爵である。まさに貴族政治家そのものだ。

当時の日本は、満州事変から二・二六事件へと突き進み、国際的には孤立化、国内的には混乱が拡がる大変な時代である。そんな時に「あの近衛さん以外に現在の日本を治められる人はいない」という声が澎湃《ほうはい》として沸き起こる。この時、日本人が近衛に求めていたのは、まさに光源氏の影であった。

近衛は新体制運動とか国家総動員法とか、様々な政策を提唱した。だが、そのすべては内容の空虚なキャッチフレーズとポーズ、政治の実際はいわば美意識の分野に過ぎなかった。そんな無為無能の総理大臣の下で、政治の実際は、軍人と官僚が行った。つまり地頭任せである。それでも国民は、近衛を非難することなく、三度も首相の座に就けたのである。

政治の実務はせず、キャッチフレーズとポーズだけに生きる近衛の人気は衰えない。第一次近衛内閣では日中戦争を泥沼化させて政権を放り出しても非難されず、すぐまた昭和十五（一九四〇）年には第二次近衛内閣が成立、新体制運動推進の名のもとに大政翼賛会を作った。なんと全議員が好んで「何もしない政治家」近衛の指揮下に入ったのだ。

しかし、それでもまだ近衛には指導力がなく、政治の実際は陸軍の軍人と内務省や大蔵省の官僚に任せきっていた。そしてそのことが、結果としては太平洋戦争にのめり込む原因となった。

実際、日本が先の戦争に突き進んだ中で、近衛文麿の責任はきわめて重い。

まず、第一次近衛内閣（昭和十二年組閣）の時には、日中戦争をはじめた。しかも昭和十三年のはじめには「蔣介石を相手にせず」という宣言を発して停戦の機会を逃してしまう。

これは、陸軍よりも内務省、つまり警察当局が「蔣介石政権と妥協したのでは、右翼らの暴動を抑え切れない」と反対したためだが、近衛は首相でありながら、内務官僚を説得もせずクビにもしなかった。

第二次近衛内閣の時には、日・独・伊三国同盟を結んだ。そして昭和十六年七月の第三次近衛内閣の時には、「日米開戦には反対だ」といいながら仏印進駐などの戦争原因をどんどんと作っていく。結局、最後の土壇場にきて、もう開戦する以外にどうしようもないという状態になった昭和十六年十月に内閣総辞職をし、あとは東条英機陸軍大将に継がせた。

戦争をはじめたのは東条内閣であったことには間違いない。また、東条英機が陸軍大臣として第三次近衛内閣の中で戦争推進派であったことも事実だ。けれども、決定的にアメリカとの関係を悪くし、戦争以外に道がないところに持っていったのは、まぎれもなく近衛文麿とその内閣である。

そんな非常に大きな責任のある事件を引き起こしながら、なお国民の人気が絶えなかったし、本人もさほど恥入ることがなかった。昭和二十（一九四五）年になっても天皇に奏上を行い、自らソ連へ行って和平交渉をしようとしている。まるで自分には戦争責任がなかったかのようだ。これこそ、光源氏に代表される日本型貴族政治家の常態である。

現在でも、上に立つ者、トップは細かいことをいうべきでない、よきにはからえで下の者に任せておいた方がいい、あまり細かいことをいうのは大物ではない――そう考える習慣が日本にはあるが、これはまさに光源氏を典型とする平安貴族にはじまった現象であろう。

◉「集団主義」と称する無指導

近衛と同じ頃の外国の指導者は、ヒトラーも、チャーチルも、スターリンも、実に細かいところまで自らの責任と権限によって決めている。アメリカ大統領のルーズベルトも、戦争をはじめる時、どれくらいの軍艦を造るか、どんな戦車を造るか、などなど専門家から詳しく聞いて、最終的にはすべて自ら決めた。チャーチルも毛沢東も同様である。

第一次世界大戦の頃、イギリスの総理大臣であったロイド・ジョージやフランスの首相兼陸相として独裁権を振るったクレマンソーも、自ら作戦を指導している。中でもロイド・ジョージは海軍軍人たちの反対を押し切り、史上はじめての護送船団を組ませた。結果としてはこれが大成功で、ドイツの潜水艦攻撃を封じることができた。専門家からはいろいろと意見を聞いても、最終決定は自ら下す。これが外国の政治家の姿である。

軍国主義か、民主主義かにかかわらず、トップが責任を持って決定をする、それが最高の給与を得ている者の務めだ。

これが企業のような小集団なら、より凄まじく、アメリカやヨーロッパの会社は原則ワンマン経営である。最高経営責任者にすべてを任せ、そして経営がうまくいったら、サラリーマン社長であっても膨大な報酬が入る。その代わり、うまくいかなかったらすぐ解雇される。全責任を持って決定するのがトップである。

ところが、日本では、あまり細かいことをいう人は大物ではない、という風潮がある。「まあ、そのへんは君たちのいいようにやっておいてくれ」「事務局の案がまとまったら教えてくれ」といっているのが大物、床の間を背に座るのにふさわしいということになっている。そうなったのは、欧米の貴族が、慢性的戦争状態の中で領地を奪い守った武将であったのに対し、日本の平安貴族は、宮廷文化人だったこと、つまり光源氏型だったことに由来するのではないだろうか。

こういった細かいことをいわないトップこそが上品で大物という発想が、今日の日本でも社会構造の形成に重要な影響を与えている。逆にいうと、トップが指導しないから、その結果、下の者が大勢でいろいろなことを決めていく集団的な意志決定構造が生まれる。「集団指導」といえば聞こえはよいが、実際には指導者は誰もいない、各セクションが個々別々に決定し行動し、最終責任の所在が分からない事態にもなり易い。

これが動乱期、例えば戦国時代や幕末維新となると強力な指導者が必要である。しかし、世の中が安定してくると、日本ではたちまちリーダーシップ拒否現象が現れ、集団主義的意志決定構造が生まれてくる。光源氏以来の上流人士は実務に携わらず、上品な人は他人と争うような指揮監督はしない、という伝統が蘇《よみがえ》るからである。

二十世紀においても、太平洋戦争敗戦直後は、政治の分野でも、経営の分野でも、個性の強い指導者が輩出した。それが新しい政策を考えたり事業を興したりして、大成功する例も多くあった。

ところが、戦後三十年ぐらい経た七〇年代後半になると、政治家にも経営者にも、初代創業者的人物はいなくなり、調整型とか称する無指導型になっていく。何となく「みんなで決めたらいいじゃないか」というわけだ。

みんなで集まって何となく雰囲気で決める、いや決まった気分になる。誰がいったというのでもなく、どこで決めたということもないのに、「いやー、特に反対もなかったようだから」「あの会議では、べつに大した議論もなかったから、結局まあ事務局案が通ったってことだろうね」といった状態が繰り返される。

集団指導と集団主義的意志決定とはまったく違う。集団指導は何人か何十人かが明確に組織として(例えば閣議や取締役会)意志決定をして下部組織をリードするやり方だが、集団的意志決定は明確に意志決定する権限機構が不存在であり、組織全体の雰囲気や構成員のみんなの気持ちで意志決定が行われる。だからこの雰囲気作りに加わる構成員は頻繁に集まって顔を合わせ「今の状況はどうだい」「最近の雰囲気はこうらしい」と、いわゆるフェース・トゥ・フェースの情報交換を繰り返す。『源氏物語』に描かれた光源氏のサロンは、まさにそうした状況を作っている。

様々な人々が出入りして和歌を詠んだり、月見をしたりしている間に、日本の政治的雰囲気ができたらしい。

こうしたサロンを、今の政界も企業も真似ている。このために企業は膨大な費用をかける。これが交際費と旅費交通費と福利厚生施設である。

一九九四年の税務統計によると、日本の民間企業の総交際費は五兆四千八十七億円。バブル崩壊後の引締めによって最高だった九二年よりは約八千億円減っているとはいえ、アメリカに比べて三倍以上、ドイツに比べると十六倍近くにもなる。GNP当たりで見ると日本の交際費はアメリカの五倍、ドイツの六倍にもなっているのだ。この他に官官接待に見られるような民間企業以外の交際費も非常に多い。

交際費は営業に必要だというが、本当に一番重要なのは社内及びグループ企業間でのフェース・トゥ・フェースの情報交換である。つまり、雰囲気の方向を誰がいうともなく決めていくために、日頃から集団の意向を相互に探り合い、いつのほどにか自分もそれに一致させておくことが大事になっているのだ。

同時に、フェース・トゥ・フェースの情報交換のためにみんなが集まる旅費交通費も大いにかかる。同じく一九九四年の日本の民間企業の旅費交通費は総額十四兆円という膨大な金額だ。これまたアメリカやEUよりもはるかに多い。さらにこの国の企業は、様々な福利施設を造り、社員の共同体化を進めている。

企業だけではない。永田町における政治家の「ムラ」の論理、あるいは文壇、画壇、俳壇、歌壇など、それぞれに「ムラ」が形成され、ムラの人間関係が築かれていく。

この結果、それぞれの本来の仕事で有能な人間よりも、人間関係の面倒見のいい世話好きや他人の嫌うことをいわない社交上手、つまり「光源氏」型の人間が周囲に押し上げられて高い位に昇ってゆく。こういった現象が、世の中の安定と共に非常に多くなっている。

意思決定をしない高貴にして高位な人、いわば無能だが上品な人の伝統は平安貴族、それも光源氏が生きた十世紀頃にはじまった。しかも、太政大臣の光源氏が恋と和歌にうつつを抜かしている間に世の中は改善されていく。

東国で反乱を起こした平将門は自滅し、西海で暴れた藤原純友は平氏に討たれる。それでいて武士が威張り出したわけではなく、天下泰平の平安貴族黄金時代（『源氏物語』の作者・紫式部が生きた時代）が出現する。

その記憶がまた、日本人の性格に重大な影響を与え、光源氏型の政治家を肯定する土壌を生み出した。

例えば、徳川時代になると、天皇は文化や祭祀行事を司り、政治の実権は将軍にあった。ところが、その将軍でさえも、細かいことに口出しをしてはいけない、という形になる。例えば、四代将軍の家綱は「そうせいさま」といわれた。何でも大老のいったことを「そうせい」とのみ答えていたという。これ以降の将軍は、五代綱吉と八代吉宗以外大体このタイプだし、各藩の殿様も同様であった。天下が泰平になると、平安貴族からの隔世遺伝が現れたといえるだろう。

外国の例を見ると、大体、王様や皇帝はワンマンである。

お隣の中国の歴史にも、いろいろと変わった皇帝が現れる。常軌を逸した奇人もいれば、白痴、病人、幼児まで様々な個性が登場するが、どんな場合も中国の皇帝は絶対権力者である。皇帝が幼児や病人であれば摂政が立つ。幼帝の場合は母親が摂政になることが多いが、その権限が外戚の伯父や兄弟に奪われることもある。

しかし、皇帝自身であれ、摂政や外戚であれ、最高位に立った者は凄まじい権勢を振るい指導力を発揮する。実力大臣といえども、皇帝やその代理人である摂政には絶対にかなわない。幼帝が成人して実権を持つと、たちまち摂政政治が激変、それまでの実力大臣の首が飛ぶ（殺される）ことも珍しくない。

◉「ノーブル」と「上品」の大きな違い

このことはまた、日本人の持つ「上品」の概念が外国のそれと違うことをも意味している。これが光源氏、つまり平安貴族が残した第二の影響といえるだろう。

日本でいう「上品な人」とは、まさに光源氏。あまり指導力は出さない、喧嘩や体力も弱い、荒野で生きる耐久力やサバイバル能力はむしろ低い。もっぱら美意識と詩歌の世界に埋没し、他人を不快にしない社交術を心得ている、塩っ気も油っ気も足りない人のことだ。

大体、映画や小説に出てくるお公卿さんや御曹子、つまり「上品な人」というのは、あまり活発でもなければ面白味も乏しいように描かれている。上品な貴族で剣道の達人というのも本当はいたのだが（例えば足利十三代将軍義輝《よしてる》）、イメージとしてどうもふさわしくない。むしろ和歌と蹴鞠《けまり》と儀式に凝っている方が合っている感じだ。この「上品」の概念は日本独特である。

ヨーロッパの貴族社会では、「上品」つまり「ノーブル」の前提となる条件は「克己心と用心深さ」といわれている。中でも重要なのは克己心だ。

例えば、軍隊がジャングルに取り残された。食糧供給も途絶え猛獣も出る。そういう時に誰が生き残ると思うか。日本人なら、まず農民や労働者出身の兵士が生き残ると思うだろう。貴族的で上品な人は、とてもジャングルでは一年も二年も生きられない、というのが常識である。

ところが、イギリスでは、「いや、彼は生き残るよ。何しろ貴族なのだから、ジャングルで暮らすくらい平気だろう」と必ず答える。これはフランスでもドイツでも同様だ。

ヨーロッパの貴族とは戦争を勝ち抜いてきた戦士の子孫であるばかりでなく、現に戦うことで領地を守っている連中なのだ。

したがって、貴族は喧嘩も強ければ体格もよい。自ら意志決定するし、自分の意志によって環境にも適応できる。暑さにも寒さにも、辛抱強い。上品な人は夏もきちんとした服装をし、冬も見苦しい厚着はしない。それは、暑くても寒くても辛抱できる克己心の現れと見られている。病気になっても痛い痛いといわない。戦争になったら真っ先に徴兵に応じ、自ら志願して戦場に征く。死を恐れぬ勇気がある、これこそが上品（ノーブル）の必須条件なのだ。

ヨーロッパの「上品」のもう一つの条件は、「用心深さ」だ。貴族は自分の家柄や資産を守るためには、用心深くなければならない。隙のない服装や巧妙な会話は、用心深さのシンボルなのだ。

一方では大胆で勇敢で克己心があり、他方では用心深いという、一見矛盾したことを両立させるのが、「ノーブルな貴族」の条件なのだ。

したがって、甲冑《かっちゅう》をつけて戦った騎士たち、それがそのまま現代に生きているのが、ヨーロッパ人の典型として考えている「貴族」の像であり、彼らが身につけている「克己心と用心深さ」が「上品」の概念である。

ただし「上品」という言葉にも、もう一つ「ジェントル」というのがある。日本語では、「ノーブル」を「貴族的」と訳し、「ジェントル」を「紳士的」と訳している。「紳士」というのは、ブルジョワジーに対して使う言葉である。したがって、ノーブルが「貴族的な上品さ」なら、ジェントルは「庶民的な上品さ」ということになるだろう。

ジェントルマンというのは、むしろマイルドで、あまり感情を表さない、何をいわれても冷静に受け答えし、それでいて他人の意見になびかない、いわゆる中庸を心得た人という意味になるが、これまた平安貴族とはまったく異なる感じだ。ジェントルマンにとって最も大切なことは常識と中庸、そして自分の意志を貫き通す強さである。

◉「日本的上品」の通用しない現代

そのように欧米の「上品」と、日本の「上品」は異なるのだが、アジア、例えば中国の「上品」はどうだろうか。これは、完全な主知主義であり、知恵と知識のあることが最大の条件になる。

中国では、唐王朝が衰え、五代の大混乱時代を経て、光源氏が政治家として活躍する時代から少しあとに宋王朝がはじまる。この頃から高級官僚登用試験の科挙が厳密かつ重要になってきた。科挙は隋初にはじまった官吏登用試験だが、唐代までは家系や父の顔で合格する者も多かった。ところが、宋代からは公正な実力主義になる。そしてその科挙に合格することが、「上品」のまず第一の条件になったのだ。したがって、科挙に合格する程度の知識を養うことが上流階級の必須条件である。

中国ではもともと、詩人にも画家にも官僚が多く、学問や技術で新しい発明をした人も、大抵は官僚だ。その意味では、官僚に人材が集まったことは確かであり、「野に遺賢なし」というのが政府の理想だった。つまり、政府は賢人をすべて官僚に登用し、政府以外に残さないのが、政治の理想とされたのである。

したがって、官僚の資格試験である科挙に合格できる知識のあることが、「上品」の第一の条件となった。特に明代以降は朱子学によって知識を重んずる主知主義が普及したため、知識の豊富なインテリが非常に尊敬される国となった。

日本では、「青白きインテリ」などという言葉があり、知識人や読書人にはある種の軽蔑観念も含まれている。同じことはアメリカやイギリスなどのアングロサクソンにもいえる。アメリカでも、いかつい男「マッチョマン」が人気者で、「エッグヘッド」と呼ばれる知識だけで固まった人間は尊敬されない。知識のある人間を尊敬するのは、まず中国、次いでフランスである。

知識、それも科挙に合格するような歴史や詩文の知識を重んじる中国では、官僚になる意志がなくとも、上品の証《あかし》として科挙の最初の試験、「郷試《きょうし》」だけは通らないと、一流の人間とは認められなかった。このため、郷試だけは通って知識のあることの証明書をもらいながら、官途に就かず、故郷で地主や家業を営む人を「挙人」と尊称したものだ。知識の豊かな中国の貴族は肉体労働や武芸を軽蔑したが、指導力は発揮した。王朝におけるヒエラルキーが維持されたのと同じである。

日本の平安貴族は、詩歌の知識もあり漢籍にも通じてはいたが、知識の有無が上品の基準というのではない。むしろ、立居振舞いを含む美意識の一部として和歌などを詠んだのだ。光源氏は美男で上品で女性にもてて太政大臣になる。つまり、大変に尊敬されてはいたが、和歌の名人というほどでもなければ、『論語』の注釈を著述するほどの知識人でもない。

日本は遣隋使以来、中国の様々な文化を学び、政治制度などを模してきたが、「上品」の概念は中国とも非常に異なったものになった。唐末から宋初にかけての中国文化の転換期に、遣唐使を廃止し、中国の新文化を導入しなかったからであろう。

今の日本は、戦後六十年を経て政府も企業も安定志向に入っている。このため、ますます光源氏型の「人柄満点、能力零点」の「上品」な人々がトップになることが多い。

それがまた、この国の子弟教育にも現れてくる。ヨーロッパの上流階級は、まず第一に、「克己心」と「用心深さ」を教える。つまり強い子供に育てなければならない、と考えるのだ。ところが、日本の金持ちや社会的地位の高い人々は、日本的な「上品」さに子女を育てようとする。そのため、子供には甘くなる。

日本では今、二代目ブームだ。国会議員や医師はもちろん、経営者にも、芸能人やスポーツ選手にまで二代目が数多く登場している。トップは意志決定せず、日本的上品さを保っておればよいと考える安定社会の今は、二世を認める雰囲気が強い。

ところが、日本には二代目は多くとも三代つづいた金持ちはきわめて少ない。三代、六十年の間には激動期がやってくるから、日本的上品さではつぶれてしまうのであるだろう。その意味で日本は上流階級が、子弟教育に失敗しつづけてきた国である。

こうした現在にも通じる日本社会の特質を遡っていくと、平安時代の貴族のあり方、平安貴族が示した「上品」の内容に行き着く。それを典型的に表して今日まで伝えてきたのが『源氏物語』であり、『源氏物語』に描かれた「光源氏」ではなかったか。

今日のわれわれでも平安貴族であった光源氏の生き方は、憧れの一つに違いない。しかし、今後ますます国際化が進み、強力なリーダーシップが求められる時代には、「光源氏」型では対応できなくなるのではないだろうか。

つまり、この日本型の「上品」も考え直すべき時がきたのである。

第三章

源頼朝

――「二重権限構造」の発明

◉前例のない「けったいな政権」

源頼朝は、久安三（一一四七）年に生まれ、建久九（一一九八）年の暮れに橋を見にいって落馬したのがもとで、翌正治元（一一九九）年の正月に亡くなった。この時数えの五十三歳であった。当時としては、それほど若死でなく、平均的な寿命だったといえるだろう。

この頼朝が日本の歴史と国民性に残した足跡は実に大きい。特に今日の日本に対する影響を考えてみると重大なものがある。

源頼朝の最大の業績は、はじめて幕府を開いて武家政権の基礎を確立したことだが、それに当たって、実に巧妙な方策を発明した。つまり古く奈良時代から存続していた律令制を温存しつつ武家政治を全国に展開するという「権力機構の二重構造」を敢えて創り出したのである。

源頼朝といえば征夷大将軍となって鎌倉幕府を創設、日本の支配権を握った、というのはよく知られている。

では、頼朝が就任した「征夷大将軍」とは何であり、それが開いた「幕府」とは何ものだったか。頼朝が日本を支配した権力の法的根拠は何だったのか。つまり、どのような立場で、どのような人から、どのような権限を付与されたのか、そのための儀式や立法はどうしたのか。こういったところになると案外、知られていないのではないだろうか。

頼朝が征夷大将軍になり鎌倉に幕府を開いたというと、われわれは今日に最も近い江戸時代の徳川幕府を思い起こす。このため徳川幕府と同じような統治機構が、頼朝によって鎌倉に作られたと想像しがちである。

しかし、同じ幕府といっても頼朝が鎌倉に開いたそれは、組織も機能も徳川幕府とかなり異なったものだった。権力の源泉も統治の構造も世間の見る目も、大いに違っていた。頼朝はそれまでの歴史に前例がなく、今日の感覚から見ても収まりの悪い、「けったいな政権」を創ったのだ。そこにこそこの男の恐るべき独創性がひそんでいる。

これに先立つ平安時代は長かった。平安京が都となったのは桓武天皇が長岡京から首都機能を移された延暦十三（七九四）年のことである。それから源頼朝が征夷大将軍に任命されて鎌倉幕府を開いた建久三（一一九二）年をもって平安時代の終わり、鎌倉時代のはじまりとすると、平安時代は三百九十八年間つづいたことになる。

ちなみに、東京が行政の中心地、つまり首都機能の所在地となったのを、徳川幕府が江戸に開かれた慶長八（一六〇三）年として通算すれば、西暦二〇〇二年に平安京の記録を破り、日本史上で最も長い首都機能所在地となった。これだけ経つと、だいぶ過密になってきたし、いろいろと無理なところも出てきた。このため首都機能移転論が出ているのは周知の通りである。ここでも参考にされているのは頼朝の鎌倉、首都機能はあったが、文化・経済の中心は依然として京都だった、という形である。

徳川家康が江戸に幕府を開いてから今日の東京都に至るまでに匹敵する長い期間、平安京という都は首都機能所在地としてあり、「平安時代」という一つのパラダイムの時代がつづいていたのだ。

もちろん、この三百九十八年の間には、権力の移動やら世の中の変化が様々あった。平安時代の最初は、奈良時代の名残を引いた律令国家体制、つまり天皇を中心とした中央集権制であったが、それが徐々に崩れ、中期になると貴族が各々に荘園を治めるという形になっていった。

奈良時代の律令国家体制は、中国の唐王朝の体制をそのまま移植したものだ。したがって、実に整然とした中央集権制度ができていた。いわゆる「二官八省」である。

「二官」とは、神祇官《じんぎかん》つまり神を祀る宗教官と、太政官《だいじょうかん》つまり一般の政治を行う「総理大臣」との二つである。そして太政官のもとに「八省」といわれる八つの役所があり、太政大臣、左大臣、右大臣、内大臣などが並び、次官として大納言、中納言、少納言と、政府の高官がいる。制度としてはきちんと整い、地方制度もまた見事にできていた。

同時に「班田収授法《はんでんしゆうじゆのほう》」も行われた。これはすべての耕地を政府が保有管理した上で、各々の民に一定ずつ貸し与えていくというものである。もちろん、実際に行われた期間、行われた範囲などには疑問があるが、そうしたことを行うという建前があり、少なくとも一部では一定期間は行われていた。つまり、唐王朝の体制そのままを移植した非常に整った明確な制度を作り、支配形態を整え、中央集権制を確立させたのである。

これが平安時代になるとだんだんと崩れてきて、いわゆる荘園制が生まれ、その荘園を押さえる貴族の支配権が強まっていく。その結果、貴族の領地である荘園には政府は干渉しないという、いわば地方分権構造になった。また天皇家や貴族らから寄贈された寺社の領地も相当に大きかった。この貴族や寺社の荘園を経営していたのが在地の武士だった。田舎にいる番頭兼用心棒である。

したがって、平安時代には、貴族から見ると武士は卑しい下層階級だった。貴族は大体、第二章に述べた光源氏のように京の都にいて、地方官になっても実際の仕事にはそれほど携わらない。農民や奴婢《やっこ》といわれた人たちを働かせて収穫を上げ、年貢を取るのは在地の武士の仕事だった。手を汚さない貴族の代理人として暴力によって農民を押さえつけるのが、武士の職業的な任務である。したがって、創成期の武士は、しばしば殺生を生業《なりわい》としている浮屠《ふと》の輩《やから》と呼ばれていた。

ところが、暴力的なことを任されている者は、やがて強くなり独立する。平安の武士階級も例外ではない。やはり現場で土地と民を押さえ、実際の生産を管理している者は強い。時代が進むにつれ武士階級の力が強くなり、貴族への年貢納入を削り、経済的にも自立し出した。自立した武士たちは互いに争い、勢力拡大を競い合う。長い間、貴族たちは武士同士の争いを利用して勢力均衡の上に権威を保っていたが、平安も末期になると多くの武士を従える「武士の棟梁」が現れた。それが源氏であり、平家である。

◉頼朝の登場

貴族というものは、どこの国でもしぶとい。殊に平安貴族はしぶとく容易なことでは滅びない。彼らは武士同士を争わせて権威を保つ。このために大きな動乱が起こった。源頼朝が生まれた久安三（一一四七）年というのは、ちょうどそんな大動乱のはじまる頃であった。

頼朝の父である義朝《よしとも》と、その父、つまり頼朝の祖父の為義《ためよし》とが敵・味方に分かれて戦った保元《ほうげん》の乱（一一五六年）でも、お飾りのように藤原家の貴族たちが双方の上にいた。武士の支持がなければ貴族は戦争などやれないが、武士も自ら総大将になるほどの権威がなかった。つまり、武士は貴族を飾りに使い、貴族は武士を実戦部隊として利用したのである。

源頼朝は清和源氏の嫡流である。清和天皇の子から発して源の氏を賜ったのが清和源氏で、武士の中では最も格式の高い家柄だった。その総本家に生まれた頼朝は、十二、三歳の時に従五位下《じゅごいげ》内蔵人《うちくろうど》という位に就いた。

従五位下とは、ようやく殿上人《てんじょうびと》になったということだから、支配階級の最下級に入ったことになる。ところが、その直後、同じ年（一一五九年）の内に平治の乱が起こり、頼朝の父の義朝は平清盛に負けてしまう。頼朝は捕らえられ、京都へ連れていかれて首を刎《は》ねられそうになるが、平忠盛の後妻であった池禅尼《いけのぜんに》の命乞いによって一命をとりとめる。そして伊豆に流された。

それから約二十年間、三十三歳くらいまで、平家の伊豆地方官の管理下におかれるが、この間も情報収集には努めていたようだ。後年、鎌倉という当時の片田舎で天下を治めた情報通の素質は、その頃から十分にあったのだ。

平治の乱で平清盛が実権を握ったことによって、それまで貴族階級からは下層だと思われていた武士が非常に強くなり、政治にも武士の意見が強く押し出されるようになった。仁安《にんあん》二（一一六七）年、清盛は貴族の最高位太政大臣にまでなったのだ。もっともこれは三カ月で辞任、入道してしまうが、実権は放さない。

平清盛は、のちの織田信長に似て豪放磊落《らいらく》な性格で、革新的な思想の持ち主だったから、当然、旧勢力からは抵抗が出てくる。その代表格が後白河法皇である。平清盛と後白河法皇の関係は、織田信長と足利将軍義昭との間柄に似ている。

やがて平家全盛が十年ほどつづいた治承四（一一八〇）年前後、日本は大飢饉が発生する。この大飢饉が、源平合戦の中で非常に重要な要素をもたらした。それをきっかけにして、平家の支配権に対する反感が拡《ひろ》まり、現実の反乱が起こり出したのだ。源頼朝が反平家の兵を挙げたのも、その一つで、決して唯一のものではない。大飢饉の中では、各地で同じような反乱が起こっていた。

この年の四月に以仁王《もちひと》から平氏追討の密命をうけた頼朝は、八月になって伊豆で反乱を起こしたが、相模の石橋山（現在の神奈川県小田原市）の合戦で大庭景親《おおばかげちか》などの平家勢に敗れた。危うく捕まりそうになったが、椙山《すぎやま》の洞窟に隠れて難を逃れた。しかし翌日この洞窟にも平家軍の手が迫り、捕らえられるところだったが、平家方の梶原景時の情実により一命を得た。これは後世の芝居にもよく出てくる場面である。

こうして生き延びた頼朝は、海路、安房《あわ》の国（現在の千葉県）に逃れ、この地を関東制圧の出発点として上総・下総の大領主の三浦氏の上総介広常《かずさのすけひろつね》や千葉介常胤《ちばのすけつねたね》などに援助を得て、攻め戻ってくる。この間に、飢饉による社会不安が進み、平家の押さえていた侍（壮丁《そうてい》＝下級武士）集団が崩壊してしまった。

頼朝が攻めていく途中、同じ年の十月に富士川の合戦があった。頼朝追討の総大将として大軍を率いてきた平維盛《これもり》は、夜半に水鳥の羽音を聞いて逃げ帰った、といわれている。『山槐記《さんかいき》』（平安末期の公卿中山忠親の日記）には「水鳥の羽音を敵の来襲と勘違いして」とあるが、数に勝っていた平家軍を脅えさせたものがほかにあったはずだ。恐らく兵糧の不足から生じる対立、率いる農民たちの不満、いたるところにいた一揆といったことから、平家方の武士（壮丁）集団には、いつ何どき反乱を起こしてもおかしくない状況にあったのだろう。

加えて、平家にとって不幸だったのは、翌養和元（一一八一）年、清盛が熱病に冒されて死んだことだ。

頼朝は、富士川の合戦に勝ったが、そのあとは、実際の戦いはあまりやっていない。平家追討を行ったのは、源（木曽《きそ》）義仲《よしなか》の方である。

木曽から出てきた義仲は、倶利伽羅《くりから》峠の戦いで平家軍を破って北陸廻りで京都に攻め上り、清盛亡きあとの平家軍団を追い出して、元暦《げんりやく》元（一一八四）年には征夷大将軍にもなった。京の支配権を得て「旭《あさひ》将軍」とまでいわれたほどだ。

しかし、あくまでも貴族階級の勢力を保とうとする都人と対立、兵の乱暴狼藉も激しかった。恐らく義仲の軍も飢饉で兵糧に窮していたのだろう。

寿永二（一一八三）年十月、頼朝に対して、東国の沙汰権と軍事支配権を与えるとの宣下があり、これに反発した義仲は後白河法皇を幽閉するに至った。このため、義仲追討の密命が頼朝に対して下ったともいう。

それを受けた頼朝は、弟の範頼《のりより》と義経を義仲追討に送った。この義経が、宇治川の合戦で木曽義仲に勝って都に入り、つづいて一ノ谷（現在の兵庫県神戸市）にいた平家を追討し、一年余の間に壇ノ浦まで追い詰めて全滅にする。源平合戦は終わり、源氏の軍事独裁が出現したのである。

◉軍司令官に過ぎない征夷大将軍

その間、頼朝はいったい何をしていたのか。じっと鎌倉にいて、関東の支配権を確立する仕事をしていたのだ。

例えば、同じ源氏でありながら頼朝から独立の気配があった佐竹氏のいた辺り（現在の茨城県）を平らげ、南関東一帯を支配するといった仕事をしていた。そのため頼朝の生涯には、義経のような華々しい合戦物語がない。天下を平定した武人には珍しいことである。

義経は源（木曽）義仲を征伐して京の都を押さえ、平家を追い落として西海の果てまで征服したが、そうなると義経と頼朝の間が、あるいは義経と後白河法皇の間がうまくいかなくなる。それを待っていたように、頼朝はまた追討をかけて弟たちを誅殺する。同時に、追討をかけられて奥州へ逃れた義経を匿《かくま》った平泉の藤原家四代目の泰衡《やすひら》をも討伐する。頼朝は待ちの姿勢で武力行使を行い、事実上日本を支配したわけだ。実に賢明なやり方だが、大衆的人気を得る方法ではない。

さて問題は、この頃の頼朝は、公式の地位としてどのような階位を持っていたのかだ。これを調べてみると非常に面白いことが分かる。

前述したように、十二、三歳で従五位下になり、そして右兵衛権佐《うひょうえごんのすけ》という地位に就くが、現在でいうと本省の課長ないし課長補佐クラスである。年齢も十二、三だから、名ばかりの地位であろう。その後、平治の乱があり、その位もクビになる。そして東国に流され罪人扱いとなった。

さて平家を追討した結果、頼朝は何を認められたのかというと、後白河法皇の宣下による、東国に対する「沙汰権」であった。現在でいえば埼玉県知事のようなものので、関東地方の内政を行う権利を得たわけだ。そして元暦元（一一八四）年に、義仲を追討し、翌文治《ぶんじ》元年には平家を滅ぼしたが、さらにその年十一月、諸国の守護・地頭の任命権を得て、諸国の武士は源頼朝の家来という形を作った。これによって全国の軍事・警察権を掌握するわけだが、単に守護・地頭の任命権というだけで、全国支配の法的な根拠とはいい難い。しかも、この任命権も、後白河法皇の宣下で得たもので、律令制の中では法的根拠はまったくない、いわば法皇からの私文書で認可を得たようなものである。

これらと前後して、鎌倉に「公文所」「問注所」を設置した。しかし、この公文所・問注所は、源頼朝家の資産を運用する家政機関である。いわば私企業であり、公的なものではない。各貴族の所在地にあった荘園の「公文所」「問注所」を、頼朝は大規模な形で行ったに過ぎない。

それでも、武力をもって実権を握っていたので、自派の貴族を政治的重要ポストに就けた。九条兼実《かねざね》を議奏公卿の内覧（准関白。太政官が天皇に奏上する文書を事前に見る権限を与えられた職）に推挙し、その地位に就けた。いわば子分を閣議の議題選任者にして政府の決定を操ろうとしたのだ。

頼朝は、それから五、六年経った建久元（一一九〇）年に、はじめて後白河法皇と対面して、権大納言・右近衛大将になった。これは、のちに織田信長も就く地位だが、北面の武士、つまり皇宮警察長官であり、当時はひら大臣級の役職であった。太政大臣にまで昇った平清盛に比べると、かなり控えめだが、一応ここまではまともに律令体制の階段を昇っていた、といってよいだろう。

ところが、翌年、これらの官職を辞してしまう。律令制の中では無官になったのだ。そして建久三（一一九二）年の七月に、いよいよ征夷大将軍となり鎌倉に幕府を開設した。

では、この征夷大将軍とはどういうものであったのか。征夷大将軍というと幕府の最高位、天下を治めるのが当然の地位と思いがちだが、それは徳川幕府ができてからのことで、頼朝が就任した建久年間は決してそうではない。

征夷大将軍は頼朝が最初ではない。初代は大伴弟麻呂《おとまろ》。平安京ができたのと同じ西暦七九四年に任命されている。

当時の東国、現在の関東地方から東北地方にかけては、まだ大和朝廷に服さない蝦夷《えみし》と呼ばれる人たちがいた。人種的にはアイヌ系もいたし、そうでない者もいたらしいが、とにかく当時は東の方にいて大和朝廷の命令を聞かない者をすべて「蝦夷」と呼んだ。それに対して九州の南の方で大和朝廷の意向に服さない者は「熊襲《くまそ》」と呼んでいた。

そういう蝦夷を帰順させるのが征夷大将軍、これに対して西の熊襲を治めるのが鎮西大将軍だった。つまり、征夷大将軍とは、東部軍総司令官であり、もともとは臨時に任命される武官職名に過ぎない。

この臨時東部軍総司令官である征夷大将軍の二代目が、かの有名な坂上田村麻呂で、東北地方の開発に尽力し、寒冷地にも水田稲作を普及させたという。三代目は文室綿麻呂《ふんやのわたまろ》という人だが、あまり有名ではない。その頃から、東北地方にも大和朝廷の統治が及ぶようになり、征夷大将軍も中断する。

その後、長い空白があって、やがて義仲が京の都へ入って征夷大将軍になったのは前述の通りだ。もっとも義仲は、自らなった（自分で任命した）といわれている。義仲の死後八年間は空位だったが、建久三（一一九二）年に源頼朝がこれに任命された。

以上のように、臨時東部軍総司令官である征夷大将軍は、律令制では、臨時の職名でさして高い地位でもない。ところが頼朝は、先に後白河法皇の私文書で得た諸国守護地頭任免権を利用して、自らが司令官となった臨時東部軍に全国の武士を編入した。したがって、全国の武士は、東部軍所属だから、その総司令官たる征夷大将軍・源頼朝の命令に服さねばならない。

源頼朝が全国を治めた法的根拠とは、まことに奇妙なものだったわけである。

◉建前の律令制、本音の幕府

さらに頼朝の恐るべき巧妙さは、「二官八省」の律令制には手をつけず、京都には太政大臣、左右大臣以下、一切の官職をそのまま残したことだ。

権威と権力の二重構造――ここが頼朝の天才的な独創性であり、同時に大問題でもある。

東部軍総司令官（征夷大将軍）は、東部軍の軍事機能を掌握しただけではなく、次々と官職を創り出して与えた。このため、律令制の外側に、令に規定されない官職、いわゆる「令外官《りょうげのかん》」が次々と誕生する。日本人は建前と本音、形式と実体を使い分けるといわれるが、頼朝が公的な統治組織を律令制という建前（形式）と幕府という本音（実体）の二重構造にしたこととも、深い関わりがあるに違いない。

古代中国に生まれた易姓革命の思想は、第一章で述べたように、天子は天命を受けて天下を治めるが、その子孫に徳が尽きてその家（姓）に不徳の者が出れば天子の資格がなくなり、別の有徳の者に天命が下り王朝の姓が易《か》わる、という革命容認の政治思想である。この思想は東アジア全体に拡《ひろ》まり、中国はもちろん、モンゴルでも韓国でも王朝が何度となく易わった。ヨーロッパでもインドでも大体、権力者の交替があると王朝も易わった。

ところが、日本だけは、万世一系である。この国では聖徳太子によって、多くの宗教を一人が同時に信仰できるという宗教概念が定着したため、仏教伝来後も神道は生きつづけた。それに加えて源頼朝が、律令制はそのままにおいて武士政権を打ち立てる方策を考え出した。この二つによって、この国には唯一絶対というものが、精神的にも政治的にもなくなり、妥協の上手な実際的な人間が育つようになった、といえるのではないだろうか。

もっとも、正確にいうと、鎌倉時代の幕府は全国を隈なく統治したわけではない。東部軍総司令官司令部であった鎌倉幕府が支配したのは、東部軍に編入された全国の武士だが、この時期には武士が支配していた土地は全体のやっと半分。あとの半分は貴族の荘園や寺社の土地だった。これらは武士ではないので、東部軍総司令官の権限は及ばなかったのである。

もちろん、鎌倉幕府には、太政大臣以下の律令制の役職を任免する権限もない。それはあくまでも京都の朝廷の専管事項である。但し、どのような地位もあまり実際の政治権限は伴っていなかったが。

土地の支配権や役職の任命権はそうであったが、武力を持っている鎌倉幕府は、いざとなれば京の都の貴族や天皇家一族を逮捕し流刑にすることができた。このことを、のちの承久の変(承久三〈一二二一〉年)で、執権の北条義時とすぐそのあとでこの地位を継ぐ泰時の親子が如実に示して見せることになる。

源頼朝は、もう一つ、平清盛の失敗から大きなことを学んだ。行政の中心地、つまり首都機能を古い人脈や利権の力が及ばない遠国《おんごく》の鎌倉に移したことである。権力の形式と実質の二重構造を地理的位置と都市の形態においても実感させたのである。

以後、明治に至るまで、この国の朝廷はずっと京の都にあるが、行政の中心地は転々と移っていく。それによって日本では、政治体制が変わっても、文化は継承されることになった。

猜疑《さいぎ》心の強かった頼朝は、朝廷や公家の持つ文化的浸透力、武士をして公家の文化に慕《こが》れさせる力を恐れ、公家と武士とを隔離する必要を感じていたのだろう。

源頼朝は、旧体制との全面的対決を回避して、実に巧妙な現実的手法によって法律的には曖昧《あいまい》なままの政権を打ち立てた。その意味では、「一国に政府は一つである」という世界の常識を破ったといってよい。

だが、そうなるとこれを真似する者が次々と出てくる。太政大臣や左右大臣という官職にあっても権力がないのでよければ、東部軍総司令官たる征夷大将軍も祭り上げて、その下の者が実権を握っても悪いはずがない、ということに思いつく人が出てきたのだ。

それを実行したのが頼朝の妻の北条政子とその実家の甥、北条泰時である。頼朝の子や孫が互いに殺し合いをしていなくなると、京都の公家から将軍になる人物を連れてきて、実権はその下の執権・北条家が握るというわけだ。東部軍総司令官の参謀長か官房長に当たる人物が実権を握り、東部軍総司令部を牛耳《ぎゅうじ》ってしまったわけである。

◉「実権は下にある」伝統のはじまり

このことが、前章で述べた「光源氏」型の貴族像と表裏となって、今も日本的権力機構・統治機構のあり様に尾を引いている。今日も日本社会においては、総理大臣や各省大臣よりも役所の局長の方が実権がある、いや局長よりも本当に実権を持っているのは課長だ、というような例は実に多い。それどころか、上の人はなるべくあまり細かいことを知らない方がいい、最高首脳はシンボルであるべきで、実権はそれぞれの実施機関に任せる方が正しいやり方だ、という発想さえある。

現在の日本政府はこの伝統を正確に継承しており、大臣は官僚の書いたものをただ読むだけ、大臣が読み間違えたら「けしからん」と官僚はいう。

例えば、海部俊樹内閣の時には「てた事件」というのが起こった。「消費税を改革すべきだ」という野党からの質問があった。食料品などの消費税には軽減税率を適用してはどうかなど、いろいろな議論があったのだ。

その時、海部総理大臣は、大蔵省の担当官から渡されたメモに「消費税は思い切って見直しをする」と書いてあったのに、意図的にか間違えてか、「消費税は思い切った見直しをします」と答弁してしまった。「て」と「た」が違ったので「てた事件」と呼ばれる。

「思い切って」と「思い切った」では意味がかなり異なる。大蔵官僚が書いた「思い切って見直しをする」は、「消費税は変えた方がいいか、自分としてはいろいろ迷っているが、思い切って見直しをする」ということだから、そんなに大きくは変えないかも知れない、とも取れる。ところが、海部さんのいった「思い切った見直しをする」となれば、相当大きな見直しをする、大幅に変える、という言質《げんち》を与えたことになる。

大蔵官僚は怒った。某幹部は「一介の総理が担当官庁の書いた表現を読み誤るとは何事か」といってしまった。まさしく「一介の官僚」が「一介の総理」という言葉を口に出したのである。普段から高級官僚の抱いている感情がつい出てしまったのであろう。

日本という国では、大蔵官僚に限らず、各企業でも「一介の社長」といいたいところが沢山ある。

たとえ総理大臣といえども、下部の各分野の専門家のいうことは通してやらないとならない。企業でも大組織になると、トップは下の方で詰めた考えの通りにするのがごくごく当たり前になっている。下に逆らわず、「なるほど。きみたちはよくやってくれた。私はその通りに読むよ。分かった、分かった」というのが大物といわれ、日本では尊敬されるのである。

さて、源頼朝が「令外官」によって日本の政治を牛耳る制度を創ったことで、形式的上部機構をお飾りにして残し、実権を実質的下部機構に下ろす前例ができ上がった。この結果、上の方の律令制に巣くっていた京の都の平安貴族は、いつまでも名門としての権威だけを保つことができた。おかげで、流血の惨事は少なくて済み、武士が軍事政治を担当し、貴族は文化を担当する、という分業もできた。

このため、京の貴族の担当した文化は、生活実感の乏しい活力の薄いものになったが、それが伝統文化を保護する人材を確保する効果を持ったことも認められるだろう。

軍事政治を担当する武士が新しい文化を創り出すのは室町時代の後半、三百年近くもあとまで待たねばならない。そしてその頃には、足利幕府の上流武士（管領《かんれい》・守護）たちは、また貴族化しており、より下層と見られた出来星《できぼし》大名たちに実権を奪われはじめていた。織田信長の時代になると平安貴族は文化を担当する能力さえ薄れるが、徳川時代の安定社会になると平安貴族の文化が復活、それに基づいて京都を中心とする伝統工芸のような新しい生産技術を取り入れた産業が興った。

イギリスやフランスなどヨーロッパの国々のように、所得が高く、武力もあり、実権を持った人々が文化創造活動を進めたなら、信長・秀吉的な下劣ではあるが大型の文化が、日本にもずっと根付いていたかも知れない。

安土城、大坂城、聚楽第《じゅらくてい》などは、キリシタンの宣教師たちがこぞって驚嘆しているように、その当時の西欧の城や宮殿よりも大きくきらびやかであった。ところが、京都の公家を中心とする日本の貴族は、権力もなければ金持ちでもなかったために、むしろ文化の供給者として小型で誰にでもできるものの中にこそ美意識を探求しようとした。

源頼朝が、伝統的な保守旧勢力との決定的な対決を避けて、実質だけの権力構造を別に創ったことは、日本文化の担い手と形態にも公家文化と武家文化の二重構造を残したのである。

頼朝は、武家政治、武士社会を最初に創ったという意味でも、日本史上できわめて重大な人物である。同時に、そのことによって行政権を宗教権から完全に分離したことも見逃せない。つまり律令制の「二官」のうち「宗教官」の方は、実質政府である鎌倉幕府には置かなかったのだ。その点でも非常に大きな改革者である。

◉武家政治を開いた頼朝

源頼朝は、「武士の棟梁」として政治を行った政治家であり、武家政治を開いた武将である。しかし彼自身ほとんど鎌倉にいて、自らはあまり戦場には立たなかった。上京したのも生涯に二回のみである。

政権を創業した武人でありながら、頼朝には勇ましい話は少ない。このため今日においても大衆的人気は希薄である。むしろ実際に戦った弟たち、特に義経は話題性が豊富で人気も上々だ。

けれども、幕府の本拠地と定めた鎌倉にじっくりと根をおろして、人々を動かし、実力を養い、その後につづく新しい武家政治を展開したという意味では、頼朝こそ真の大人物であった。そしてそのような人物にありがちな猜疑心の強さと冷酷さも備えていた。そのため弟の範頼、義経を殺し、親類縁者も大勢殺害した。

その結果、頼朝の子孫や親類縁者は非常に少なくなり、結局、三代目にしてその血縁が絶える。また、鎌倉幕府を創り育てる間にも、これに貢献した多くの功臣を誅殺した。このことが、北条家が執権として地位を固める原因の一つでもある。

歴史上の人物像としての頼朝は暗い性格で、陰険な部分が多かったように見える。その点は、世界中の王朝創建の英雄の多くも同じだ。猜疑深い暗さは、偉大な権力を永続させる条件なのかも知れない。

頼朝は権力を握って鎌倉に幕府を創建した。そして実際に戦闘をした義経らを破滅させた。これが鬱積した同情となり、日本人の「判官びいき」、吉川英治氏のいう「破滅の英雄」を愛惜する気性を生んだともいえる。そうだとすれば「判官びいき」、つまり社会的には成功しなかった努力家を賞賛したくなる日本的気質も、頼朝が残した日本文化に対する影響の一つに数えてよいのかも知れない。

破滅の英雄は、義経以後の日本史上に何人か出てくる。真田幸村や「忠臣蔵」に登場する赤穂浪士らがその典型だ。特に後者は、仇討本願を果たすが結果としては自らも切腹し、主家の浅野家も復活しない。すべての人をより不幸にした。まさに「破滅の英雄」である。

源頼朝は偉大な仕事をした割には、昔も今も人気がない。そしてその故にこそ、義経のような、「破滅の英雄」を生んだのである。

もう一つ、頼朝の歴史的役割としては、日本の階級観に対して大きな影響を与えたことも見逃せない。冒頭に述べたように、平安時代には武士は浮屠《ふと》の輩と呼ばれた。その武士が権力を握る下剋上を完成させたにもかかわらず、自らが最上級の貴族とはならずに朝廷や公家を残した。「位」と「権」を分離したわけである。

近代のイギリスにおける名誉革命やアメリカの独立にも似た、生産現場を支配する者が政治の権力を握るという革命思想だ。当時の武士が農園経営者であったことを考えると、ここに類似性を見るのは必ずしも荒唐無稽ではあるまい。

中川八洋氏は、鎌倉時代の「御成敗（貞永《じょうえい》）式目」の中に、アメリカ合衆国の独立宣言と似た発想があると書いているが、統治機構の中に、現実の実態を反映させたという意味に限れば頷ける指摘だろう。つまり徹底的に実態を反映させるために、むしろ古い形式を実態のない状況でそっくり残すという日本的な知恵が、源頼朝から生まれたわけだ。

◉大権力者・北条政子の誕生

なお、頼朝から見ると後日談になるが、妻であった北条政子についても触れておきたい。

頼朝が平家に捕らわれて伊豆に流されていた間、監視役だった北条時政が、これは見どころがある、というので自分の娘と結婚させた。それが政子である。もっとも『源平盛衰記』などには、父（時政）の反対を押し切って、政子が頼朝のもとに走ったとあるが、平家の目をはばかる役目柄、そういうことにしたのではないだろうか。政子が頼朝を愛して走ったというのは事実としても、父時政の反対は、のちの頼朝と時政の関係から見ると八百長臭い。

日本は伝統的に夫婦別姓だから、「源政子」とはならずに北条政子のままである。この北条政子が「尼将軍」と呼ばれて活躍しはじめたのは、頼朝が死んだあとのことだ。

頼朝が生存中にも、部下の武士に命じて、頼朝の側室の家を焼かせたという話がある。頼朝もそれを止められなかったとすれば、かなり強い奥さんだったことは間違いないが、この時期には政治の表面にはあまり出てこない。

ただ一度だけ、頼朝が生存中に政治の表面に出たのは、建久六（一一九五）年、東大寺供養で頼朝が上洛した折、政子も京へ同道し、丹後の局――後白河法皇の寵愛を受け、法皇没後も隠然たる勢力を持っていた――と対面し、頼朝との間にもうけた長女、大姫《おおひめ》を後鳥羽天皇の妃にするという計画を図ったことである。平清盛も試みた公武合体を画策したわけだ。

残念ながら、大姫自身が建久八（一一九七）年に死んでしまったため、この計画は潰れた。その後もいろいろと計画はあったが、正治元（一一九九）年に頼朝が死去し、政子は出家をする。実は、ここから政子の大活躍がはじまるのである。

まず、父の北条時政と共に、頼朝と政子の長男である頼家を将軍位に就けたが、頼家の妻の父・比企《ひき》氏がだんだんと勢力を強めてきたため、姑の実家である北条氏と嫁の実家である比企氏の間に対立が激化してゆく。

そこで将軍の独裁を排するためという口実で、父の北条時政、弟の義時、大江広元、比企能員《よしかず》といった有力な御家人十三人の合議制を布《し》いた。まず、これによって政子は、嫁のいいなりになりがちな息子の将軍・頼家から権力を奪ったのだ。

つまり、将軍が令外官で握った実権を、十三人の御家人合議衆が法令に関わりなく内規で奪ったのだ。一度、形式と実質を分離すれば、限りなく下へ下へと権力が分散していくことを最初に実行したのは政子である。

建仁三(一二〇三)年、息子の頼家が重病になると、その跡を継ぐ頼家の子・一《いち》幡《まん》と、政子の次男である実朝《さねとも》との二人に権限を分けた。これに一幡の母の実家の父、つまり政子が憎む息子の嫁の実父・比企能員が不満を持ったのは当然だろう。政子はそれを待ち望んでいたように、実家の北条家と結んで、比企氏を攻め滅ぼした。

ついでに孫の一幡も殺し、重病から回復した長男の頼家も出家させて修禅寺に幽閉した。これがのちに『修禅寺物語』という岡本綺堂の戯曲になるわけだが、政子は次男の実朝を将軍に擁立し、父の時政を執権に据えた。政子という女性は子や孫よりも権力を愛したのだろうか、それとも実家の北条家を大切に思ったのだろうか。

さらに、後鳥羽上皇の乳母にあたる藤原兼子《けんし》(卿《きょうの》二位《にい》)と結託して、実朝の後継者として次の将軍に、後鳥羽上皇の皇子・頼仁《よりひと》親王を迎える約束をとりつけた。朝幕協調関係を女二人で推進したのである。

そうしたこともあって、政子は出家の身でありながら従二位に叙された。「尼将軍」といわれたのは妻が夫の征夷大将軍と同じ地位になったからだ。

当時は女性同士が結び付いて陰謀を練ることもよくあったが、政子はその最大の成功者、恐るべきママゴンの源流である。『愚管抄《ぐかんしょう》』には「時政がむすめの、実朝・頼家が母いき残りたるが世にて有るにや」と記され、京で大きな勢力を築いていた卿二位と共に「女人入眼の日本国いよいよまこと也」、つまり日本の政治はこうして女性が助けることにより完成するのだと記されている。

政子は、京の都に皇子の下向を要請したが、政情の変化により拒否された。結局、後鳥羽上皇は約束と違う後継者、藤原家から頼朝の遠縁にあたる頼経《よりつね》を将軍に推薦する。頼経は当時二歳で、まったく権限のない将軍だった。政子が夢見た朝幕協調は崩れたが、そのため、実権を政子と父の北条時政が握ることになった。

さらに、時政が死ぬと、その次には弟の義時が執権となり、そのあとには、その子の北条泰時が執権となる。こうして頼朝の妻政子の実家、北条家の人々が次々と執権として実権を握ることになったのである。

史上に残る北条政子の最大の活躍は、この間に後鳥羽上皇が鎌倉の権力を嫌って軍を起こした承久の乱（承久三〈一二二一〉年）の時だろう。

武士たちに「源氏から受けた恩を忘れるな。天皇よりも幕府につけ」と政子は大演説をし、京に軍勢を送り、後鳥羽上皇以下を逮捕し、島流しにしてしまう。これによって幕府の権力は揺るぎなきものとなり、併せて幕府の実権は政子とその実家が握った、というのが伝えられている政子像である。

ただ、北条政子が大変な権力を握っていたといわれているが、実際に政治を動かしていたのは政子だったのか、その父の時政や弟の義時あるいは甥の泰時の方だったのか、疑問は残る。ただし、はっきりしているのは、北条政子がいたからこそ時政や泰時が権力中枢に出られたことだ。また、時政、義時、泰時と三代にわたる執権の一貫した姿勢、前述の卿二位との談合、そして承久の乱での演説などを見ると、やっぱり政子が主役だったような気がする。

その意味では、頼朝が死んだあとの幕府では、この女性が大権力を持ち、日本の歴史に関係してきたことは間違いのないようである。

◉「令外官」を生んだ二重構造

ここで重要なのは、なぜ政子にそういうことができたのか、ということだ。

それは頼朝自身が、「大宝律令」の条文に規定された官職ではなく、東部軍総司令官（征夷大将軍）という「令外官」の地位で、全国の「武士の棟梁」と称して政治を行うというイレギュラーな方法を開発した点にある。このイレギュラー性を北条政子が一歩発展させ、権力を将軍の官房長である執権に移した。つまり、本来は天皇に権力があり、天皇の下に「二官八省」の制度があったにもかかわらず、これをそのまま残して別に東部軍総司令官が権力を握り、その司令部を幕府という実質政府にした。そうなると次には、その東部軍総司令官に二歳の養子を就けて形式化して、官房長が実権を握った。こうしたことができる雰囲気を作ったのは、まぎれもなく頼朝自身である。

これがのちのち日本の歴史に影響し、今日に至るまで、大臣よりも事務次官が権力を握っていることが、不思議に思われない伝統ができ上がってしまった。政府官庁機構だけではない。企業でも、社長にいったって話が通じない、本当は某専務だよ、いや、某専務よりもその横にいる社長室長の誰それだ、といった事態が不思議に思われなくなってしまった。

日本式「二重権限構造」の方向へ、まず源頼朝がその歴史の幕を開いた。それを政子及び北条家の人々がもう一歩進めた。その意味では、北条政子も忘れることのできない助演者である。

第四章

織田信長

――「否定された日本史」の英雄

◉大技術革新時代の戦国

織田信長は、日本の歴史上、最も有名な人物の一人である。そして現代の若者たちにも、戦国乱世を破天荒に生き抜いた改革者として「カッコいい」といわれている人気者だ。

歴史上の有名人がみなそうであるように、織田信長も物語や演劇で伝えられる姿と、その歴史的実像との間には差があることはまぬかれない。しかし、その生涯と行動が物語や演劇の主人公になり易いため、実像と虚像との間に差が比較的少ない方かも知れない。ただ、大きな違いは、信長は気が短い人だったといわれるが、実際は実に辛抱強い人物だったことだろう。

確かに信長は、日々の感情の起伏は激しく、言動は厳しかった。しかし、生涯を通じての行動を見ると、実に粘り強く、計画性に富み、知識は詳細をきわめ、会話は面白かったようだ。このことは、織田信長という人物を見ていく上で大変に重要である。

信長が生まれたのは天文《てんぶん》三（一五三四）年、まさに「戦国」という時代が前期の地区予選から後期の全国トーナメントに変わろうとする頃である。ちなみに、その九年後の天文十二（一五四三）年には種子島に鉄砲が伝来し、十五年後の天文十八（一五四九）年にはフランシスコ・ザビエルが来日する。

信長が生まれた頃には、足利幕府の権威が低下し、全国が「下剋上」の乱世となっていた。十五世紀後半の応仁の乱（一四六七〜七七年）以来、全国各地に戦がだらだらとつづき、各地で小ぜり合いが多くなった。その一方では、技術が徐々に進歩し経済も発展し出していた。

信長が生きた十六世紀を、日本では「戦国時代」と呼ぶが、ほぼ同じ頃をヨーロッパでは、「ルネッサンス（文芸復興）時代」と呼んでいる。この名称からは、まったく違った社会状況を想像するが、実は大変よく似ていた。ちょうどこの頃世界的に急速な技術革新が起こり、地理上の発見があり、思想の改革も進んでいたのだ。

「近代」の芽生えは、これより五百年近くも前、中国の唐末から宋代にかけての自然科学と技術の発達ではじまった。それが完成された形で十五世紀に西洋や日本に入り、実用化され出した。

十五世紀に日本で利用された新技術の中で、まず重要だったのは、沼地から排水をして田地と溜め池に分ける土地開発技術だ。この結果、田地が増え、農業生産は増大する。他方では、溜め池で鯉や蓮を育てる。食事は多様になり栄養もよくなった。

一方、山地に水を引き、農地にすることも行われた。この結果、それぞれに適した作物が植え付けられるようになり、適地適産が進んだ。このため、それまで日本には珍しかった新しい作物が増加する。茶、胡麻、甘藷《かんしょ》、菜種、もう少しあとになると木綿やいんげん豆などが登場する。正倉院などにも保存されているように、茶や胡麻は古くから日本にもあった植物だが、土地改造によって大量に生産されるようになったのだ。それまで使いものにならなかったところが優れた農地に開拓された結果、こうした作物も大量生産され出したのである。

十六世紀になると、土地の生産性が上がり、一人が耕す田畑からその家族が食べる以上のものを収穫できるようになり、農耕しないで食べていける人口が急増した。このため国人《こくじん》とか地侍とかいわれる在所の地主階級が、徐々に武士専業となった。今日の歴史書では「豪族」と呼ばれる人々である。

とはいえ、戦国前期の十六世紀前半までは、豪族といえども「農」を離れることはできなかった。彼らは農村に住んで農地の管理経営をしながら、時には自ら農耕にも当たりつつ地代の徴収と村の治安を担当していたのである。

今日では、豊かな先進国で人口が増えず、貧しい途上国で人口が爆発しているが、歴史の一般的な法則では、生活が豊かになると人口は増える、とされている。土地開発と技術進歩によって生産力が伸びた戦国時代には、どんどんと人口も増えた。

ごく大雑把にいうと、応仁の乱が終わった頃（一四七七年）から関ヶ原の合戦（一六〇〇年）まで約百二十年余に、日本の人口は二倍になり、ＧＮＰ（国民総生産）は三倍になった、と見られている。

各地に発生した豪族とその子分、いわゆる家の子郎党は、こうした余剰生産に支えられた新中間層である。普段は何十人かの小集団で農業もやりながら、主として土地管理や治安に当たる。京の都で暮らす貴族や貴族化した古い武士（守護）たちとは別種の農村管理集団である。

彼らは、互いに同盟を結んで外の敵に対抗する一方、互いに競い合い、土地支配権を巡って戦いもした。

したがって、戦国時代の初期、十五世紀の末から信長の生まれる十六世紀の一五三〇年代までは、全国各地で村単位か、せいぜい郡単位の戦争がいたるところで起こっていた。そうした争いの勝敗や婚姻養子縁組を通じて、豪族の中からだんだんと勢力を伸ばす者が出てくる。

日本史の教科書では、京を中心にした足利幕府を巡る政権争奪合戦を中心に描かれているが、これとても動員された兵力はせいぜい四、五千人規模だった。全国各地で起こっていた合戦は、数百人単位が普通である。各豪族が支配する村々から百姓の壮丁《そうてい》を徴発して組織した軍隊同士の叩き合いだ。部隊長や司令官は、農業と軍事と半々に行う半農半兵の豪族とその郎党である。

こうした在地地主の豪族には、土地経営と村落防衛という仕事(機能)がある。したがって、主人が若死をし、その子が幼いとなれば番頭や叔父が後見になり、やがては実権を握る。つまり、実力のある者がのし上がる「下剋上」の状態が生まれたわけだ。

こうして成り上がる者は、有能で土地経営もうまいから、よりいっそう生産物を増やし、土地を開拓し、その土地に適した新種の作物を生産し、それを上手に流通させ、勢力を増やしていった。その増やした勢力でまた隣の土地も糾合し合併する。こういったことが繰り返された結果、信長が生まれた頃には、ようやく一国単位の勢力ができつつあった。相模の北条、甲斐の武田、駿河の今川、阿波の三好、周防《すおう》の大内などだ。

信長の生まれた織田家も、そうした新興武士勢力の一つである。

◉大うつけの尾張統一

信長の生まれた家は、尾張の守護、斯波《しば》氏の家臣で守護代を務める織田大和守家の家老である。つまり、斯波家の家来の家来ということになるから、大したものではない。

ところが、信長の父・織田信秀はなかなかの出来物で、本拠の津島に河港を開き、田沼開発で農地を拡げ、これで得た銭を周囲の豪族に配って勢力を伸ばし、織田大和守家の中で頭角を現して尾張下四郡の旗頭になった。尾張下四郡というと、現在の名古屋市から知多半島あたりだが、大した規模ではない。信秀は、ここに領地を持つ豪族たちの組合長のような立場に立ったのである。

ところが、その信秀が天文二十（一五五二）年の三月三日、四十二歳でポックリと亡くなった。

信長は信秀の三男だが、上の二人は身分の低い妾腹で、跡目相続の順序からいえば信長が最有力候補だった。しかし、必ずしも信長が継ぐとは限らない。当時はまだ長子相続制が明確ではなかったし、同腹の弟、四男の信行が父親と同じ末森城にいたからだ。

父・信秀が死んだ時、信長が織田家の跡目を継ぐことができるか、きわめて疑わしかった。ましてや尾張下四郡の旗頭の地位を継ぐことができるかとなると、さらに危なっかしい。何しろ信長は、父・信秀が生存中から「大うつけ（大馬鹿）」と呼んでいたのだから。

それもそのはず、いくつもの城を持つ大名の子でありながら、信長は裾の短い着物で腰に巻いた縄に水入りの瓢簞《ひょうたん》をぶらさげ、火打ち石やら何やらを入れた袋を付け、馬で野原を駆けめぐるという礼儀知らずの若者だったのだ。このことは『信長公記』以下いろいろな文献に記述されている。今日でいうと、社長の息子が髪を茶色に染め、オートバイを乗り回しているようなものだ。

信秀が亡くなった時十八歳の信長は、その葬儀に普段のままの異様な風態で現れ、抹香を摑んで父の位牌に投げつけたといわれている。それに比べて一歳年下の弟の信行は、肩衣姿に威儀を正して参列、作法にかなった態度を保っていた。

当時は十八歳というと元服して三年ほども経っているのだから、完全な大人である。今日の感覚では大学を卒業して五、六年、三十歳に近い感じであろう。それくらいの息子が父親の葬儀に革ジャン姿で現れ、抹香をその位牌に投げつけたとすれば、「あの息子は変わっとるぞ」といわれるのは当然だ。これでは、跡目を巡って織田家中が紛糾したのも当然である。

信長は、少年時代から敵が多かった。父・信秀は弟・信行を愛し、居城の末森にも弟を入れていた。信長は平手政秀《ひらてまさひで》らを後見人として那古野城に留めていたのである。

柴田勝家や林通勝《みちかつ》ら織田家累代の重臣も、大部分は信行贔屓《びいき》だった。

その上信長は、父の死後二年足らずで自分に付けられていた家老の平手政秀まで切腹させてしまう。このため、信長が弟の信行と戦った稲生《いのう》の戦いでは、信長に味方した者は家中の二割にも満たなかった。『信長公記』には信長の味方は七百人、弟・信行に味方した者は七千人と記している。信行側の数字は大袈裟としても、弟の方が人数が多かったことは確かだ。

ところが、実際に合戦となると、行儀のいい弟の信行は有力武将と軍議をこらすばかりで出てこない。各将の意見が分裂して動きがとれないのだ。

その間に柴田勝家と林通勝が飛び出し信長勢と衝突する。これに対して信長は、七百人ほどを率いて先頭きって突撃し、自ら林通勝の弟の光春を刺し殺した。柴田勝家も信長の勢いに仰天して退却、信長側の勝利になった。

ここに信長の軍事軍隊に対する考え方が明らかに示されている。豪族たちの農民兵に頼らず、自らの手兵、特に銭で雇った兵を中核にして独裁的に指揮することである。

こうした考えが明らかになると、また信長に対する別の危惧が生じ、暗殺の企てが出た。のちには忠実な部下となる佐々成政《さっさなりまさ》も信長暗殺を試みた一人だ。

佐々成政は、信長に関所を廃止された寺院と組み、藁で造った大蛇を大池の中に入れた。これに驚いた百姓が「大蛇が出た」と騒げば、好奇心の強い信長は必ず見にくる、そこで舟を出して信長に水の底をのぞかせて斬りつければ、池に落ちて確実に殺せる、と考えた。

しかし、信長はいきなり裸になって寒中の池に飛び込み、大蛇なんかいないことを確認したため、成政の計画は徒労に終わった、というのである。

こうした経緯を経て信長は父・織田信秀の跡を継ぐことになった。信長は、自前の兵隊を作る必要がある、と考えた。各豪族にお願いして、その領地の村々から壮丁を連れてきてもらうようでは、思うがままに戦えないというわけだ。信長が求めたのは兵の数ではなく、自分の意のままに動かせる速度と持久力のある軍隊だった。織田信長は空間的発想ではなく時間的発想で戦略戦術を考えることのできた珍しい日本人である。

父親の跡目を戦い取った信長は、次には、周囲の織田一族を一人ずつ謀殺してゆく。戦で攻め討った者もあるが、多くは策略によって殺した。互いに戦わせた上、勝った方を暗殺した例もある。弟を事故死させたのを理由に追い出した一族もいる。何よりも見事なのは、守護の斯波氏と守護代の織田大和守を戦わせて両方共に滅ぼしたことだ。こうして信長が尾張の大半を統一したのは二十四歳の頃であった。

父・信秀の死から約八年間、信長は織田一族を中心とする豪族たちを相手に尾張の中での戦いに終始した。そしてやっと尾張一国をほぼ統一した時に起きたのが、かの有名な桶狭間《おけはざま》の戦いである。

◉奇襲ではなかった桶狭間

桶狭間の戦いは永禄三（一五六〇）年、信長が数えの二十七歳の時だ。当時の二十七歳というと今日でいえば三十代中頃、人間、のびざかりの頃で、信長もはつらつとしていたに違いない。

桶狭間の戦いは印象が鮮烈で物語にも多くなっているが、俗説として語られている概要は、三万の大軍を率いた今川義元に対し、織田信長は二千余の軍勢で突撃、田楽狭間《でんがくはざま》の窪地で夕立に遭って休止していた今川義元の本陣を奇襲、義元自身の首を取った。これによって戦意を喪失した今川軍は崩壊し、撤退したというものだ。

しかし、実際の戦いは、一般に信じられているような奇襲攻撃ではなかった。信長軍の行動は今川方からもよく見えていたのである。

戦いの要点は、縦に長く伸びて街道を行進していた今川軍を、信長方が横から攻めたことにある。当時の地形と道路状況からいえば、三万の兵が行進すると二十二キロの隊列になる。したがって、横から襲撃されると脆《もろ》いことは分かり切っている。だから今川方も左右に備えを出していた。

ところが、夕立がきて風向きが変わった。その瞬間に風上に立った信長が襲撃して勝利した。自前の兵だけに即断即決、風向きの変わった瞬間を摑まえることができたのだ。

桶狭間の合戦は、二つの点で誤解されている。

第一に、信長はいかにも夜中にむっくと起き上がり、「人間五十年、下天《げてん》の内をくらぶれば、夢幻《ゆめまぼろし》の如く也……」と謡曲『敦盛《あつもり》』を舞い、当時の居城であった清洲城から一騎駆けで飛び出し、文字通り敵の油断を突く奇襲で勝利したかのごとく思われていることだ。

しかし、実はそうではない。信長が清洲城を出たのは午前二時頃と推定されているが、桶狭間を攻撃したのは午後一時か二時である。その間に十二時間ぐらいあるが、そのコースを歩いてみても四、五時間で着く距離だ。

その間に信長は、熱田神宮に参拝し、部下が集まるのを待った。いくつかの砦をぐるぐると回り、ほとんどの軍勢を引き上げて決戦に集中した。ようやく正午頃になって今川義元の本陣を発見し、その西方にある砦に入ってしばらく待機した。この様子は、今川方からも見えていたと思われる。この辺り（桶狭間一帯）は、八年も前から今川領で今川方の城や砦もあったからだ。ところが運よく夕立がきた。「夕立三日」の諺通り、前日も夕立があったのでこの日もくると、信長は読んでいたらしい。

ここで重要なのは、「義元の本陣が縦に伸びた行軍隊形のまま桶狭間で休止している」という情報が信長に入ったことである。信長は、この情報をもたらした簗田《やなだ》広正（政綱）を、この戦いの最大の功労として重賞を与えた。

第二のポイントは、十二時間余にわたって信長軍が右に左に動き回れた統率力である。今川軍は、信長の行動を見ながら活発に対応できなかったのは、豪族連合軍のため命令一下で兵を動かせなかったからだ。当然、今川方は、信長勢も同様と考え、突然、全力で突撃してくるとは見ていなかった。このため全軍の混乱を恐れて、前備えを呼び戻すようなことをしなかったし、義元だけを安全地帯に逃がすようなこともしなかった。

組織が硬直した豪族連合では臨機な対応が難しかった。そのことが甘い予測を呼び、横合いからの攻撃を受けても五千人の本陣で防げると見ていたのだ。

俗説的な桶狭間合戦の印象が強いため、信長といえば迅速な行動で奇襲作戦を得意にする武将と思う人も多いだろう。しかし、信長が敵よりも少人数で強襲し、大軍に勝った例は、生涯二回しかない。一回は桶狭間、もう一回は天正四（一五七六）年の大坂本願寺との戦だ。この時は、天王寺砦が一万数千の一揆勢に包囲されていたのを、信長は四千の兵を率いて突入、明智光秀らの籠るこの砦を救った。信長自身も負傷したと記録されているが、数は多くとも一揆勢は統制がとれていないから勝てる、と読んだのであろう。

大成功したやり方を繰り返さない。ここが織田信長という人物の恐るべき理性を示している。普通の人間は成功したことを何度も繰り返したくなる。桶狭間で寡兵よく大軍を破ったなら、次も同じようにしたいという気になるものだ。ところが、信長は成功体験を繰り返すことはしなかった。

以後の戦では、十回にも及ぶ美濃出兵でも、姉川や長篠の合戦でも、信長は必ず敵より多くの兵力を集めている。このために労を惜しまず、金を惜しまず、面目をつぶすことも顧みなかった。姉川の合戦の時には、約一万五千人の朝倉浅井《あさい》連合軍に対し、信長だけでも二万九千の兵がいたのに、わざわざ三河から徳川家康に援軍を頼み、合計三万四千にして戦った。長篠の合戦の時も、一万数千の武田方に対し、織田方は三万以上を動員している。

大量動員には時間と費用がかかる。このため、信長が救援に行く前に、味方の砦が落ちてしまうこともしばしばあった。それでも急がず慌てず堂々の陣を張り、合戦ではまず敵に先制攻撃させて、それを撃退したあとで大反撃する、いわゆる「後《ご》の先《せん》」の勝ち方を専らとした。実に辛抱と長期的信念のいるやり方である。

信長の全生涯を通じて見ると、桶狭間は例外中の例外であり、信長の好みとは逆の戦だった。しかし、この勝利は劇的だった。信長は桶狭間の戦勝によって東側からの脅威をはねのけ、それまでは今川家に属していた徳川家康（当時は松平元康）と同盟を結び、いよいよ上方へ進展してゆく。美濃、伊勢、近江、そして京を目指したのだ。この選択からも、信長の戦略的な眼の良さがよく分かる。

信長は戦術策戦が必ずしも上手ではない。美濃一国を取るために七年間もかかった。その間に約十回も出兵し、そのほとんどで負けている。

ところが、七年間もかけて十回も出兵して美濃を占領した執念こそ、信長の真骨頂なのだ。

◉時代を体現した「兵農分離」

では、それほど戦術策戦が上手でもない信長は、何故に天下布武の七割までを果たし得たのか。

織田信長が実行したことの第一は「銭で雇う兵」を作ること、つまり、「兵農分離」である。

単純に、農業をしない専業兵士が現れたというだけの「兵農分業」現象であれば、日本で最初に記録されているのは北陸の朝倉家だ。先述したように、農業の生産性が向上し、年貢が増えると、自分で農地を耕さなくても食える武士が現れる。そうなると現地の差配は番頭、武家でいうと家老に任せて、自らは主君の居城の周囲に住んで社交や大名家の政治論議に熱中したのである。

経済の発展によって自然に起こるこの形での兵農分離は、信長よりも前に畿内や越前で発生していたが、これでは政治的軍事的に大して意味がない。むしろ高位の家来が近所に大勢いるから、合議制で動きがとれなくなるだけである。

信長の「兵農分離」はまったく逆で、下級武士の方から行った。つまり、銭で雇う兵隊の群れを作った。このことが、織田家の軍隊を、他とまったく違うものにし、様々な変革の出発点になったのである。

戦国時代は下剋上の世といわれるけれども、出所不明、経歴不詳の人物が大将軍になった例はほとんどない。大名そのものになった例は、まだしもある。例えば北条早雲や斎藤道三、松永久秀などは出所不明に近いが、立派な大名になった。

その方法は、まず大名家に茶坊主か商人として近づき、そこの娘とねんごろになり結婚して一族に入り込む。あるいはその大名の家老などを手なずけ、やがてクーデターを起こす、といったものだ。

ところが、信長の家来に限り、出所出身も経歴もよく分からない大将軍が何人もいる。羽柴（豊臣）秀吉、明智光秀、滝川一益《かずます》などがそれである。

なぜ、織田家にだけそういうことが起こったのか。また、よそではどうして起こらなかったのか。

それは当時の軍制を考えるとよく分かる。前述したように、信長が出現するまでの軍制は、各村落を支配している豪族が部隊長になり、その支配下の村から壮丁を徴発して戦陣に赴く、というものだ。例えば柴田勝家勢というと、柴田勝家の領地の村からきた人たちである。

したがって、領地のない者には家来がいない。いたとしても二人か三人、殿様から頂く給金や蔵米で養える人数に限られる。当時の基準は本役（全力出陣）が禄百石につき五人、五百人の部隊を指揮するには一万石の領地を持っていなければならない。

宮本武蔵は関ヶ原の合戦に参戦したらしいが、武芸の達人として陣借りしたものと思われる。だが、いかに剣豪でも、個人技でもらえる禄はせいぜい百石だ。武蔵の場合は、関ヶ原でも負けた方に加わったから出世どころではなかったが、仮に勝ち組で手柄を立てるようなことが二、三度あっても、やっと三百石になる程度だ。家来の数では十五人である。

ところが、織田信長のところには、領地に関係のない銭で雇った兵がいた。このため、領地のない者でも雇兵隊長として何十人、何百人と指揮することができたわけだ。

しかし、雇兵隊を使うこと自体が大変な苦労と悪評を伴った。なぜかというと、この当時、まともな人間は必ずどこかの組織に加わっていたから、銭で雇われて兵になるような者は流民や乞食、札付《ふだつき》の類に限られていた。

農民は村落共同体に、僧侶は寺に、神官は神社に、それぞれ加わっていた。商人も必ず座の中に入らないと商売をすることができない。潜り商売は禁止、つまり犯罪である。そういった具合に中世の人間はそれぞれ何らかの共同体に組み込まれていた。だから、コミュニティに組み込まれていないのは流浪人、今日でいえばホームレスである。それは、ほとんど犯罪者と同じ語感を持っていた。

信長の時代には人口が急増していたので、流浪者も多かった。また、商品流通が盛んになり、従来の同業組合の「座」だけでは商品が捌《さば》ききれなくなっていた。そのため、どう禁止してみても潜りの闇商人は現れる。秀吉も一時は、針を行商したといわれるが、これは明らかに潜りの闇商人である。

織田信長が兵に雇ったのは、こんな連中だった。実に柄が悪いし戦争も弱かった。信長が美濃を攻めた時など、三倍の兵を率いながら何度も負けていた。

これもまた当然だ。当時の武士、特に足軽などの下級武士が戦場で命がけで働いたのは、殿様に対する忠義からでもなければ、神罰を恐れたからでもない。戦場でまっさきに逃げたら、村へ帰ると「いちばん先に逃げたのはあいつだ。あいつは臆病者だ。あいつが逃げたからみんな苦労したぞ」といわれるのが怖いからだ。村落共同体の中で「ええかっこう」をするためにこそ、必死に戦うのである。

ところが、信長の集めた野盗、闇商人、流浪人の類は、帰るべき共同体がないから、銭をもらって城内にいる間は大言壮語していても、戦場に出て危なくなったらすぐ逃げてしまう。この傾向は長篠の合戦くらいまでつづいた。長篠の合戦は信長が鉄砲で武田軍団を撃破して大勝利を収めた戦いだが、それでも信長軍団は四千人ほども数が減っている。これは怪我や戦死ではなく、いよいよ戦争という前に逃げ出した者がいたのである。それくらい頼りない兵だったのだ。

◉新機軸は「卑怯」

信長はそういう柄の悪い弱兵を雇って、戦ではしばしば負けた。このため、信長周囲の家老たちも「若殿はなんという馬鹿なことをしているのだ、われわれに任せておけば、ちゃんと自分の領地から百姓兵を連れてきて戦争してやるのに」といった。織田信長が「大うつけ（大馬鹿）」といわれた最大の理由はこれである。

しかし、信長はこの日本一弱い軍隊が、実は天下を征服すると信じていた。一回一回の戦闘では弱いが、いつでもいつまでも戦争ができるからだ。

確かに農民兵は強い。だが、農繁期になると必ず故郷へ帰って稲刈りや田植えをしなければならない。農繁期には敵方も同じことをしているので自然休戦になる。ところが信長の銭で雇った兵は田植えも稲刈りもない。敵方の砦が何十人かの留守居だけになった時に砦を千人二千人で取り囲む。これなら、いくら弱兵でも必ず勝てる。

それで砦や城を一つ、二つ、三つと落とす。その頃になって、敵方はようやく農作業を終えて出陣してくる。そして戦いになると信長は負けて、逃げ帰った。この間には戦死や逃亡で信長軍の人数は減る。しかし、銭で雇えば、流浪人や乞食はすぐまた集まってくる。

これに対して相手側は戦死者の遺族も養わねばならない。農繁期でも動員を掛けざるを得ないから、百姓にとっては耐えかねる負担だ。それならいっそのこと信長の配下になった方が楽ではないか、ということになり、どんどんと切り崩されていった。いわゆる「調略」とは、こういう状況を作った上で行う口説きである。

信長は銭で雇った兵隊は戦闘では弱くとも、いつでもいつまでも戦えるという利点があることを考え、これをしつこくどこまでも実行した。

信長の敵はみな、この執拗さに参ってしまう。浅井長政は立派な武将で、その居城の小谷《おだに》城も難攻不落だった。兵は強く結束は固かった。それだけに小谷城に立て籠って頑張れば、必ず勝てる、少なくとも負けない、と考えた。攻め手の織田軍は農繁期がくれば撤退すると信じ、その予定で兵糧を用意し、籠城の軍備を整えていた。

ところが信長軍は、銭で雇った兵隊だから撤退しない。小谷城の横に付城《つけじろ》を築いて監視し、兵糧攻めにする。これが信長のはじめた戦術転換である。浅井方は堂々の決戦をしようとしない信長を「卑怯なり」といって死んでいったのである。

大体、戦術戦略の名人というのは、その当初においては卑怯者である。これまでの武士、つまり戦闘専門家の常識を破るのだから、相手から見れば卑怯である。源平合戦の船戦で源氏が勝ったのは、源義経が平家側の船頭を矢で射たからだ。

それまでの船戦では、戦闘員である武士同士は射ても、非戦闘員の船頭を射るのは互いに避けていた。一旦それをやり出すと、漁民である船頭は徴用に応じなくなるので、水軍は成り立たなくなる。

ところが東国からきた義経は、水軍の将来など考えずに慣例を破り、どんどん船頭を射殺した。矢が当たれば鎧《よろい》を着けていない船頭は致命傷を受けるから、みな怖がって逃げ出した。そのため平家の船が動けなくなり、平家の公達《きんだち》は「義経、卑怯なり」といって死んでいったのである。

戦略でも、経営でも、最初に新手法を考えついた人は常識破りだから、ある意味では卑怯または下品である。しかし、そこにこそ独創性がある。信長はまことに独創性豊かな人物であり、自らの信念と先見性に絶対の自信を持っていた。特に信長の場合は、一度や二度の失敗にはへこたれず、何回でも相手を引っぱり出し、閉口させようというのだから凄い。最初から失敗と非難を想定していたのである。

◉経済を変えた「楽市楽座」

第二に、信長の戦争と政治を考える上で重要なことは、財政基盤である。これまでの歴史小説や歴史書には、この点がほとんど記述されていない。

銭で兵隊を雇うとなれば、当然のことながら多額の銭が要る。その銭をどうやって調達したのか。もちろん、領地が増えるとそこから銭が入ってくる。信長自身の領地が増えれば年貢米を売って銭にすることができる。だが、それだけでは到底足りない。そこで信長の考案したのが「楽市楽座」である。

信長が楽市楽座を行った歴史上の最初の記録は、美濃を占領した永禄十（一五六七）年、加納《かのう》市場においてであった。ただ、文書になる時には、当然のことながら、もう制度化されているわけで、その前にも相当の試行錯誤があったに違いない。楽市楽座の原形のようなものは、それよりも数年前から尾張の中で行われていたと思われる。

それまでは関所があり、商人座があった。したがって、商品が流通する時は、寺社や豪族が税金（通行税）をかけていた。一方、商人には業種別の座があり、そこからの運上銭《うんじょうせん》が、主として有名寺社や京の公家に入っていた。

その関所と座を信長は廃止してしまう。そうすると関税が入らなくなるわけで、一見すると信長の財政収入は減るのだが、それを信長は敢えて行った。これによって当然ながら、関所から収入を得ていた寺社や公家とは対立する。のちに信長が比叡山とも石山本願寺とも足利将軍とも戦争をすることになる最大の理由はここにある。

関所と座の全廃は、今日でいうと規制緩和だ。当然、既成業者には嫌われるが、自由経済の進歩を促し、やがて大きな経済力を生む。特に、「銭で雇う兵」を持つ信長には、自由化で流通コストを下げ、尾張の物を高く売って、装備や鉄砲を安く買うのが大事だった。

従来からの商人座や関所は、一時的には運上金や税金が入るが、結局は高くつく。銭で兵を雇い、具足や武器を貸し与える信長は、最大の商品購入者だから、商品を安く流通させることが大切だった。そしてそれが経済を発展させ、やがて自分の実入りを増やすのだということを信長は知っていた。

一時的には財政収入を減らしても自由化し、まず最初に経済を振興させようというのは、米国の故レーガン元大統領も行った経済政策（レーガノミックス）だが、それを十六世紀のうちに考え、実行し、かつ成功した信長は、まさに天才である。楽市楽座で経済が発展してくると、その商人たちから「場銭《ばせん》」を取って銭を集め、そして銭が集まるとまた兵を雇い、それによって占領地を拡げ、そこからのアガリの銭でまた雇う兵を増やす。この善循環を作り出した。そして、それをもとにして組織を変えたのだ。

◉組織の変革――専門兵科の登場

従来の軍隊は、それぞれの豪族がその支配下の村から兵隊を連れてくる。当然、連れてくる人（豪族）の発言力が強いから、重臣集団の利害が優先される。「武田二十四将」などといわれるのも、甲州各地を支配していた豪族である。

信長は豪族に頼らず、銭で雇った兵を使い出した。当然、それまでの重臣たちは面白くない。これが信長暗殺計画や反乱反抗が次々とつづく理由である。

今日でいうと、父親が興した中小企業の二代目が会社へ革ジャンにジーパンで現れ、無学歴な暴走族上がりや臨時雇用の派遣社員を優遇する。当然「あんなのは放っておけん。社長は弟に代えろ」と古い役員はいい出した。ところが、この変わり者の若社長のアイデアはなかなかなもので社業は伸びる。その上、それまでの営業品目をバサバサ切って新規の事業をはじめた。社員には学歴社歴を問わずに自由競争をやらせる。それまでは官庁に顔をきかせて高く買ってもらっていたのをやめてしまって、ローコスト競争で世界中から注文を取る、古い代理店を廃して消費者に直結するような商売をやり出した。

と同時に、従来の部長、重役、一流大学卒のエリート社員に「おまえら口出しするな。オレは新しく雇ったお気に入りでやるんだ」といい出した。いや、実際にも途中入社の無学歴者をどんどん抜擢する。豊臣秀吉などは闇商人までやっていたというから、学歴社会なら落ちこぼれだ。そういう人をどんどん取り入れ、組織変革を徹底的に行った。

長篠の合戦は、天正三（一五七五）年に信長が四十二歳の時、三千梃の鉄砲を並べて「天下最強」といわれた武田軍団を撃滅した、あまりにも有名な戦《いくさ》だが、なぜそれができたのか。逆にいうと、他の大名にはなぜできなかったのか。

鉄砲が有力な武器であることを見出したのが、信長の技術的先見性とよくいわれるが、必ずしもそうではない。鉄砲が有力な兵器であることは当時もう既に多くの大名が知っていた。これよりも二十年ぐらい前の毛利家でも、戦闘による負傷者の中では鉄砲傷が最も多い、という記録が残っている。ところが、信長のような鉄砲の集中使用は誰もやらなかったし、やれなかった。

その理由の第一は、高価な鉄砲を三千梃も買う財政的な基盤がなかったことである。そもそも当時の兵は、各地域の豪族が連れてくるから、武器、兵糧も原則として自前で調《ととの》える。したがって、豪族の一族などは馬に乗り鎧兜《よろいかぶと》を着ている。比較的に裕福な自作農ぐらいが鉄砲を持ってくる。鉄砲もあったことはあったが、各村単位の部隊の五パーセントから一〇パーセントが持っているに過ぎない。これでは鉄砲隊を編成するためには、A村の誰それ、B村の誰それ、C村の誰それと集めなければならない。そうするとA村を支配している豪族は「うちからあいつだけ連れていっては困る」、C村の方は「そんな他所者《よそもの》がきてもらっては困る」ということになる。

それを信長は、銭を集めて鉄砲を大量に買って、銭で雇った兵に持たせた、つまり織田家で調《ととの》えた鉄砲を足軽に貸与して直属の鉄砲隊を組織したのである。その反面では、それまでの主役だった馬上の武士は引っ込んでいろ、ということになる。途中入社の中卒高卒が中心になり、大卒のキャリア組はみな窓際というわけだ。当然、窓際に追いやられた「織田家累代の重臣」たちは反発した。信長は、それを恐れず脅えずにやり切ったのだ。

◉「天下布武」と国家意識

信長の凄いところは、組織、財政、人事、そして戦略戦術上の新機軸を一連として創り出したことである。これによって世の中はいっぺんに変わった。その意味では信長の政策が中世から近世に流れる大きな転換期となっているわけで、組織的にも財政的にも経済的にも軍事的にも、すべての面で体系としての近代化をはじめたのである。

もちろんこれには旧勢力の全部が反対し、反乱と暗殺計画が相次いだ。明智光秀の反逆が有名なのは、信長を殺すのに成功したからだが、それ以前から信長暗殺計画は何回もあった。先述したように、信長がまだ尾張の中で争っていた時期から様々な反乱や暗殺計画があったが、信長が京に上ってからもそれはつづいた。

妹のお市を妻にしていた浅井長政が、朝倉家と結託して反抗する。信長に担がれて将軍になった足利義昭も三度反抗する。先が見えるはずの松永弾正《だんじょう》久秀が二度も反旗をひるがえす。有力な家来だった摂津の荒木村重《むらしげ》も反乱を起こす。あまりにも斬新な改革によって既得権をまったく認めようとしなかった信長に対する反発が相次いだ。それをものともせず信長は改革をつづけた。

この結果、信長はいったい何を日本の歴史に残したのか。何といっても「天下布武」のスローガンのもとに、日本全国の統一を半ば以上実現したことである。この信長がいたからこそ、秀吉や家康が登場し、日本全国を統一することができた。信長こそは、現代の中央集権型の日本を創った元祖といえるだろう。

先の足利幕府、その前の鎌倉幕府は、公家や寺社の荘園、武士の所領にそれぞれの分権を認めた。それ以来つづいていた分権状態の日本を、武士が唯一の政治勢力になり、古代の律令制が目指したような中央集権制で全国を一律に治めるという「天下布武」の思想を信長は強烈に打ち出した。

日本という国は、歴史上、文化的にも言語的にも、あるいは信仰や習慣の面でも一つにまとまっているが、政治行政の面では、日本が一つだという国家意識は、古代から奈良時代以降、だんだん希薄になっていた。それを鮮明に意識して復活したのは信長である。

もし信長が、あれほど熱烈な天下統一の志向を示さなかったなら、日本はドイツやイタリアやインドのような連邦制の国になっていた可能性もあったかも知れない。日本人には、もともとこの国土が一つの「天下（国）」であるという意識は強かったが、「一つの天下（国）であれば一つの政府に服し、共通の行政を受け入れねばならぬ」という今日のわれわれが持つような中央集権意識はなくなっていた。それを自らの主張と行動で復活したのは、信長の鮮烈な改革と集権であった。

もし信長があと十年生きていたとしたら、日本はどのような道を歩んでいただろうか。それは単なる「歴史のイフ（もしも）」以上に想像することができる。信長は、自分が天下を取ったあとの日本像を鮮明に描いていたからである。

戦国時代に偉い武将は多い。武田信玄も上杉謙信も毛利元就《もとなり》も偉い武将である。けれども、自分が天下を取った時、この国をどのように治めていくかを明確にしたのは二人しかいない。織田信長と徳川家康である。戦国の武将の中でもビジョンを持った思想家という点ではこの二人が突出している。

中でも信長が明らかにした「天下布武」の思想は、日本国中を武士が一元的に支配し、その武士の頂点に立つ信長が絶対王政を布く、という鮮烈なビジョンである。

それ以前の中世には、宗教勢力とか、公家勢力とか、いろいろなものが入り交じっていて、一つの土地から何種類もの年貢を取っていた。

織田信長はまず、宗教は個人の心の中に留まるべきだと主張する。いわば近代的な政教分離である。したがって信長は、自らも宗教界の高位に就こうとはしなかったし、信仰自体には介入しなかった。次に公家と天皇家は、儀式と文化の世界に留まるべきだ、と考えた。したがって、世俗の政治はすべて武士が行う、それも地方分権を許さず中央集権政府を確立し絶対王政を採るべきだ、と考えていたのである。

信長は、この構想を一向に隠そうとしなかった。だから、降参した敵にも自治を許さない。絶対服従でないと認めない。信長の跡を継いだ秀吉は、この点ではダラ幹で、毛利も上杉も取り込んでいくが、信長は敵を撃滅するまでやっつけた。絶対王政を確立するためには、そうする必要があったからである。

◉世界史上初の絶対王政ビジョン

信長の恐ろしさは、目前の利害損得を抜きにして、自分の信念を貫くために邁進《まいしん》したことだ。家来に対しても、領地を与えても、決して自治権を与えることはなかった。越前を柴田勝家に与えた際にも、自分の命令に服し、自分の方には足を向けて寝るな、とまでいっている。

それだけではない。信長は主要家臣に治めさせる領地も考えていたらしい。秀吉は羽柴筑前守（現在の北九州）であり、明智光秀は惟任日向守《これとうひゅうがのかみ》（現在の宮崎県、南九州）である。また、丹羽長秀《にわながひで》は鎮西の名門、惟住《これずみ》の姓を与えられている。大体この三人に九州を分けて治めさせるつもりだったらしい。

この場合、柴田勝家は出羽と越後、滝川一益は北関東、そして恐らく徳川家康には陸奥《むつ》一国百六十万石があてがわれたであろう。家来たちの駐在地を決め、日本列島のほとんどを中央直轄政権にする。こういう考え方をはっきりと出していた。

同時に、信長は尾張の出身であるが、城を岐阜に移し、安土に移し、もう少し生きていれば多分大坂に移したであろう。戦国武将の多くは、地場に張りついた。武田信玄は甲斐躑躅《つつじ》ヶ崎、上杉謙信は越後春日山から動かない。信長はどんどんと便利なところへと移った。日本全国を対象とした絶対王政を実現するためには地域性をまったく抜きにする必要があると考えたからである。

この時代、スペインのフェリペ二世やイギリスのエリザベス一世も絶対王政を志向していたが、信長が試みたほど徹底したものが完成するのは約百年あとのルイ十四世の時代である。信長の「天下布武」が実現していたなら、世界に先駆けて絶対王政が日本に完成していたかも知れない。

織田信長の時代に世界史ではどんな人が生きていたか。実は大変に興味深い人々がいた。ロシアの改革をしたイワン四世（雷帝）は、信長よりも四年先に生まれて二年後まで生きた同時代人である。スペインの無敵艦隊を作ったフェリペ二世は七歳年上で十六年もあとまで生きたが、無敵艦隊が敗れたのは一五八八年、信長が死んだ六年後である。これまた大体同時代人だ。エリザベス一世は信長の一歳上だが、活躍したのはもう少しあとになるものの、大体同時代人といえる。

そういう中で信長は、ヨーロッパの国々に比べて見劣りしないほどの早い時期に、しかも鮮明な自覚を持って日本全国を統一しはじめたのだ。

したがって、もし信長があと十年生きていたら、日本は絶対王政の国になり、重商主義政策を採り、より大きく経済は成長し技術も進歩したであろう。その代わり信長の死後には外国の侵略を受けていたかも知れない。

家康は鎖国によって日本を外国の侵略から守った。そのため日本を魅力のない国にしてしまった。信長が生きていたら、鎖国はしなかっただろうから、日本は、はるかにバイタリティーに富んだ華やかな国になったことは間違いない。そして日本の歴史は大きく変わったであろう。その意味では、信長は「否定された日本史」でもある。

しかしながら、この男が中世以来の分裂していた日本を統一し強烈な中央集権を志向したことは、一方では日本の国家統一を確実にし、他方ではこの国は改革が可能だという「神話」を残した。信長が目指した「天下布武」は半ばしか成らなかったが、その残したものはやっぱり大きい。

第五章

石田三成

――「日本型プロジェクト」の創造

◉中堅官僚プロジェクトの元祖

〝日本を創った十二人〟の五人目として、石田三成を取り上げたい。日本史上に登場する多くの有名な覇者をとばして、ここで石田三成を取り上げる人選には、意外に思われる方も少なくないだろう。

しかし、これとて意外性を狙ってのことではない。石田三成という人物が残した今日の日本と日本人に対する影響は、きわめて大きいからである。

私自身が日本万国博覧会を開催しようと考えたのは、通商産業省（現経済産業省）へ入って四年目、二十八歳の時だったが、そこでまず研究したのは、日本のビッグ・プロジェクトを創る前例としての石田治部《じぶ》少輔《しょうゆう》三成である。もし、石田三成という前例がなかったら、二十八歳の係長に過ぎなかった私は、万国博覧会を開催しようというような大それた運動はしなかったかも知れない。

近代史でも、日本では様々なビッグ・プロジェクトがある。例えば明治維新、「満州国」なる傀儡《かいらい》国家の建設、そして太平洋戦争という超巨大プロジェクトがあった。戦後では、もっと身近な新幹線の建設、東京オリンピックの開催、愛知用水、八郎潟の干拓など、大小の差や性格の違いはあっても、いくつかのビッグ・プロジェクトが実現している。

前章に述べた戦国時代の天下統一プロジェクトは、まさに織田信長という強烈な個性を持った独裁者が、その権威と発想と行動力ではじめたものだ。それを引き継いだ豊臣秀吉と徳川家康も、タイプは違っても天才であり独裁者であり、組織のオーナーである。

ところが、明治維新プロジェクトとなると、これを成した独裁的な一人を挙げるのは難しい。維新に登場する人々として西郷隆盛、木戸孝允《たかよし》、大久保利通、坂本竜馬など、有名な人々が何人もいる。では、彼らが一人で何万もの軍隊を動かせる地位にいたか、あるいは何万両もの資金を出せる独裁的な権力があったかというと、まったくそうではない。薩長の中堅官僚や巷《ちまた》の運動家が集まって、「日本を変革しなければならない」「時代の流れは変わりつつある」と、なんとなく全体のムード（雰囲気）を醸成した。そしてそれが、将軍も大名も止めることができない気運にまで高揚してしまった。これが明治維新の大きな特徴である。

同様に、「満州国」の建設を発火点にして、日中戦争がはじまり、太平洋戦争という悲劇に突入していった過程を見ても、一人の総理大臣が、一人の陸軍大将が、それを遂行したわけではない。むしろ総理大臣や陸軍大将は、「反対だ」「反対だ」といいながら引きずられていく。この事件を推進した人々というと、青年将校といわれた陸軍の中佐や少佐、あるいは革新派官僚といわれた中央官庁の局長や課長クラスである。時代を動かしたのは軍官の中堅官僚なのだ。

同様のことは、戦後も引き継がれる。新幹線は誰が建設を決めたのか。技師長の島秀雄さんなどが技術の面で尽力したことは確かだが、技術者が一人でできるものではない。さりとて国民運動でできたわけでもない。なんとなく、今日の時代にマッチした便利な乗り物を東海道線の上に走らせてみたい、という中堅幹部の運動から新幹線を造ろう、という話になったのだ。

愛知用水や八郎潟の干拓に至っては、その事業を生んだのはほとんど無名の人からはじまった運動である。国会議員などが動いたのは、地元の無名人の尽力で事業実行のムードが盛り上がったあとである。

つまり、日本というのは、「偉い人でない人」が大きなプロジェクトを成し得る国である。ここでいう「偉い人」とは権力のある人、地位の高い人、大金持ちなど世俗的な意味だが、日本では、この意味での「偉い人」はみな受け身、徳川家康以降では新しいビッグ・プロジェクトの企画などにはまず携わらない。

そういったことに気づいて、通産省の係長であった二十八歳の私は、大いに勇気づけられた。「うまく推進すれば、あるいは日本で万国博覧会が開けるかも知れない。東京オリンピックの二十倍の規模であり、今日の日本としては驚天動地の大事業も、やり様では実現するだろう」と信じたものだ。

では、この「偉くない人」が企画推進する日本型のプロジェクト・メーキングは、一体、いつ、誰がはじめたのだろうか。歴史を遡ってみると、その源泉は、どうしても戦国時代の末期の石田治部少輔三成に突き当たるのである。

それまでのビッグ・プロジェクトは、奈良、平安の昔から、すべて大権力者、大実力者が推進者であった。戦国に入っても織田信長、豊臣秀吉という大権力者になった個性的な天才が主導していた。彼らに敗れ去った側もまた、それぞれの首長が企画し組織した陣容で戦っている。

ところが、関ヶ原の合戦だけは、どうもそうではない。勝者となった東軍の中心には、徳川家康という巨大な個性が登場する。しかし、その頃既に五大老の筆頭として天下の政治を独裁していた家康には、天下分け目の大決戦をする必要性はなかった。これを企画し実現したのは、反徳川陣営の西軍にある。そしてそこには、これといって代表者がいないのだ。

関ヶ原の合戦において、西軍の総大将となったのは毛利輝元《てるもと》である。毛利元就《もとなり》の孫で中国十カ国、百二十万石の大大名だから、家康に対抗する大将としては申し分ない。しかし、毛利輝元が西軍に加わるのは石田三成らの決起したあとだ。しかも戦場には一切出ず、積極的な指示もしなかった。敗戦のあとでは家康に哀願して、領地の三分の一だけを残してもらって毛利家は生き残る。なんと情けない総大将、いわば半身の構えの「雇われ大将」の感が深い。

西軍の副将は宇喜多秀家《うきたひでいえ》である。当時二十七歳で人柄はよかったし、太閤の養子として豊臣家には忠義だった。しかし天下分け目の合戦を起こそうとして積極的な根回しをしたわけではない。その直前に家中がもめて、十分に動けなかったのだ。

実は、このビッグ・プロジェクト、石田三成という人物が、必死に筋書きを書き、劇場を設け、役者を揃えて開幕させたのである。

では、その石田三成とは何者だったか。

われわれは関ヶ原の合戦を惹《ひ》き起こした張本人としての石田三成を既に知っている。また、関ヶ原の合戦の直前、徳川家康に豊臣家を乗っ取られてはならない、そのために大勢力を動員して巨大な家康を倒さねばならない、と叫んでいた時の石田三成を、関ヶ原の決戦が起こることを知って眺めてしまう。しかし、これらは歴史の後知恵というものだ。もし、関ヶ原の合戦が起きなかったとしたら、石田三成という人物を、今日のわれわれはどれだけ知っていただろうか。

関ヶ原の合戦という天下分け目のビッグ・プロジェクトの粉飾を取り払ってみると、現在のわれわれが知っている石田三成像とは、ずいぶん違った小さな実像が出てくる。

つまり、石田三成は関ヶ原の合戦の原作者兼プロデューサーとして歴史上に名を残したが、その歴史に記述された三成のイメージや先入観を取り払って、これを企画発案した当時の彼がおかれていた地位や力を仔細《しさい》に見ると、また違った事実が分かってくるのである。

◉運の悪さと戦下手

石田三成は、永禄三（一五六〇）年、現在の滋賀県、近江の石田村に生まれた。生家は豪農であったが、寺へ行儀見習いに行った。当時は豊かな農民の子弟が寺へ行儀見習いに行き、読み書きを習うのはよくあることだ。いわば良衆《ええし》のぼんぼんの教育を受けていたのだ。

そこへ羽柴（豊臣）秀吉が、織田信長によって長浜城主に任命されてこの地の領主となって来た。縁あって三成は十五歳頃秀吉に見出され、その小姓になった。天正二（一五七四）年、秀吉が長浜城主になった直後のことである。

当時、大名には必ず小姓というのがいた。大名の身辺に侍《はべ》って刀持ちや雑用をしながら武士としての礼儀と辛抱の仕方を習うと同時に、出入りする家臣の顔を憶《おぼ》えるのである。

通常、これになるのは大名の縁者や重臣の子弟である。秀吉には累代の家臣がいないので、遠縁の者や早い時期に家臣になった者の子弟を集めた。加藤清正も福島正則も小姓だったが、彼らは秀吉の縁つづきであり、親類が偉くなったというので母親が長浜城に連れてきたのだ。それだけではなしに近江の領地からも盛んに募集をしたようで、三成もこれに応じた一人である。結果的には幸運だったが、これで成功が約束されたというものではない。小姓になった何十人の中の一人である。

三成が頭角を現すのは本能寺の変の翌天正十一（一五八三）年、賤《しず》ヶ岳《たけ》の合戦で秀吉が柴田勝家に勝った時だ。大垣から賤ヶ岳まで十三里二十七町を走る秀吉軍の先駆けをして、途中の食事や松明《たいまつ》を見事に用意したという。その功によってか翌年、秀吉の天下が固まると、近江の水口《みなくち》で四万石の殿様になったといわれている。三成は二十五歳頃だから、ちょっと石数が高すぎるのではないかという説もあるが、その辺はよく分からない。この頃から三成は、兵糧の運搬や資材の調達など、合戦の裏方として活躍をしていたことは確かで、そうした面では才覚があったようだ。

翌々年一五八五年、大坂城に天守閣ができ上がった年、秀吉が関白になったのと時を同じくして十二人の家臣が従五位下の殿上人に任じられたが、三成はその一人に選ばれ従五位下治部少輔の地位に就いた。治部少輔は治部（内務省）の次官という意味だが、律令制ではあまり高い地位ではない。当時の律令では大納言が次官、中納言が局長だから、少輔は本省の総務課長ぐらい、といえるだろう。

奇妙なことに、それから十五年間、三成の権力と領地は大いに高まるが、この地位はまったく変わらない。三成だけではなく、他の秀吉子飼いの大名たちもほとんどがそうである。秀吉（武士）の天下が定まるに従って、律令制の階位には興味が薄れたのだろうか。

いうまでもなく、石田三成は武将であり大名である。当然、家来が大勢いたし、軍隊も養っていた。そして秀吉と共に各地の戦場に赴くが、三成が戦闘で勝った例はあまりない。はっきりと三成が一軍の将としてある戦線の司令官になったのは、関東の小田原攻めの時、北条方の館林城と忍《おし》城を攻めた例である。しかし、忍城では水攻めを試みて大失敗している。

本能寺の変が起こった時、ちょうど秀吉は備中の高松城を水攻めにしていた。城の周囲に堤防を築き、そこへ足守《あしもり》川の水を流し込んで城を水没させる作戦である。

戦国時代の城には二種類あった。一つは山上に築いて斜面で敵を防ぐ山城であり、もう一つは泥田（深田）の中に建てて、一本しか道を通さない。その道の他は人や馬はズボズボと泥沼に入って身動きが取れなくなるから、これまた難攻不落である。

高松城は深田の中に築かれていた城だから、攻め手がなかった。しかし、土地の低さに着目して、秀吉は足守川を堰止め、水没させた。堤の高さは四間半（約八メートル）だったというから、水没するのは城の一階部分くらいだろう。これでもすべての城兵たちは二階以上に登らなければいけなくなり、超満員になる。食糧や鉄砲の弾などは湿って使いものにならなくなる。燃料に窮し、飯が炊けなくなるのも城兵には辛い。非常に有効な作戦には違いない。

水攻めは、日本では秀吉がはじめて使ったが、『史記』には「春秋戦国時代」にそういった作戦があったと書いてある。しかし、それとても二千年も前の話だ。それを黒田官兵衛孝高《よしたか》が読み知っていて秀吉に進言したのだという。

なお、秀吉は、この成功で味をしめたのか、このほかにも美濃と紀伊とで大規模な水攻めを行っている。当然、その時既に秀吉の小姓としてついていた三成は、これに見習って忍城を水攻めにしようとしたのだ。

だが、ここで運の強い秀吉と、運の悪い三成の違いが現れる。秀吉が高松城を水攻めにした時には大雨が降り、高松城はたちまち水没した。そして城主の清水宗治《むねはる》を切腹させ、和睦の上、占領することができた。しかもそれが本能寺の変と時が重なっていたのだから、大変な強運である。

ところが、三成の行った忍城の水攻めの場合は、同じ地形、同じ梅雨の季節だったが、大雨が降りすぎて堤防が決壊してしまった。このため、周囲は泥沼になって攻められなくなってしまう。結局忍城は、主城の小田原城が落ちたあとで、やっと交渉で開城する有様だった。これは三成の、生涯つきまとう運の悪さを象徴するような事件だ。

結局、石田三成には戦闘における武勲がほとんどないまま秀吉の最期を迎える。これが戦上手だった加藤清正や福島正則から軽蔑される原因になった。三成は戦争ではもっぱら輜重《しちょう》を担当し、平時には法令や規則作りを行い、官僚システムの中で忠勤に励み、しだいに認められた。

文禄元（一五九二）年、秀吉の最大にして最悪の大事業であった朝鮮出兵の時には、船奉行を任命された。船のやり繰りは兵員馬匹《ばひつ》から兵糧輸送までを行うのに最重要課題である。秀吉はその役にまず三成をあてた。また、開戦後しばらく経つと、増田《ました》長盛、大谷吉継《よしつぐ》と共に軍監として朝鮮に渡っている。

こうした内治の功で文禄四（一五九五）年には近江の佐和山城主になった。現在の彦根城のすぐ南であり、当時は近江の要のような場所だった。領地は十九万四千石だが、ほかに秀吉の直轄地の代官も兼ねていた。また、つづけて全国の検地の指導、領地分けにも当たった。

◉五奉行と五大老

秀吉は最晩年に至って、その死後の行政組織を安定させるために五奉行を任命する。それまではテーマが発生するたびに奉行を任命していたが、秀吉亡きあとはそれができないので、行政全般を担当する常任奉行を決めたわけだ。

五奉行は豊臣政権の執行機関だが、意志決定機関ではない。秀吉はその上に五大老をおいて、最高意志決定機関とした。これには、徳川家康を筆頭に、前田利家、宇喜多秀家、上杉景勝、毛利輝元が入った。いずれも五十万石以上の領地を持ち、武勲も赫々《かくかく》たる大大名である。いわば副社長の徳川家康を長とする常務会のようなものだ。政府でいうと大臣が五大老、事務次官が五奉行である。

特に五大老の筆頭であった家康は、二百五十四万石の領地を持っていた。その頃、二百二十万石ほどだった秀吉よりも多い。秀吉は、家来の加藤清正、福島正則、小西行長《ゆきなが》、石田三成、増田長盛らを各々二十万石前後の大名にしたので、直轄領は少なくなったのだ。

家康の次は、毛利輝元と上杉景勝で百十万ないし百二十万石である。五大老次席の前田利家は、官位においては家康（内大臣）に次ぐ大納言だが、領地は約九十万石、家康の三分の一に過ぎない。最後の宇喜多秀家は弱冠二十五歳で備前《びぜん》・美作《みまさか》五十七万四千石に過ぎないが、豊臣秀吉の猶子《ゆうし》（相続を目的としない養子）として秀吉に大変かわいがられていたし、朝鮮において軍司令官を務めた実績もあった。

要するに、今日の会社組織でいうと、秀吉が創業者社長であり、次に大株主の副社長として家康がいる。専務取締役に、秀吉の親友で番頭格の前田利家が就く。毛利と上杉とは、吸収合併された会社の元オーナーで常務格、それに早くに合併した中堅企業の二代目で秀吉社長の養子になった若者の宇喜多秀家が常務として加わっているといった構成である。

但し、五大老は有力大名を並べただけで議決方法や定期会合が定まっていたわけではない。これに対してその下に常任執行機関としておかれた五奉行の方は、決議方法まで決まった組織である。その筆頭は前田玄以《げんい》。僧侶だが、京都奉行であり、公家寺社関係には詳しく、京都の政務を担当していた。現在でいえば渉外部長兼官庁担当であろう。

次席が浅野長政（一説にはこちらが首席ともいう）。豊臣秀吉の正妻、おね（お寧）の義兄弟になる関係で、秀吉が二十歳代の頃からついてきた。それだけに人事周旋が巧く、特に尾張以来の人脈の頂点にいるいわば人事部長であり、内部のことをあれこれと調整していた。

三番目が増田長盛。彼も近江の出身で、天文十四（一五四五）年生まれというから、五奉行就任時には五十四歳だった。法令に詳しく裁判関係を担当し、政務全般にわたって指揮をした。また、普請の才もあったというから総務部長といったところであろうか。

そして五奉行の四番目が、石田三成である。彼は浅野、増田と共に庶政万般を担当、諸大名の監督から政治戦略にまで関与していた。いわば社長室長兼企画部長といったセクションになる。

五番目が長束正家《なつか》、もともと丹羽長秀《にわながひで》に仕えていたが財政経理に詳しく、帳付けの才があったので長秀の死後引き抜かれた。いわば経理部長である。

五奉行はこの五人で構成されていたが、彼らは企業でいえば平取締役《ひらとり》クラスであり、それぞれ部長も兼ねていた。石数は最高の浅野や増田が二十万石余、石田は十九万四千石、前田と長束は五万石である。したがって五大老に比べると、かなり格差があるので、大老と奉行をつなぐ「中老」をおいたという説がある。

これはかなり多くの書物に記されているが、いずれも後世に書かれたもので、当時の記録では確認できない。けれども、中老というのがおかれたという説があることからも分かるように、上層部の大老五人と、執行部の奉行五人とは、地位と領地で大きな格差があると感じられていたことは確かだろう。

要するに、石田三成は実務担当部長会の第四席の取締役社長室長クラスである。石数も十九万四千石だったから、徳川家康に比べると十三分の一だ。いわば豊臣会社のサラリーマンで、やり手の噂は高かったが、資産といえば社員持株制によって与えられた株を持っている、といった程度の地位だったわけだ。

それに対して徳川家康は、秀吉の主君であった織田信長と姻戚関係にあった。信長の娘が徳川家康の長男に嫁したのだから、いわば兄弟分だ。信長ほどの天才性はなく、着実に一歩一歩発展するタイプ。信長の家来の秀吉に天下取りでは先を越されたが、小牧の戦いでも負けず、長久手の合戦では大勝し、今や関東八州二百五十四万石の大大名になった。敢えて譬《たと》えれば豊臣会社と対等合併した大企業のオーナーで、今は合併会社の副社長となり、最大株主となっているようなものだ。したがって、家康から見れば、石田三成などは取るに足らない小物だったはずである。

◉「巨いなる企て」

慶長三（一五九八）年八月、創業社長の秀吉が死去した。息子の秀頼は当時六歳、その母親の淀君は側室、本妻の北政所《きたのまんどころ》おねは健在で、そこに出入りする古参社員も多い。豊臣家の家庭内部もかなり複雑である。

こういった状況の中で、たいして株も持っていない、位からいっても五人いる部長の四番目の石田三成が、自己の才覚と秀吉側近として養った人脈を頼りに、豊臣株式会社を創業者一家のために守ろうと立ち上がった。相手は、大株主であり実力副社長でもある徳川家康だ。日本の歴史に類例のない、恐らくは世界史でも滅多にない大企画、まさに「巨《おお》いなる企て」である。

石田三成は、この企画を実現したことで、実力者でも高い地位でもない者が大プロジェクトを実現しうるということを実証したのだ。これが以後の日本の歴史に及ぼした影響は実に大きい。

では、秀吉の死後、関ヶ原の合戦まで約七百五十日の間に石田三成の行ったプロジェクト・メーキングは、どのような手法であったのか。そして実際どのような活動をしたのであろうか。

徳川家康の豊臣家乗っ取りを阻止しなければならない。石田三成はあれこれ必死に考えた。

まず、最初に考えついたのは、家康に対抗できる実力者を担ぎ出し、その下に反徳川勢力を結集してバランスを取ろうと画策した。そうすると誰が考えても、徳川家康副社長に対抗できるのは、創業社長・秀吉の親友であった前田利家専務しかいない。

そこで三成は前田家へ駆け込んだ。利家も、親友の秀吉から幼い秀頼を、将来は社長に就けてくれと頼まれていたので、秀吉の死と同時に天下取りに動き出した家康を抑えなければいけないと考えていた。つまり石田三成と意見が一致したのだ。

そのために前田利家は、豊臣の地位を守ろうとする反徳川派、または豊臣忠誠派の人々に結集を呼びかけた。

家康の方には、何の実力もない六歳の秀頼に天下人の地位を予約するなどとは、天下を私物化するものだ、自分が積極的に天下を治めなければ日本の国はうまくいかない、という思いもあっただろう。しかし前田利家や石田三成から見れば、ただただ豊臣の天下を取りたいという野心である。この男がのちに天下を私物化したことを考えれば、これも頷ける。

いずれにしても、家康には天下を乗っ取ろうという意識が強くあった。そしてそのために敢えて秀吉が残した「遺命」を次々と破っていく。この「遺命」には、例えば、大名が徒党を組んではいけないとあった。徒党に分かれると反乱が起こる。したがって、互いに縁談を組んではいけないと、大名同士の縁組を禁じていた。そういった「遺命」を家康は十分に知りながら、自らの養女を伊達政宗や福島正則に嫁がせる約束をした。

家康はまた、二百二十万石ほどあった豊臣家の直轄地から、朝鮮出兵で功労あった大名たちに恩賞として勝手に分け与えたりもした。

これに猛反対した石田三成は、家康はけしからんことをしておると前田利家に訴える。利家も奮い立ち、家康抑え込みの連合軍を糾合した。これが秀吉の死後半年ほどの出来事である。

その時には、実力のある専務が主唱者となって呼び掛けたので、二人の常務、つまり宇喜多秀家と上杉景勝も同調した。もう一人の常務である毛利輝元は、なるべく目立たぬように右顧左眄《うこさべん》していたが、三人と一緒なら自分もというわけでこれと結合した。この四人の使者が石田三成や増田長盛が作成した抗議書を持って、大坂城から伏見城下の家康邸へ出向いた。

伏見の町にいた諸大名たちは、すわこそ伏見の町で徳川方対反徳川方の一戦が起こるのではないかと大騒ぎになり、それぞれ兵を動員することになった。中には急遽、国元から三百人、五百人の兵隊を呼び集める者もいた。家康自身も江戸から数千人を急行させている。

こうなると、「今、伏見の町で戦争をすると大変なことになる」と仲を取り持つ人が出てくる。この当時、大名はみんな伏見か大坂にいるが兵は少ない。ここで戦えば、司令官同士が斬り合うようなことになり、上層武士の戦死率が高いからたまらない。

すったもんだの末に妥協が成り、家康の方が詫び証文を入れる形で一件落着した。ここまでは三成も、忠義な奉行なら誰しも考えるような策で成功し、徳川家康を抑えることができたわけである。

この状況がもう十年もつづけば、豊臣家は勢力均衡の上に地位を保ち、秀頼が成人するまで豊臣家の天下は保ったかも知れない。しかし、不運なことに、頼りの前田利家が翌年閏《うるう》三月に病死してしまう。段々に衰弱し、家康と利家の妥協が成り立った時には既に死相が漂っていた。恐らく胃癌であろうと想像されるが、素人目にも分かる衰弱ぶりだった。当然、家康も諸大名も利家の死の前からそれを予期した動きをはじめた。

前田家は息子の利長に引き継がれるが、専務としての権威はまるでない。したがって、五大老という仕組み全体が機能しなくなってしまう。

家康はチャンス至れりとばかり、利家が死去した日に前田家を弔問した三成を、加藤清正や黒田長政など七人の若手大名に帰り道で襲撃させようとした。もちろん三成にもいろいろと支持者がいる。小西行長、宇喜多秀家、佐竹義宣《よしのぶ》などが護衛の兵を出したが、七人の大名は市街戦も辞せずとばかり、三成の身柄引き渡しを求めてきた。家康は、とにかく、天下が乱れれば武力に勝る徳川のものになると見ていたのだ。

切羽つまった三成は、なんと、伏見の家康の屋敷に逃げ込んだ。家康も殺すわけにいかない。仕方なく家康も「まあ、引退して自領の佐和山城へお帰りなさい」ということにして、佐和山に送り届けた。奉行から邪魔者の三成を除いたので、今度は家康が絶対有利となり、先に詫びを入れて取り消した縁談なども全部実行してしまった。

◉三成プロジェクトの手法

普通なら、ここで話は終わる。頼りの専務が亡くなり、憎《に》っくき副社長が社長になってしまった。わが身は地方支店付に左遷され、本社の人事は新社長の思いのまま、「ああ口惜しい、ああ口惜しい」で終わるのは実によくある物語だ。

だが、石田三成は諦めなかった。ここから本格的な三成の大画策がはじまるのである。

頼りにする実力者はいない。身は引退、周囲は天下公認の暗殺団に囲まれていて、敵は強大である。この中で天下分け目の大決戦に持ち込んで、あの家康の野望を潰すには、どうすればいいか。

必死に知恵を絞って石田三成が考えついた仕掛けは、三つの要素から成っている。

まず第一は、「豊臣家のため」という、秀吉に仕えてきた大名としては反対できない大義名分を掲げることである。

「あなた方も太閤秀吉様には恩義があるでしょう。将来、秀頼公を社長に立てるために、徳川家康の野心を封じるのが正しいのではないでしょうか」

もちろん戦国乱世だから、そんな大義名分で動く大名はいない。みな己の安全と利益のために動いている。

大体、人間の行動の動機は、①性善的なる愛情で動く、②下劣な利益で動く、③弱さの故に恐怖に追い立てられて動く、この三種類である。

「愛情」によって世のため人のために尽くすのが理想に違いない。宗教的信仰、政治的信条、恋愛や郷土愛など純粋な愛情によって動く性善的なる部分が確かに人間にはある。

最近の新聞などを見ると、人が愛情や好みで動くことはないような書き方が少なくない。例えば、政治献金をする者は必ず見返りの利益や利権を期待しているように書く。しかし圧倒的多数の献金者は、その政治家が本当に好きで献金している。野球のジャイアンツや相撲の貴乃花を応援するごとく、何の利益も期待しないで好きな者を応援したくなるのは人間の本性の一つだ。大義名分も広くいえば「愛情」の分野である。

しかし、それだけでは、多くの人々を動員し切れない。そこで第二の「利益」による誘導が行われる。ポストを約束する、権力を与えよう、おカネや利権をあげよう等々の利益誘導をされると大方の人間は動く。人間の下劣なところだが、これまた人間性の一部である。したがって、選挙でも宗教でも必ず利益誘導が出てくる。

第三の「恐怖」は、いう通りにしなければ殴るぞ、監禁するぞ、究極は「殺すぞ」

である。愛情で動こうとする者も、殺されてはかなわない。したがって、「殺すぞ」といわれたら「おっしゃる通りにいたします、命ばかりはお助けを」となるのが普通だ。これは人間の弱さである。殺すぞといわれても、正義と愛情（信仰）のために殉じるというのは、よほど強い人、実に偉い人である。

この三種類のうち、どれが最も強いかというと、残念ながら「恐怖」であり、次に「利益」、最後が「愛情」である。

宗教は神の愛を説き、神の正義と真実に帰依することを求めるものだ。ところがその宗教も、より多くの信者を集め、より強い結束を求めるようになると利益誘導をやり出す。この神様を拝んだら商売繁盛、家内安全といった利益誘導で信者を獲得するようになる。

それでも信者が増えないとなると、恐怖で追い立てるようになる。この神様を拝まなかったら病気になるぞ、事故に遭うぞ、死んだら地獄に落ちて閻魔大王に舌を抜かれるぞ、などと暗示する。人間が生きている時には死後の世界を知ることができないから、これは観念的な恐怖である。それでも足りない時は宗教裁判で本当に殺してしまう。魔女を公衆の目前で焼き殺したり、異教徒を大量虐殺したりすることも珍しくない。宗教が、権力と結びついて利益誘導をし、恐怖を語るようになるのは、宗教としての堕落といわざるを得ない。

ところが、現実の政治の世界は、宗教のように、ある種の観念的な美しさを見せるものではないから、強烈な利益誘導と恐怖行使が行われる。

したがって、「愛情」の分野に属する大義名分を立てても、戦国乱世を生き抜いてきた武将たちが動くはずはない。ところが、人間の奇妙なところは、自分は大義で動かぬくせに、それで動く者もいるに違いないと思うことだ。つまり、大義名分のある方には多くの味方が集まるだろうと予想してしまう、いわゆる買いかぶりが出てくる。石田三成はまず、これを狙った。

「豊臣家の御ために」「太閤様の恩義に報いるために」という大義名分を掲げることで、反徳川勢力を過大評価させようと考えたのだ。

しかし、これで大勢が集まるほど、戦国武将は甘くない。したがって、第二にはPR活動が必要である。

ところが、PRにはいつの時代でも膨大なカネと人手が必要である。十九万四千石の大名の三成には、それほどカネもヒトも使えない。恐らく三成は、天下の奉行の地位を利用すれば、大坂城の御金蔵を使うこともできただろうが、佐和山に引退させられてはそれもできない。そこでスポンサーを探さねばならなくなった。

このスポンサーは、余程秀吉に忠実で純粋な人間でなければなってくれない。そうすると、やはり宇喜多秀家だ。人柄もいいし、世間の評判もいい。備前・美作五十七万四千石にはかなりの資金がある。

三成は宇喜多家に頼り、秀家から相当の資金も引き出し、人手も借りた。豊臣家のため、秀頼公のために、ひとつ働こうではないかと各方面に訴える根回しをした。これには金品もかなり使い、買収もした。

武将たちから見ると、「どうも、三成一人ではなさそうだ」「あいつに出せるカネではない」「スポンサーがいるらしいぞ」ということになり、「石田三成プロジェクトには、かなりの企業が乗っているようだ」という噂が広まった。それこそが三成の期待した雰囲気《ムード》である。これを利用して、二股をかける堺や京の商人からもかなりの金を集めたらしい。

この間にも、三成はもう一つの面白い手法を考え出した。大義とムードだけでは実効を持たない。第三には人脈ネットワークがいる。だが、奉行第四位の身では大老たちに直接訴えても効果はない。前田利家が生きていた時には、これに訴えるだけで成功した。しかし、今は率先して旗を振るほどの自信と実力のある大名はいない。そこで、大名ではなく、その下の実務者である家老のネットワークを作り出した。

例えば宇喜多家に接近する時は、秀家に直接ではなく、その有力家臣の明石掃部《かもん》全登《てるずみ》を説得する。同様に、上杉家では当主の景勝ではなく、その家来の実力者、直江山城守兼続《かねつぐ》と手を結ぶ。そして毛利家に対しては、外交顧問であった安国寺恵瓊《えけい》と連絡を保った。各有力大名家の常務か平取クラスと連絡を取ったのだ。

三成は天下会社平取だから、直接に秀家を説得すると「お願い」ベースになり、宇喜多家の中から反対者が出る。したがって、ナンバー・ツーの明石掃部を口説いて、その掃部に家中根回しをさせる。次には、「秀家様も御同意」といって、上杉家の直江山城守を口説き、また毛利家の安国寺恵瓊を口説く。いわば中堅官僚連合、実務者ネットワークを作ったのだ。実は、これが功を奏した。各大名家に何となく反徳川ムードが広まった。そして、それが互いに連絡を取り合い、確認し合うことで大胆にもなった。

まず、行動を起こしたのは上杉家だ。景勝は謙信の養子で跡を継いだから、家来たちを心服させるために謙信のそっくりさんを演じていた。

「養父・謙信は義理堅く義将と呼ばれた。自分もそうでないと上杉家の結束が保てない。ここは勝敗にかかわらず、家康公の非を唱えるべきだ」と決心、慶長五（一六〇〇）年春には会津若松に帰って戦備を整えた。そこで三成は、景勝に付いていた直江山城守と連絡を取り、上杉家が家康に苦情を申し立てる形を取った。既に天下を得たつもりの家康は、配下の大名――ほとんどは秀吉の家来であるが――を率いて上杉討伐に行く。

その間に三成は、引退奉行の大谷刑部少輔《ぎょうぶしょうゆう》吉継と談合し、相共に安国寺恵瓊を通じて、慎重居士の毛利輝元を口説かせた。総大将にするから出てきてくれないか、もしこの合戦に勝利すれば、豊臣秀頼の代理人として天下の政をお任せする、という甘い餌を並べて毛利を呼び込んだ。ここに三成の仕掛けの、悪くいえば詐術の第四の鍵がある。

◉「総大将・毛利輝元」で家康に対抗

つまり、第一に大義名分を立てた、第二にスポンサーを冠にしてみせた、第三には実務者ネットワークで有力大名を乗せた。そして第四に象徴的な人物を総大将に祭り上げたのだ。つまり、もともとのスポンサーである宇喜多秀家の上にシンボルをおいた。これが総大将の毛利輝元である。

この構図は非常によかった。その他いろいろ細部にわたるまで気を遣って作っているが、要するに三成の仕掛けは架空の上に架空を重ねて成り立っていたことだ。大義名分も架空であり、毛利輝元を担ぎ出したのも名義借りの架空の話である。ところが、そういった内部情報は、正確に外部に伝わることがない。電話やテレビが発達した今日なら、この仕掛けは一段と大きな虚構を膨らませるだろう。

したがって、大部分の大名は、正確な情報を持たない。彼らに分かったのは、宇喜多、上杉の両大老が手を結んで、あの慎重な毛利家も味方したということだ。「どうやらこれは勝てそうだ、そうでなければあの用心深い毛利家が味方するはずはない」――そんな噂がワッと伝わった。もちろん、三成はそれを盛んに広めた。

毛利公が総大将になったのは百パーセント勝つ公算があるからだ。領土の広さから見ても、徳川家康は二百五十四万石かも知れないが、上杉、宇喜多、毛利を合わせたらそれ以上である。しかも、大坂城を本拠にして秀頼を擁し大義名分も掲げている。これは勝つに違いない。こういう話が流れ出した。

これによって、遠国の情報不足の武将たちが、各地から軍隊を率いて続々と大坂城へ参集してきた。

例えば、肥前東七郡の鍋島直茂は、陰謀も巧みな実利的な男だ。豊臣秀吉にもそれほどの恩義があるわけではない。ところが、八千人の大軍を率いて大坂にやってくる。土佐の長宗我部《ちょうそかべ》元親《もとちか》の子の盛親《もりちか》も、秀吉に取り立てられたわけではない。むしろ自らの力で四国を征服しようとした時に干渉を受け、土佐一国にへこまされた方だが、やはり大義名分のある方が勝ちそうだというので、大坂に来た。たちまちにして大坂には大軍が集まったのである。

これには徳川家康も仰天した。はじめは、石田三成とその親友の大谷吉継など、ごく少数の不満派が文句をいっているだけで、鎧袖一触《がいしゅういっしょく》、すぐにも征伐できると思っていた。ところが、ハッと気づいたら自分の配下よりも大きな勢力が大坂城に参集しているではないか。

ここまでは、三成の作戦が大成功だった。石田三成の天下分け目のプロジェクトの仕掛けはきわめて上手に動いた。それまでの日本の歴史上、これほどの名作はないだろう。このやり方は、今日までのプロジェクト・メーキングに非常に大きな影響を残した手法、いわば日本型の下意上達型プロジェクト・メーキングの雛形である。

ところが、この名作に基づいて行われた舞台は、実に愚演であった。いよいよ関ヶ原の合戦となって、三成の原作をもとに上演するとなった時、予期しない齟齬《そご》や失敗が立てつづけに起こるのである。

◉愚演に終わった名脚本

石田三成に煽られて、大坂へ参集した兵力は約十六万という。それに対し、徳川方の兵力は八万人弱である。数の上では、西方が圧倒的に優勢だった。

ところが、情報不足の武将たちが大坂城へ来てみると、そこには情報が渦巻いていた。ここで、彼らは次々に情報を得て、ことの実態を実見した。

「貴殿は、どうして大坂城へ来られたのか」

「いや、実は私もよう分からんのだが、みなさん御参加のようだからやってきたのです」

「では、徳川方と戦われる御所存か」

「いや、なるべくなら戦わぬ方がよい。戦はしんどいですでな。何しろ家康公は強敵でござるわ」

こういった曖昧な話ばかりである。どうも戦意ある武将は少ないようだ。それに誰が大将か、誰が中心人物か、策戦も役割もよく分からない。総大将として大坂城に入った毛利輝元にしてからが、はっきりした戦略を持たず及び腰である。ここは誰が動くのか、よく見た方がよい、ということになった。

今日のプロジェクトであれば、多少の出資金なら、「やれやれ！」ムードで推進できるが、当時は失敗すると一族郎党皆殺しである。さらに戦国時代では、両方に味方をしたり中立でいることは、「敵対」とみなされた。つまり、「私は徳川さんにも豊臣さんにも味方いたしません。ここでじっとしておりますから、ごかんべんを」ということは許されない。そういって中立を守った者もいたが、戦いのあとでは勝った方（徳川）に殺されるか、領地を奪われてしまった。どちらに味方するか、選択を迫られる真剣勝負の時代なのだ。

したがって、武将たちの間にだんだん、「こんなことで大丈夫か」という心配が拡まり、「石田三成に乗せられたのではないか」といった猜疑が湧き起こる状態になってしまった。何しろ三成自身は佐和山に引退の身、十九万四千石では先頭に立っても六千人の兵力しかない。それが先立つようでは二百五十四万石の徳川に勝てるわけがない。三成ははやる心を抑えて、懸命に自重していたが、どうにもみなが動かなかった。

これはやがて関ヶ原の合戦となると各武将の足もとがふらつき、徳川方の誰かと結びついておかなければいけないという状態になってくる。総大将の毛利家自体が吉川《きっかわ》広家をして徳川に誼《よしみ》を通じさせていたのだから、ひどいものだった。

石田三成の失敗は、その美意識にあった。この男は正々堂々の檜舞台で戦いたかった。徳川家康を倒すのが目的であれば、むしろゲリラ戦に持ち込むべきだった。既に上杉景勝が会津の方で戦争をはじめており、そこへ徳川家康が百人余の大名を率いて行っているのだから、関ヶ原のような天下分け目の大合戦にしないで、ゲリラ戦を展開、全国を混乱させる手もあった。恐らく家康が最も恐れたのは、これだろう。

しかし、豊臣家のために天下の奉行の自分が太閤の御政道を正しく引き継ごうという三成の美意識からすれば、ゲリラ戦などとんでもない。三成は実効よりも様式を大事にするという失敗を犯した。やっぱり文治の官僚で、オーナー経営者的な賭けができなかったのだろう。

もし三成側がゲリラ戦と籠城戦の連続に持ち込んでいたら、徳川家康も閉口していただろう。しかし、結果として三成も勝てなかったに違いない。結局、また戦国時代をぶり返すようになり、第三者が出てくる状況になったかも知れない。

もう一つの敗因は、やはり三成の地位が中途半端だったことである。天下分け目の大騒動を起こすのには、五奉行の四席目、つまり会社の平取ぐらいというのはあまりにも低すぎた。さりとて、まったく姿を隠して裏方に徹するには目に付きすぎた。三成に野心がある、と思われたのである。

その上、十九万四千石では大事業を展開していくうちに資金不足にもなり、人材不足にもなる。このため三成は、自分でシナリオを書きながら中心部には出られなかった。

石田三成は当初、原作を書くだけで、演出と出演は宇喜多秀家と毛利輝元に任すつもりでいた。このため、はじめのうちは近江にいて、大坂城にも出なかった。その点では三成はかなり自制心があったと思える。

ところが、肝心の総大将になった毛利輝元自身が大坂城に居座ったまま動く気配もない。そこで宇喜多秀家が音頭を取り、家康が留守居をおいていた伏見城を攻めに行く。大軍を率いて包囲はしたが、誰も攻撃の先手をつけない。鉄砲は撃っても突撃をする者がいない。ひょっとして負けた時「あいつが真っ先にやったぞ」といわれたらいけない。したがって、ワーワーと声を上げているだけで一向に動かないという状態になった。

たまりかねた三成が、佐和山城から出てくる。そうすると、ファイトのある二、三の武将たちが伏見城を攻略したものの、次にどうするか、誰が司令官になってどこへ行ったらいいのか、これがまたなかなかまとまらない。つまり、形式的総大将の毛利輝元と、実戦指揮官の宇喜多秀家と、筋書きを書いた石田三成の三重構造になってしまったわけだ。

結局、西軍は三つのコースに分かれた。第一は、宇喜多秀家が主力を率いて伊勢から尾張を攻める、第二は、三成が司令官で滋賀県の大津の城を落とし、そして関ヶ原から岐阜へ出る、第三は、大谷吉継が司令官になり、北陸道を行く。ところが、これでもなかなか動かない。そのうちに東征中の家康が大軍を率いて、信長の孫の秀信がいた岐阜城を攻め落とした。

徳川方に予定戦場を選ばれてしまったのだ。見誤ることなく、主たる攻撃目標を石田三成のいる中央軍に絞ったあたりはさすがに家康である。徳川主力の標的とされた石田三成は慌てて檄《げき》を飛ばし、伊勢の方へ行っていた宇喜多秀家を呼び戻した。だが、それに従軍していた鍋島直茂らは、兵の疲れと糧秣の不備を理由になかなか動かない。北陸の方へ行っていた大谷吉継もすぐ飛んできたが、それに従軍していた他の武将たちは種々の理屈をつけてやってこない。五万石の病身では、他の大名を強制することができなかったのだ。そのうちに全体の情勢が煮詰まって関ヶ原の決戦となる。

この頃になると、どうも西軍は足並みが揃っていないようだと分かってしまった。そうなると各武将が、「実は私、事情がよく分からないままに参加したので、徳川さんに反対するつもりはありません」などと内々の交渉が行われた。そうした手紙が多く残っている。

もちろん、逆の交渉もあったと思われる。三成に東軍の方から「私は徳川方についておりますが、決して豊臣家の恩を忘れたわけではありません」というような手紙もたくさん来ていただろうが、みな急いで焼却したから発見されていない。

足並みが乱れ出すと、戦意満々の中核部隊の大きい方が強い。当時は、家康自身が二百五十四万石だから、それだけでも七万人の動員力がある。それに対し、石田三成は逆立ちしても六千人ほどである。

関ヶ原の合戦は西軍の方が圧倒的に勝つ陣形になっていたのだが、小早川秀秋や小川祐忠らが次々と裏切った。毛利家でも総大将輝元自身も大坂城から動かず、これに代わって出陣した従兄弟の吉川広家は戦場で傍観を決め込んでいた。

石田三成の企ては、こうして名作愚演に終わった。関ヶ原プロジェクトにおいては、トップ（毛利輝元）とリーダー（石田三成）が別々だった。そしてトップにはやる気も決断力もなかった。リーダーには銭も人手も不足していた。名作が愚演になった所以《ゆえん》である。しかし、原作の仕掛けはよかったから、その後の歴史に大きな影響を与えるようになった。

明治維新の時も、「満州国」の建設でも、新幹線の建設や私たちが実行した日本万国博覧会の開催でも、この石田三成の形式がそのまま踏襲されている。私は小説『巨いなる企て』に、石田三成のプロジェクトの作り方と手法を詳細に著したが、この手法は現在も日本全国で企業と公共団体とを問わず利用できるものだ。

したがって、こうしたプロジェクトを企画推進される方は、石田三成の手法を学ぶと同時に、なぜ失敗したかもよく研究していただきたい。石田三成は、日本型のプロジェクト・メーキングを創造し自ら実践してみせた。その巧くいったところも拙かったところも、両面共に現在なお参考になるだろう。

日本という国は、中堅官僚や中堅社員といった人々のネットワークで動かされている。つまり「偉くない」人たちが企画した事業が実現するのが「日本型プロジェクト・メーキング」である。その手法を開発したという意味で、石田三成もまた、今日の「日本を創った」一人といえるだろう。

第六章

徳川家康

——「成長志向気質」の変革

◉「人質」から「大御所」へ

徳川家康という人物は、あまりにも有名な歴史上の存在であり、記録された文章やエピソードの数も多い。その反面、数多くの伝説や神話で飾り立てられているため、実像と虚像の差も大きい。

まず、家康の伝説や神話と、それが与えた今日的影響を見る前に、歴史的な事実としての一生をごくごく簡単に追ってみたい。

生まれたのは、天文《てんぶん》十一（一五四二）年、幼名を松平竹千代といった。亡くなったのは、元和《げんな》二（一六一六）年だから、享年は数え年七十五歳ということになる。戦国時代の人々の年齢感覚を人生八十年時代の今に置き代えるのには、年齢数を二割増にして三足せばよい、という。例えば戦国の十五歳は今の二十一歳、五十歳は六十三歳というわけだ。したがって家康の七十五歳は九十三歳の長寿を全《まっと》うしたことになる。

父は松平広忠、今川義元の勢力圏であった三河岡崎の城主である。

生母は水野忠政の娘、於大《おだい》の方である。亡くなってからの法名が伝通院《でんづういん》、東京の小石川にある伝通院は、家康の生母を祀《まつ》った寺である。忠政も小大名だ。松平広忠は同じような境遇の家の娘と結婚したのである。

ところが、この生母の父の忠政が天文二十（一五五一）年に死ぬと、跡を継いだ兄の信元が、信長の父の織田信秀に味方したため、今川方に属する松平家とは敵対関係になり、於大の方は離縁されてしまった。家康（竹千代）が生まれて三歳の時である。以後、十九歳の時まで母と会うことはなかった。お涙頂戴には都合のよい話だが、当時としては大げさにいうほどのことではない。城主クラスの身分の者にはありふれたことである。

六歳の時、今川家の人質になるために岡崎城を出たのだが、途中で、信長の父・信秀の息のかかった戸田康光に捕らわれ尾張に送られた。逆に織田家の人質になってしまったのだ。

二年後の八歳の時、父の広忠が亡くなると、今川方が捕らえた織田信秀の子・信広（信長の庶兄）との捕虜交換で、今川家の人質になった。このようなことから、家康は幼少の竹千代時代から非常に苦労した、ということになっている。

駿府の人質屋敷で過ごす間に元服して元信と名乗ったが、のちには元康と改める。弘治三（一五五七）年に、今川の一族である関口刑部少輔《ぎょうぶしょうゆう》親永の娘と結婚した。どちらかといえば、人質になる程度の小大名が大勢力の今川家に願い出て、御一族様の娘を嫁にもらったような関係だった。この奥方が、のちに築山殿《つきやまどの》と呼ばれ、悲劇の主人公になる。

家康生涯の転機は永禄三（一五六〇）年、桶狭間の戦いで今川義元が信長に討たれた時だ。その時、今川勢の先鋒として大高城《おおたか》にいた家康は、真っ直ぐに岡崎城へ帰った。ここで家康は、今川家に見切りをつけ、徐々に織田信長に接近、やがて同盟を結ぶ。

永禄六（一五六三）年には元康から家康と改名し、十一（一五六八）年には、元の主人であった今川家の領地を大井川を境として武田と分ける協定を結び、両側から今川義元の子・氏真《うじざね》を攻めて占領してしまった。桶狭間から八年余、家康は三河の一角の十万石程度の小大名から三河と遠江《とおとうみ》の二国を領有する六十万石の大大名に成り上がったのである。

信長と結んだ同盟を、家康は、約二十年間、信長が天正十（一五八二）年に本能寺で斃《たお》れるまで、非常に忠実に守った。戦国時代には珍しいほど固い長い同盟である。

戦国武将の多くは、右についたり左についたり、常に有利な方に傾き自己利益のためには権謀術数を弄ぶ者が多い。その中で、家康は信長に対して非常に忠実であったといわれ、家康の律儀さの証明にもされている。

永禄十一（一五六八）年、信長は上洛を果たすが、同時に周囲に敵が多くなる。その中で家康だけは便利使いのように呼び出されながらも、常に律儀に援軍を差し向けている。

また、奥方の築山殿と長男の信康が武田勝頼に通じて信長を裏切ろうとしているのではないか、と信長から嫌疑をかけられた時、家康は妻を斬り長男を切腹させた。妻子を犠牲にしてもなお信長につき従った。家康贔屓《びいき》の人々は、これもまた非常な律儀者の証《あかし》としている。

本能寺で信長が死ぬと羽柴秀吉が山崎の合戦と賤《しず》ヶ岳《たけ》の合戦に勝利し、織田家の跡を簒奪《さんだつ》する。これに対して徳川家康は、小牧・長久手の戦いで負けない実力を示したが、結局は秀吉に対しても臣従せざるを得ない。慶長三（一五九八）年に秀吉が死ぬまで、これまた十五年ほど非常に忠実に務めたといわれている。

ところが、秀吉が死ぬと、途端に態度を変え、秀吉の遺命を破ったため、最初は前田利家と、利家の死後は石田三成らと対立、約七百五十日後には関ヶ原の合戦で勝利し、事実上、天下を奪った。

三年後の慶長八（一六〇三）年には征夷大将軍の宣旨《せんじ》を受けて徳川幕府を開設し、わずか二年で息子の秀忠に位を譲り、自分は大御所として駿府から天下を睥睨《へいげい》する。

家康が早々と秀忠に将軍位を譲ったのは、単に引退して息子を育成しようとしただけではない。この将軍位が秀吉の子である秀頼にいくことはない、徳川家のものだ、と表明するためである。徳川家から歴代の将軍を出すことを天下に宣言し、自らの覇権確立を揺るぎないものにしたのである。

そして元和元（一六一五）年、大坂夏の陣で豊臣家を完全に滅ぼし、翌元和二（一六一六）年に大往生した。死因は天ぷらの食いすぎという。老衰による胃腸障害であろう。

◉首都機能・江戸の創設

家康が日本の社会と今日の日本人に、どのような影響を残したのか。

第一に、政治家として武将として、天下統一と幕府創建という大変に重要な役割を果たした。第二に、個人として、その人間性が日本人の生き方の手本となった。第三には、家康の創建した徳川幕府が為《な》したことによって日本社会が規定された。この三つの面で、神として祀り上げられた家康の虚構《フイクシヨン》部分を含め、今日の日本に多大な影響を与えている。

徳川幕府は、始祖家康を「東照神君」あるいは「権現様」と祀り上げ、その為したことはすべて正しいとしただけではなく、人間としても最高の道徳を持って生きた人物であった、といいつづけた。当然、多くの神話が作られ、あらゆる面が美化された。それでも、家康の行ったことをすべて肯定するとなれば、これに合わせた倫理観や美意識を創り出さねばならないところも出てきた。このため、家康の存在自体が、この国の文化と人生観に大きな影響を与えることになったのである。

その意味では、徳川家康こそ日本の歴史の中で最も重要な人物の一人である。

もう一つ、徳川家康が今日の日本と日本人に与えた重要な影響として忘れてはならないのは、江戸、そして今日の東京の礎《いしずえ》を築いたことである。

徳川家康は、豊臣秀吉の命令によって天正十八（一五九〇）年に関東へ移り、江戸を居城として、やがてそこに幕府を開いた。その後、家康は江戸を大都会へと発展させたが、そこにも家康の個性と思想がにじんでいる。

もっとも、最初に、「江戸に居城するのがよかろう」といったのは秀吉であったらしい。

当時、関東の中心は後北条五代の本拠地だった小田原であり、城も巨大だったし町も栄えていた。当時の小田原城は巨大な城郭都市で、相当な規模の町を塁濠で囲み込んでいた。秀吉は、そんな堅城に家康が入ることを嫌ったのだ。

もう一つ、関東には鎌倉がある。鎌倉幕府が滅んでから三百年も経っていたが、有名寺社もあれば大仏もあった。鎌倉街道も残っていたはずである。しかし、源氏を名乗る家康が鎌倉に入るといかにも示唆的に見える。それを秀吉は警戒したのだろう。

それらを避けて、湿地帯であった江戸を、秀吉は選んだ。当時の江戸には、太田道灌が築いた小さな城があるだけであった。

今日でこそ太田道灌は有名だが、これも江戸の開発者として名が残ったからで、もし江戸が家康によって首都機能所在地になっていなかったら、道灌も二流の歌詠《うたよみ》として好事家に知られる程度だったろう。道灌は、北条早雲と同年輩だが、早雲に比べるとさほど大きな殿様にもならなかったし、子孫も発展しなかった。太田道灌の築いた元々の江戸城は至極貧弱なものだったらしい。豊臣秀吉が関東の北条を攻めた時、武蔵の諸城の中で一番先に陥落したのが江戸城である。

だが、秀吉が関八州の太守となった徳川家康にこの地をすすめたのは、意地悪のためではない。沖積《ちゆうせき》平野の開発期だった天正時代にはきわめて将来性のある土地と見たのである。

しかし、何よりも重要なのは、家康が征夷大将軍となって幕府を開いた時、その本拠を江戸に置いたこと、そしてその幕府が、室町幕府のように地方分権的ではなく、中央集権的封建制度を採ったことである。

徳川幕府はやがて参勤交代を制度化したため殿様は生涯の半分を、奥方らの家族はそのすべてを江戸に常住することになった。そのため、江戸は政治行政だけではなく、社交と情報交換の場となり、文化の中央としての機能をも果たすことになった。家康は、そういう町造りをした点でも日本と日本人に大きな影響を残したのである。

しかしながら、徳川家康の江戸の町造り（都市計画）は、首都機能所在地としては必ずしも優れたものではなかった。

織田信長が安土城を築いた時は、当初から天下の政治を行う政治施設としての天下城として企画されたものであり、軍事防衛施設としての配慮はほとんどなかった。最近の発掘によると、大手門に向かって真っ直ぐに広い道路がついていたという。秀吉の大坂城も同様で、主要道路の「通り」は、真っ直ぐに城に突き当たっている。

ところが、徳川家康が、江戸の町を造った時は、秀吉が在世で攻められる恐れもあったので、軍事防御的に造らざるを得なかった。このため、通行しにくい「鍵手の辻」などがいくつもある。江戸は軍事都市として誕生し、情報秘匿的な町造りになっている。ここにも徳川家康という人物の安定志向と防衛本能が反映されている。

ところが、その江戸が幕府の所在地となったことから、家康は日比谷の浜から南に一里四方を埋め立てる巨大な都市計画を行った。それを寛永（一六二四〜四四年）以降の徳川幕府の人々が、いろいろと改良し、巨大都市に発展させたわけである。

前述したように、慶長八（一六〇三）年に幕府が開かれた江戸から通算すると、東京は首都機能所在地として四百年を超えている。これまでの日本史上で首都機能所在地として最も長かったのは三百九十八年間つづいた平安京だが、江戸＝東京がそれを抜いて、日本の歴史の上で最も長い首都機能所在地になった。これほどの大都会の礎を築き、日本の地域構造に決定的な影響を与えたというだけでも、徳川家康は「日本を創った」人物の一人に数えられるだろう。

◉「律儀」と「辛抱」の哲学

さて、征夷大将軍となった徳川家康が、政治家あるいは軍人として行ったことが、今日の日本人にどういう影響を与えているだろうか。歴史の事実とその神話化を含めて見てみたい。

第一に、「武士（日本人）は家康の如く律儀であれ」という処世訓である。織田信長と同盟して約二十年の間、信長から無理難題を仰せつかっても、家康は忠実に実行した。そのことから、非常に律儀であったとされている。人間、偉くなるには、律儀でなければならないし、律儀であれば立派な人にもなれる。この哲学が今日の日本人に非常に重要な影響を与えている。これは今日、企業従業員に対して企業忠誠心《ロイヤリティー》が重視されることにも関係している。従業員は企業に対して家康のように律儀でなければならないというわけだ。

信長との関係も、表面的な事実だけを見ればその通りだ。例えば、元亀元（一五七〇）年、信長が越前朝倉を攻める時、まず呼び出しに応じたのは家康である。

当時、家康は、三河の岡崎城にいたが、はじめは信長の上洛に付き合う程度に思って京都に同行した。ところが、信長は越前朝倉家攻撃に出発する。これに加わった家康は、危険な先鋒を買って出る。ところが、金ヶ崎まで進んだ時、浅井《あさい》長政が寝返ったため総退却となり、家康も命からがら引き揚げた。

そして、わずか一カ月足らずでまた呼び出され、近江姉川の合戦に出ていく。率いた兵は、信長の二万九千に対して家康は約五千であった。しかし、やる気をなくさず忠実に働いた。この時も勇戦し、織田方勝利のきっかけを作ったといわれている。

そういったことを繰り返しながら、先述した長男信康と本妻築山殿の事件が起き、武田への内通を疑われた長男と本妻を殺してしまう。これは当時としてもそう簡単なことではなかったはずだが、これをやってのけた徳川家の官僚たちはそれほど信長に忠誠を励んだというわけだ。

しかし、当時の状況から推考すると、単に家康が信長に心服していたとか、性格的に律儀だとかということだけではなく、信長の軍事力が怖かったのが第一だろう。そもそも、強力な同盟者から強要されたからといって、自分の息子や妻を殺すのは、決して律儀者のすることではない。

歴史の事実として見ると、天正七、八（一五七九、八〇）年当時、家康領の西側に信長領があり、東側は武田勝頼の領国であった。武田信玄の死後五年余を経ており、長篠の合戦では信長が武田勝頼に大勝している。織田の勢いは武田をはるかに上回っていたのだ。したがって、政治的かつ功利的に判断するなら、信長を取らなければいけない。

家康の偉いところは、武田信玄の在世中から、成長株信長の恐ろしさをよく知っていたことだ。信長の恐ろしさとは何かといえば、兵農分離を果たした織田雇兵隊の圧力である。

武田や徳川の農民兵と違って、織田の銭で雇った兵はいつでもいつまでも戦える。農民兵は稲刈りや田植えの時期には戦場へ行けないという不都合があるのに対して、戦争専業の雇兵は、田植えの時期でも稲刈りの時期でもやってくる。この恐ろしさを家康は十分に知っていたのだ。

したがって、信玄の援助を受けて信長と戦ったとしても、勝ち目がない。武田勢が田植えをしている間に徳川は織田にやられてしまう。

これから天下を取るのは信長だ。信長にくっついていれば、信長が成長するにつれて自分も発展できる。そういう先見性に基づいて、信長に服従していたわけである。

その意味で、徳川家という組織のトップとして考えた時、家康は「律儀」であるよりも、先見の明あるリーダーとして評価されるべきであろう。実は、このような功利性こそ武士の「律儀」の実体である。今日の会社人間や政治家が示す「律儀」なるものも、大体は自己利益に裏付けられている場合が多い。企業が従業員に求める律儀さもいたって功利的なもの、つまり企業の中で出世するために、他を顧みず働け、というものだ。その意味でなら、確かに家康は手本になるだろう。

第二に、徳川家康は、人間として大変に苦労した、といわれている。先述したように幼くして人質となった。人質というのは、国元の者が態度を変えると、殺される可能性もある危険な立場だ。六歳の時には織田に捕らわれ、八歳の時に捕虜交換で今川家に移された、通算すると約十年もの間、人質だった。最初の結婚をしたのも、人質の立場にあった時だ。

たしかにこれは、苦労したといえるだろう。さらに、その後も難しい織田信長に服従し、息子と妻を斬り、足軽上がりの豊臣秀吉に家臣として耐え、国替えや家臣の脱走にも辛抱強く対応した。人間としても辛抱強かった、ということになっている。

さらに、武将として戦争で負けたことも結構ある。代表的な例は三方ヶ原《みかたはら》の敗戦である。攻めてきた武田信玄を、三方ヶ原で迎え討った。これは当時の家康が本拠にしていた浜松城のごく近くである。その戦いに敗れ、浜松城へ逃げ込んだ。幸いにして、信玄の方は浜松城を素通りして上洛を急いだので、命ばかりは助かった。そのうちに信玄は労咳《ろうがい》で――今日でいう肺結核であろう――病死したから、大名としても助かった。屈辱的な敗戦に耐えて危険を乗り切ったわけである。

このことから、人間、決して一度や二度の失敗でへこたれてはならない、と教訓を導き出すこともできる。

しかし、戦国武将なら、みなこの程度の苦労はしている。辛抱は徳川家康に特有なことではあるまい。織田信長は少なくとも三度戦傷を負っている。石田三成や宇《う》喜多《きた》秀家にも戦場で負傷した記録があるが、徳川家康には一度もない。武将としては幸運な方である。

◉「お上意識」の普及と封建的秩序

しかし、何といっても重要な事実は、秀吉の死後、関ヶ原の合戦に勝って天下を取ったことだ。石田三成の章でも述べたように、天下分け目の決戦である関ヶ原の合戦においては、家康は自前の兵力よりも、巧みな政治活動によって自らに有利な環境作りをすることで勝利を得た。そしてその三年後に徳川幕府を興すのだが、この際は、いわば電光石火、世間の批判を許さぬやり方であった。徳川家康の凄まじさは、この緩急自在の身の処し方にある。

それ以前にも幕府はあった。前述したように、源頼朝が鎌倉幕府を設置して、幕府という概念を定着させた。頼朝は征夷大将軍、つまり東部軍総司令官の立場に立って全国の武士を東部軍に編入することで統治し、律令制とは別の機構によって実権を握った。これを足利尊氏が継承し、室町幕府を開いた。

ところが、その二つの幕府は、主として武士を統治し、公家や寺社には間接的にしか関わらなかった。ところが徳川幕府は、まさにあらゆる人々のあらゆる分野を統治した。朝廷を中心として京の都には太政大臣、左大臣、右大臣以下がいるにはいたが、この律令体制も、徳川幕府に至って、形骸化するどころか滑稽な存在にさえなってしまう。

鎌倉幕府の時には部分的にしろ、朝廷を中心とする勢力が政治的影響力を持っていた。幕府は全国の武士を統括し、将軍は武士の棟梁であった。したがって全国の武士には命令を発し得た。また、当時も世の中の大部分は武士が支配し、鎌倉幕府の威令はかなり通用した。これに逆らった後鳥羽法皇らを隠岐《おき》に流すこともできた。

それでも平安時代以来の公家の領地は相当に多く、寺社の領地も膨大であった。領地の広さでいうと、公家や寺社の領地とみなされていた土地が約四割あったという。そしてそれには必ずしも鎌倉幕府の統治が行き届かなかった。その上、鎌倉幕府は三代で源氏の血が絶え、あとは公家が将軍に天下りする形になり、幕府体制は一段と弱まった。

この鎌倉幕府を乗っ取った形の足利幕府は、さらに統制力が弱かった。長い内戦の間に、公家の領地は大幅に減ったが、各地の強力な武家の支援で勝利した足利尊氏は、主な武将を管領や守護に任じた。足利幕府は、いわば管領・守護の連邦政権である。したがって、十五世紀後半になると、もう将軍の威令は届かない。将軍の形式的な権威はあるが、実力はなくなるという状態であった。

それに対し、家康の徳川幕府は、きわめて精緻な官僚制度をもって、全国をくまなく支配していた。織田信長のはじめた政教分離を徹底、寺社領地を極度に限定すると共に、仏寺を宗門改めの住民登録機関として行政機構に組み込んだ。徳川時代には神社の神主といえども、仏寺の信徒になり、寺で葬儀をしなければならなかった。

また、朝廷を極度に貧しくし、公家の権力を完全に失わせた。天皇や公家は儀典要員に過ぎない。

ここにおいて、今日の日本人の大きな特徴になっている「お上意識」が現れる。これこそ徳川幕府が創り出した最も重要な影響であり、それを目指したのは、紛れもなく家康その人であった。家康が馬上天下を取り、その守成は後代の人々がやった、というのではない。家康自身がそうしたビジョン、基本的な骨格と将来の方向をしっかりと考えていたのである。

徳川家康は、早い段階から「厭離穢土《おんりえど》、欣求浄土《ごんぐじょうど》」という旗印を用いている。穢《けが》れた世の中を厭《いと》い離れよ、浄められた世の中を欣《よろこ》んで求めよ、というこのキャッチフレーズの意味は何か。どういう世の中を彼は「穢土」といい、どういう世の中を「浄土」といったのか。彼のいう「穢土」とは、下剋上の世の中、つまり自由競争のことを意味する。

戦国時代は、下剋上の世の中であった。秀吉のように貧しい出身から天下を取る者がいる一方では、古い大名が没落していく。家老が殿様を殺して主家を乗っ取ることもあれば、殿様が家老をしりぞけて流れ者を取り立てることもある。いわば命がけの自由競争の世の中だった。しかし、家康の目には、これが「穢れた世の中」に見えたのだ。

そして家康の求めた「浄土」とは、身分階級がはっきりと分かれている秩序ある世の中のことであった。階級も決まっている、礼儀作法も決まっている、家族の中における長幼の順も決まっている、何もかもきちんとした安定こそが、家康の求める最大の正義だった。

徳川家康は、こうした意味での「厭離穢土、欣求浄土」を、早い段階から旗印として掲げたのであり、それを現実の政治において実現したのが徳川幕藩体制である。

家康自身は将軍の位を二年余で息子の秀忠に譲るが、その後も大御所として駿府から圧倒的な実力を振るっていた。今日でいえば創業者会長みたいなもので、息子に社長の座を譲っても、重役会の決議ぐらいはいつでも引っくり返せるような立場にいた。

そういった状況で睨みをきかせながら、自らの考えた封建的秩序を作り、公家も寺社もその中に組み入れていく。実際に寺社奉行などができたのは家康の死後だが、家康在世中に武家に適用する「武家諸法度十三ヶ条」と、公家に適用する「禁中並公家諸法度」を定め、もれなく全国を統治することを明確に打ち出している。

この二法度は内容が多少異なっており、今日にいう法律ではなく、道徳律みたいなものや公務員規則みたいなものも入っている。

同時に、参勤交代の制度がはじまり、いよいよ中央集権型封建社会になっていく。

世界中どこでも、封建社会は地方分権だが、徳川時代の日本だけは、中央集権的封建社会である。全国の大名は、一年ごとに江戸と国元を往来、大名の妻子は人質として江戸に常住しなければならない。大名家に仕える武士も、大名が半分は江戸に居住するとなればかなりの人数が江戸に詰めなければならない。

徳川幕府も後半になると、藩の収入の大きい藩で全体の三割から四割、小さな藩では約五割が、江戸屋敷の費用となっている。「江戸御屋敷お入り用」こそ、最大の財政支出なのだから、いかに中央集権が強かったか、江戸における社交や接待が派手だったか想像できるだろう。江戸時代の武士は倹約を善しとしたが、江戸での交際費だけは例外だった。社用族は大目に見られたのである。

参勤交代で江戸に来た各藩の殿様や武士が国元に持ち帰ることによって、江戸の標準語が全国に拡まり、様々な情報が交換され、日本独特の歌舞伎や能、囲碁、将棋等の遊芸も普及した。全国が一つの共通文化圏となり、日本全体が均質的な社会を作ることができたのである。

加えて、このことが「首都に学ぶ」という慣例を作り、中央政府の権威をも一段と高めることにもなった。階級制度を愛した家康は、都市や地域をも階級化することに成功したのである。

封建的な階級社会でありながら中央集権体制である江戸時代には、第一に偉いのは幕府の侍（旗本・御家人）であり、次が地方大名の侍だった。いわば国家公務員は優越しており、地方公務員はその指揮監督を受ける、という形になる。これが今日の日本にもかなり影響していることは間違いのない事実である。

◉人間性の評価基準としての家康

もう一つの徳川家康の影響は、自ら人間性の評価基準の手本となったことだ。とにかく日本で一番の成功者であり正義の体現者である家康が、こんな性質だったといえば、それが全日本人の鑑《かがみ》とならなければならない。

では、徳川家康の人間性はどんなものか、あるいはどんなものとして創り語られているかを考えてみると、まず第一にいわれているのが、「辛抱」ということである。家康は生涯を通して大変に辛抱強かったとされている。そしてそれと関連しているのが「忍耐」と「倹約」である。これが一般に印象づけられている家康の人間性だろう。実際、家康自身も、辛抱とか忍耐とかを、よく口にしたらしい。

家康は、死後日光の東照宮に祀られ東照神君と呼ばれるようになるが、その「東照宮遺訓」の記述の中に、

「人の一生は重荷を負ふて遠き路をゆくが如し、急ぐべからず」

という一節がある。これは家康の言葉として、それらしく伝えられているが、最

近の研究では、水戸光圀《みつくに》（水戸黄門）あたりが作ったのではないかとされている。この遺訓全体が偽作で、多くは徳川時代の特に享保年代（一七一六〜三六年）以降に作られたものである。しかし、そうはいってもこのひと言、いかにも家康の言葉らしく聞こえるだろう。そうしたイメージが家康にはあるからだ。

「辛抱あるいは忍耐そして倹約ということを励行した。だから家康は偉かった。われわれも東照神君にならって辛抱しよう。倹約しよう。忍耐強く生きなければならない」という状況を作り出したわけである。

本当の家康はどうだったのか。母が離縁され、織田家そして今川家の人質になった子供時代は、たしかに辛抱と忍耐の要ることも多かったであったろう。

ところが、桶狭間の合戦で義元が討死し、信長と同盟した以後の状況を考えてみると、様々な苦労も危険もあったとしても、毎年毎年、徳川家は大きくなる。成長企業だったのだから、十分に面白かったはずである。

今日でも企業のオーナー創業者ならどんどんと企業が発展し、売上げが増え、黒字が累積し、従業員も増えて顔も広くなるとすれば、たまらなく嬉しいに違いない。もし、家康の徳川会社を下請会社、発注元は織田会社だとすれば、発注元の社長が相当に恐ろしい人でも、耐えられないことはないだろう。

ただ問題は、親会社の織田信長株式会社の社長とは、倫理観も美意識も違う。相手は独創性豊かなワンマン、家康の嫌いな下剋上の奨励者だ。このため家康は信長に疑われた。挙げ句の果てには、「うちから受注を取りたかったら、おまえの息子をクビにして、目障りだから外国にやってしまえ」と命じてきた。当時の切腹は、今日なら「免職追放」ぐらいの話である。

それにしても跡継ぎにしようと思っていた可愛い息子を遠くへ追放しろといわれれば、今の親は辛いだろう。家康にとってもこれは大変な辛抱だったと思われる。

次に、織田信長社長が本能寺で横死し、後継社長を争うことになる。最も有力な子会社の社長であった家康は信長の跡を継いで天下を取りたかった。ところが、横から立身出世の専務、秀吉が飛び出してきてさらわれてしまった。そして秀吉が天下人になり、これに臣従しなければならない。家康のような強情強欲な人物には、われわれが考える以上に辛かったかも知れない。相手が家康の嫌う派手好みの無学な成り上がり者だけになおさらであったろう。

しかしそれとて泣き叫ぶほどのことではない。なぜなら、その間に家康自身も織田領であった甲州と信州を占領し、徳川家もまた大きくなっていたのだから。

したがって、家康の「辛抱」は、ひどく誇張していわれている。特に徳川時代になってから「封建秩序に従って、辛抱しろ」というPRのために作られた部分が少なくない。

「倹約」というのも同じである。

家康は大変な倹約家だったといわれており、その一例として愛妾たちに木綿物を着せていたというのがある。江戸時代には、経済的に余裕のある人々は絹物を着ていたので、これが倹約の代表例としてよくいわれた。

しかし、実をいうと、家康の頃には木綿はまだ珍しく、むしろ絹よりも高価なものだった。関ヶ原の合戦の頃から、河内木綿、大和木綿、三河木綿など、綿の生産が増え、値段も下がるが、それまではきわめて高価だった。したがって、木綿の着物を着せていたというのは、いわば最新流行の服を着せていたということであり、決して倹約ではなかったのである。

徳川家康は、決して倹約家ではなかった。ただ、秀吉などと違って、きらびやかな文化は家康の趣味ではなかった。

豊臣秀吉は自己顕示欲の非常に強い男だ。家柄とか教養とかの背景がない人には、やたらと宝石をつけたりスポーツカーを乗り回したりするのが多いようなもので、秀吉は富を見せびらかした。もっとも、これは当時の景気対策、内需振興策でもあった。秀吉が大坂城や伏見城をどんどん造ったのも、単に土木建築趣味や贅沢趣味ではなくして、今でいえば公共事業による需要創造でもある。しかし、その色と形には秀吉の強い自己顕示欲がついてまわった。

家康は、それほど自己顕示欲は強くなく、きらびやかな趣味も持たなかった。しかし、倹約家だったかというと、必ずしもそうでもない。ただ、都会よりも地方に住むことが多かったから、色や形の好みは地味であった。このことを後世、東照神君の「忍耐」と「倹約」に結び付けたのだ。これがやがて日本人の美意識の一つとなり、長く自己顕示欲を抑えた地味な暮らしが美徳とされるようになった。

もう一つの家康の人格的イメージとしては「冷酷非情」がある。特に関ヶ原の合戦において味方になった大名を何人も殺したり、その家を廃絶していくあたりは冷酷非情そのものだ。例えば、福島正則は関ヶ原の合戦の時は徳川方の先頭に立って戦った功労者なので、一旦は安芸《あき》広島四十九万石の大大名にした。しかし、それも束の間、すぐそのあとでは正則を追い詰め、結局は謹慎処分にして病死させ、お家断絶に追い込んだ。

加藤清正の家も、清正本人が病死すると、息子の代にはすぐ改易された。加藤嘉《よし》明《あき》や最上義光の家も、同様に取り潰されている。

何よりも、家康の冷酷非情を強く印象付けるのは、秀吉が「息子の秀頼を頼む」といったのに対して、必ず天下人にすると何度も約束しながら、結局は殺してしまったことだ。それも秀頼本人やその母親の淀君だけではなく、無害な秀頼の幼い子までも根絶やしにした。

このような点で、家康は冷酷非情だというイメージを持たれているが、さらに、そのやり方に対してもタヌキオヤジといわれることがある。このため、政治家になるにはタヌキオヤジであらねばならない、権力者というのは冷酷非情なものだ、というイメージが日本では定着している。これも家康が今日の日本人に残した重要な影響であろう。

◉「成長志向」から「安定志向」へ

なぜ、東照神君と崇《あが》められる徳川家康が、冷酷非情というマイナスイメージを背負わされたのか。それは主として明治以降、徳川幕府を倒した薩長政権と、大阪の商人や文化人がやり出した悪宣伝の結果である。徳川時代には、そんなことはおくびにも出せなかっただろう。

しかし、そういう宣伝をされる種は、家康自身の人格と政治に存在したことも事実だし、徳川家康が豊臣家から政権を奪った当時の現実が、それを必要としていたことも見逃せない。それはあたかも、高度成長時代が終わり、バブル景気が弾けた平成の日本経済のような深刻な反動期だったのである。

平成の日本はバブル景気が崩壊し、右肩上がりの経済から俯《うつむ》き加減の経済に変わった。それまでの日本人は成長志向で進んできた。毎年必ず給与は上がり、ボーナスも増える。年功序列で昇格し、何年か経てば部下が増える。土地の値段はどんどん上がるから、先行投資をしておいた方がよい。職場ではやる気が大事といわれ、誰もが成長意欲に燃えていた。

信長の織田家と秀吉の豊臣家では、高度成長期の日本企業を上回るほどに成長志向が強かった。戦国の覇者はものすごい成長組織であり、全構成員（家臣）が成長意欲に燃えていた。だが、全国統一が終わると、武士の領地はもう増えない。成長志向を止めないことには、これからのゼロサム社会には対応できない。いわば全国大名家のリストラクチャリングとリエンジニアリングを進めなければならない。そのためには、気分を変えなければならない。いわゆるリマインディング、成長志向から安定重視にと気質の変革が必要である。それを実現するために家康は、成長意欲の強い大名を潰すことにしたのである。

成長意欲の最も強い大名というと、秀吉と共に天下を取った加藤清正、石田三成、福島正則などである。彼らは、単に本人の成長意欲が強くて次の合戦で手柄を立てたいと思っているだけではなく、その家来にも成長志向の強い者が集まっている。組織構造としても先行投資型過剰雇用である。そしてその家来がまた過剰な家来を持っている。今日風にいえば、下請会社や代理店まで成長志向で先行投資を行っているようなものだ。

秀吉は人間的であったから、自分が天下を取るために働いてくれた人たちをむげにはクビにできなかった。戦国時代にクビにするというのは切腹させる、組織を潰すということだ。これができないとあれば、雇用を保つための新規事業を展開する必要がある。そこで朝鮮出兵を強行したのだが、大失敗に終わった。

そういった状況の中、天下を取った家康は、なんとしても成長志向を抑えなければならなかった。そのためには目にものを見せるほかはない。「これからは成長志向をやめて、今の収入でみんな辛抱しましょう」「毎年所得が下がるのも仕方がありません。倹約で乗り切りましょう」「各企業は過剰従業員をクビにしましょう」などと口でいっても、現在の行政改革や企業のリストラと同じで、なかなか実行できない。明確なショック療法で恐怖に脅えさせるより仕方がない。それがためには、成長志向の強い優良組織をいくつか潰せばよい。つまり非の打ちどころのない忠義の大名を、成長意欲がありすぎるという理由だけで潰すことである。

関ヶ原の合戦で徳川家に対して反対した石田三成や宇喜多秀家は滅んだが、毛利や上杉はいったんは抵抗したが降参したので許された。こんなものを潰しても世間は驚かない。「いや、あれは関ヶ原の恨みであろう」としか思われないであろう。

ところが、あらゆる意味で忠義を尽くして最も貢献した福島正則、加藤清正、最上義光など、いわば非の打ちどころのない大大名を潰すと、「なぜ、彼らが潰されたのだろうか」という疑問が湧き、「彼らには成長志向があるからだ」と分かるはずだ。したがって、「これからは成長など考えてはいけない」ということが武士の社会に拡まるに違いない。

家康の「冷酷」というのは、成長志向の世の中から安定志向の社会へ変えようという立て直しのために敢行したものであった。これが徳川家康の人格として語られている分、現実の家康よりも、むしろ損をしているといえるかも知れない。家康の行った冷酷非情は、戦乱の世を安定社会にするには、通過せねばならなかった過程だったことも確かだ。

要するに、徳川家康は偉すぎた、神話が生まれすぎた。その結果、後世では様々な人間として語られ、いろんな影響を残すことになったのである。

◉「対外不信」の島国根性の形成

最後に、徳川幕府が家康の思想に基づいて行った政策の、今日の日本へ及ぼした影響をまとめれば、次の三点が挙げられるであろう。

第一に、徳川幕府は中央集権的封建制度を行き渡らせ、官僚制度を確立したことである。これは家康自身が願ったことでもあった。そして皇室も含めたすべてを一元的に統治したのである。したがって、今日の過剰なまでに強固な官僚主導社会の芽生えが、ここにあるといえる。

第二に、先述した、倹約の奨励、あるいは成長志向に対する危機感である。特に倹約の奨励は、八代将軍吉宗によって徹底したわけだが、これにも家康の政治思想と人格が神話化されて利用されたことは前述の通りである。

そして第三は、鎖国である。鎖国の責任を直接に家康に問うべきではない。家康が鎖国したわけではないからだ。むしろ朱印船などを出して貿易に積極的な意味を認めていた。こうした個々の事実から、家康を開国開明派という人もいる。

しかし、秀吉の朝鮮出兵が大失敗だったので、外国のことには関与しない方が得策だと晩年の家康が考えていたことは事実だし、家康が考えた封建秩序の安定には、やがて鎖国（自給経済）をもたらす必然が存在したことも否定できない。

加えて、徳川幕府初期には長崎を通じて行われていた対外貿易で、巨額の金銀が流出した。当時は中国製絹の輸入が膨大で日本は甚だしい輸入超過だったのだ。貿易赤字によって金銀が流出すると、貨幣不足からデフレーションを引き起こす。したがって、金銀流出を止めなければならない、という事情があった。これも家康の時代にはまだそれほど深刻な問題ではなかったが、家康が死んで十五年ほど経った一六三〇年代になるとかなり深刻になってくる。

貿易経済問題のほかに、もちろん切支丹《キリシタン》の問題もあった。既に秀吉の時代から切支丹は日本の政府よりもローマ教会に忠誠なのではないか、という疑いがあった。徳川家の天下を守ることを第一に考えた家康としては、気にしないわけにはいかない。それでも家康が切支丹弾圧を断然強めたわけでもない。むしろ非常に厳しくなるのは、鎖国と同じく家康の死後である。

だが、倹約主義であり、地味であり、安定志向の中央集権型封建制であるということから出てくる当然の帰結として、自給経済、鎖国政策があった。その前提条件を整えたのは家康であるから、やはり家康は鎖国についても間接的には責任と功績があるといわねばならない。

もう一つ、これまでの日本史では、あまり語られていないが、移民流入問題があった。特に家康の死後、満州族の清朝が中国大陸を占領すると、異民族支配を嫌う中国知識人や将兵が日本に流入、様々な問題を生む。鄭成功《ていせいこう》（国姓爺《こくせんや》）の来日は、その一例に過ぎない。安定志向の徳川幕府は、移民の流入を止めようとして、在外日本人の帰国を含めて一切の人的流通を禁止したのである。やり方は乱暴だが、当時の支配者が鎖国の必要性を感じたのも不可解ではない。

こうした安定優先の鎖国によって何が生まれたか。

日本の経済は自給自足化し安定状態になったということのほかに、外国人に対する不信感が非常に強まった。これにも徳川家康の用心深さ、悪くいえば猜疑《さいぎ》心の強さが反映されている。

現在でも、日本は産業ワンセット主義とか、技術ワンセット主義とかいわれているが、「何でも日本で持たなければ安心できない」「外国に頼ると危険だ」という考え方は根強くある。「コメを外国に頼ると危険だ」「石油精製を外国に頼ると危険だ」等々の意見がすぐに出てくる。一時は「将来の産業のコメ、ＩＣ（集積回路）を外国に頼ると情報が筒抜けになる」というのまであった。これらが間違いであることは、一つ一つの事実が証明しているが、依然として日本人から完全になくなったわけではない。

そういった日本人の国際感覚の欠如、外国に対する不信感、そんな国際的孤立化の体質を生み出したのも、徳川幕府の布《し》いた鎖国政策の結果である。そしてその思想がまた、家康という人物の個性から想起されたものであり、彼の創建した組織の基本的精神の中に含まれていたことは否定できないところである。

このように見てくると、われわれ現代の日本人が、徳川家康及びその精神を受け継いだ徳川幕府からいかに多くの影響を受けているかがよく分かるであろう。徳川家康は、「神話」としても、徳川幕府の象徴としても、巨大な歴史的事実なのである。

第七章

石田梅岩

――「勤勉と倹約」の庶民哲学

◉石門心学の始祖

石田梅岩《ばいがん》（勘平）は「石門心学《せきもんしんがく》」の始祖である。石門心学とは、「石田派の心の学」の意味だ。現在ではさほど知られていないが、その門流の講釈所「心学塾」は、江戸時代の後半から明治初期まで全国にあり、大きな勢力を持った精神修養団体だった。もちろん武士や大名も参加したが、石門心学の説く清廉で勤勉な精神は圧倒的に庶民の中に広まり、「勤勉と倹約」という町人哲学を生み出した。

この石門心学のもたらした庶民の哲学は、今日の日本人の美意識、倫理観、生活様式や人間評価に深い影響を与えているだけではなく、この国独特の勤労観を決定づけ、商品に対する評価や消費財市場の形態にまで大きな影響を与えている。現在でも、貿易摩擦や日本のハイコスト体質が問題になる場面では、様々な形で石門心学の影が見られる。石門心学を創唱した石田梅岩は、現代の「日本を創った」人物として欠くことのできない一人なのだ。

石田梅岩とは、どんな時代をどのように生きた人物だろうか。

石田梅岩が生まれたのは貞享《じょうきょう》二（一六八五）年、もうすぐ元禄がはじまろうという年であり、亡くなったのは享保時代が終わってしばらく経った延享元（一七四四）年である。つまり、元禄の前に生まれて享保のあとに亡くなった、西暦でいうと十七世紀末に生まれて十八世紀の中頃に亡くなった。つまり江戸時代の真っ只中を生きた人物なのである。

石田梅岩の生涯を見ると、大体三期に分かれている。

第一期が少年時代。梅岩は号であり、名を興長《おきなが》、通称は勘平といった。丹波《たんば》の国桑田郡東懸《とうげ》村（現在の京都府亀岡市）で農業を営んでいた石田権右衛門と、その妻たねの次男だったが、元禄五（一六九二）年、数えで八歳の時（十一、二歳という説もある）、はじめて京都に出て、商家の丁稚《でっち》になった。それも非常に小さな呉服屋だったようで、奉公して間もなく倒産してしまった。

奉公先の倒産後も梅岩自身は、「奉公に出たら主人を親と思い大切に勤めよ。その奉公家の恥を口外してはならない」という父親の言葉を守り、国元へ帰らずに人足のようなことをしながら、主人を養っていた。そのことが奉公を世話した人に知れ、十五歳の時、父親に故郷へ連れ戻された。元禄五年から元禄十二年という華やかな時代を、倒産した零細商家の奉公人として、人足働きをしながら主人を養うという異状な境遇で送ったわけだ。こんなことに耐えたこと自体、梅岩の特異さが示されている。

故郷に連れ戻された梅岩は、しばらく東懸村に留まっていたが、農業を手伝っていたのであろうか、その間のことはあまり明確ではない。

第二期が商人時代である。再び京都に出てきたのは、元禄の次の宝永四（一七〇七）年、梅岩は二十三歳になっていた。最初に奉公した商家は倒産するような零細商店だったが、二度目の奉公先は大店《おおだな》だった。黒柳家という一流の呉服屋である。

この時代、倒産した零細商店での奉公歴などは消えてしまうから、梅岩は二十三歳でまた丁稚になった。一般に丁稚奉公というのは十二、三歳からはじめるので、十歳ぐらい遅れていた。十二、三歳の丁稚の中に一人だけ二十三歳の丁稚がいる、という辛い状態だった。

そこでも梅岩はよく耐えた。享保十二（一七二七）年、十七年間ほど丁稚手代を務めて番頭になり、四十二、三歳で引退する。この約二十年間が、商人として深い体験と思考にふけった時期であったらしい。私の小説『俯き加減の男の肖像』は、この時期の梅岩を描いたものだ。

そして第三期。奉公のかたわら神道、儒教、仏教などを学んでいた梅岩が、師を求めて町儒者を巡り歩き、市井《しせい》の隠者とされる小栗了雲《おぐりりょううん》に邂逅《かいこう》した。彼について禅などの修行をしながら、「性は目なし（無我の境地）にこそあれ」が「心を知る」ことであると悟り、奉公引退後の享保十四（一七二九）年、四十五歳の時、はじめて京都車屋町の自宅に心学の塾を開いた。当時の四十五歳というと隠居の年齢であり、現代の感覚でいうと六十歳近くなって定年退職した後に私塾を開いたような感じだろう。これから六十歳で世を去るまでの約十五年間、塾の先生として門弟の指導もすれば著作もするという人生を送った。

◉武士社会はゼロサム社会

石田梅岩は、元禄時代に幼年期を過ごし、享保時代を商人として生き、そして元《げん》文《ぶん》時代に心学講師として活躍したわけだが、この人物について述べる前に、この三つの時代を考えておく必要がある。

徳川家康が天下を制した関ヶ原の合戦は慶長五（一六〇〇）年、徳川幕府の設置が慶長八（一六〇三）年である。石田梅岩が生まれたのは、それから八十年ないし八十五年を経たあとだ。仮に関ヶ原の合戦を明治維新とすれば、それから八十五年後というと昭和二十八（一九五三）年、いわゆる「五五年体制」が発足する直前ということになる。梅岩を、そんな頃に生まれた人と考えると分かり易いかも知れない。

既に戦国の記憶は薄れ、徳川幕藩体制が定着している。その中で経済は成長していた。梅岩の少年時代は、まさに戦後の高度成長期のような元禄バブル景気の真っ最中だった。そんな時代に丹波の田舎から京都へ出て来た少年は、華やかなバブル景気を見る間もなく、景気のかげりと共に最初に奉公に入った商家は倒産してしまった。

一時「昭和元禄」という言葉が使われたほど、「元禄」というのは華やかな時代だった。だが、そんな華やぎは梅岩少年の脇を素通りして行ったのである。少年時代の梅岩は、好況の楽しさよりも、その反動として生じた苦しみだけを味わったといってよい。

徳川家康の章で述べたように、下剋上の戦国時代には、優秀な人材がトップの座を奪い、当初は中国から、のちには南蛮からも入ってきた様々な新しい技術を活用して、経済を成長させた。とかく戦国時代というと戦《いくさ》ばかりが多くて庶民は不幸だったという印象を持たれがちだが、実は文化が発達し、技術が進歩し、経済も成長していた。中でも建設技術などは飛躍的な進歩を遂げた。その間には人口も大いに増え、種々の新しい思想や様式が現れた、いわば「日本のルネッサンス」だったのだ。

関ヶ原の合戦が終わって徳川幕藩体制が安定すると、戦争のために使われていた人材や資金が、民生のために使われ出した。したがって、民生産業が非常な勢いで発達しはじめる。

徳川時代の武士の社会はゼロサム状態である。それまで織田家、豊臣家、徳川家などは大成長組織だったが、徳川幕藩体制が確立されると、日本国中の決まった農地面積の中で年貢をどう分けるかだけが問題であり、武士全部の領地は増えることがない。そのため、武士の成長志向を否定され、「より大きな大名になろう」「領地を増やしたい」といったことを願ってはならないとされた。

成長志向の否定は、徳川家康が多くの大名を潰す武士社会全体のリストラクチャリングを通じて教えた最重要な基本方針である。そのためには、日本中の武士がリマインディング（気質変革）する必要があった。

徳川幕藩体制になると武士のゼロサム社会に耐えて生きる方法がいろいろと議論された。その結果、出てきたのが「名君主義」である。武士の値打ちは出世して領地を拡げ家来を増やすことではない、行儀正しくし、領民を愛し家臣に敬《うやま》われ、格式と様式美を守り通すのが良き武士である、という発想だ。これはきわめて退嬰《たいえい》的な守りの思想である。

◉元禄バブル景気

しかし、幕初の百年間は、商人の社会では大成長がつづいていた。このため、武士の子弟から商人の世界（経済界）に入る者も少なくなかった。

例えば尼子十勇士で有名な山中鹿之介《しかのすけ》の次男新六《しんろく》は、摂津伊丹に住んで酒造業者となり、清酒を発明して鴻池家の始祖となった。住友家の元祖となった蘇我理兵衛、淀屋を興した岡本与三郎（常安）なども武士の出身である。もちろん農民から商人になった人々もいるし、朝鮮や中国から渡ってきた商人や技術者もいた。

こうした人材を吸収して、幕初の約百年間に経済はものすごい勢いで成長した。途中には明暦・万治の災難や天和の不況もあるが、すぐまた成長基調となって急上昇がはじまった。大坂夏の陣から元禄中頃まで約八十年間は経済の高度成長がつづいた時期だった。これが頂点に達したのが元禄といわれる華やかな時代である。

この長い経済成長の中で、様々な新しい産業が興った。例えば、戦国時代に入ってきた鉄鋼の技術で鉄砲を作っていた者が、農機具を作りはじめる。これによって鉄製の農機具が発達し、固い土地の開墾もできるようになった。鉱山を開発して坑を掘っていくと湧水が出る。これに対して排水口の掘削やポンプの技術が進み、鉱業も発達する。

何よりも土地開発が著しく進んだ。徳川幕府の初期にはまだ開拓の余地が多かったのだ。

例えば、徳川家が関東に本拠を置くと、水路を少し改善しただけで関東平野には多くの農地ができた。江戸の町でも、短期間に海岸の埋め立てで広大な土地が得られた。それまでは山地だったところに水を引くことで山地に合った作物が作られる。あるいは沼地が干拓されると湿地に合った作物が作られる。それら生産物の交換や流通のための商業が発達、徳川幕府の政治的安定に伴って、手形や先物取引の制度も次々に生まれた。

しかし、商業経済の発展も、あるところまでくると頭打ちになる。十七世紀に入ると世界的に技術の進歩が少なくなり、鎖国政策を採った日本には経済的刺激も乏しくなったからだ。

このため、元禄も中頃になると、この国には効率のよい投資対象がなくなった。土地開発でも、資金を投じるわりには農地が増えなくなってくる。当時の技術で開発できるところは開発し尽くされたのである。

当然、貯蓄（S）と投資（I）の均衡、いわゆるISバランスが崩れ、資金過剰が発生した。江戸や大坂の成金たちは、稼いだおカネの使い道がないから、大いに遊興にふけった。元禄時代には歌舞伎や文楽などの芸能、尾形光琳《こうりん》のような華麗な絵画や工芸が発達した。「着物競べ」といったファッション競争も流行し、グルメも盛んになった。元禄の華やかさは、行き場を失った商業資本のバブルだったのだ。

それでも余った資金は、大名貸しに流れた。生活が派手になると、武士や大名も生活費がかさむ。決まった年貢（禄高）で生活している武士は、確実に貧乏になった。世間の生活水準は全体に上がっても、武士が手に入れる年貢（禄高）は同じだ。コメで支給されるからインフレの影響は受けないものの、生活水準の向上と経済の成長にはついて行けない。徳川幕府が非武装ながらも二百六十年の長寿を保ったのは、支配階級の慢性的貧困化システムのおかげである。

しかし、大名貸しは利子を取るだけで何物も生産しない。結局、各藩の財政がどんどん悪くなる。元禄時代になると幕府の財政も逼迫、開祖徳川家康以来の金銀備蓄も使い果たしてしまった。

仕方がないので元禄八（一六九五）年八月に貨幣改鋳を行った。それまでの小判に含まれていた金の量を減らし、銅を混ぜて改鋳、小判の枚数を増やす。銀の方も同様に、鉛などを混ぜて鋳造し直して数量を増やす。今日でいえば貨幣増発のインフレ政策である。当然これは、一時的なインフレ・ブームを巻き起こし、しばらくは景気がよくなった。

元禄時代の後半はバブル景気そのもの、今日でいえばゼネコンに当たる紀伊國屋文左衛門などの建設業者が大儲けをした。護持院や護国寺などの公共投資を請け負って巨利を得たのだ。このあたりも一九八〇年代末のバブル景気によく似ている。

しかし、バブルはバブル、生産と消費の拡大を伴わない景気上昇は長つづきしない。元禄も貨幣改鋳から四年経った元禄十二年頃になると、バブル景気が下り坂になってくる。梅岩が最初に勤めていた商家が倒産し、人足働きをしていたのもこの頃である。八歳で丹波の田舎から出てきた梅岩は、京都で華やかな元禄時代の文化を目の当たりにしながら、それを楽しむ機会もないままに奉公先の倒産という悲惨な経験をしたわけである。

◉現在に通じる吉宗時代の世情

時代は、だんだん下り坂になる。私の小説『俯き加減の男の肖像』に描いた時代である。

のちに「忠臣蔵」として有名な討入りが行われたのは元禄十五年の旧暦十二月。元禄十五年は一般には西暦一七〇二年とされているが、討入りは旧暦十二月十五日だから太陽暦では翌一七〇三年に入っている。この頃にはバブル景気は終わり、不況の風が厳しい。浅野内匠頭《たくみのかみ》が吉良上野介《こうずけのすけ》に対する謝礼をケチったというのも、バブルの崩壊で藩財政が悪化していたことと無縁ではあるまい。

元禄は十七年で終わり、この年の三月からは宝永元年になる。さほど記憶に残らぬ元号だが、富士山の宝永大爆発（宝永四〈一七〇七〉年）だけは有名だ。宝永大爆発の噴煙は江戸にまで灰を降らせ、噴煙で太陽光線が遮られて大凶作となった。景気はますます悪化、世の中の閉塞感はいよいよ募った。そのはけ口となったのが宝永のお伊勢参りである。

徳川時代の面白い現象は、不景気になると必ず、お伊勢参りが流行したことだ。

現代の経済学では、約六十年を一周期とする長期景気変動「コンドラチェフの波」があるといわれているが、鎖国経済の徳川時代には、それがみごとに現れている。したがって、お伊勢参りもほぼ六十年に一回ずつ爆発的に流行した。お伊勢参りのブームはまさしく大爆発、特に宝永の時は二カ月たらずの間に約三百六十万人が熱狂的に参加した。

当時は大坂あたりから伊勢参りに行くのに片道三泊、伊勢で一泊すると往復一週間はかかった。もっと遠いところからだと十日以上かかっただろう。この頃の人口は約三千万だから、全人口の約一二パーセントもの人が二カ月たらずのうちに一週間ないし十日間の大旅行をしたことになる。今日でいえば二カ月たらずの間に千五百万人がニューヨークかパリに旅行をしたというような大事件である。

徳川時代には、奉公人は主人に、子は親に、妻は夫に無断で旅行することを固く禁じられていた。その上、農民の旅には名主に届け出て関所手形をもらう必要があった。封建制度、家族制度、徒弟制度の重圧が重なっていたのだ。

これに反発して、あらゆる拘束から一時的に解放されるのが「抜け参り（おかげ参り）」である。六十年に一度の「おかげ参り」の爆発的流行は、景気後退で閉塞感にさいなまれる庶民の感情を解放する効果があった。享保十五（一七三〇）年には、おかげ参りを非難した書（『抜参《ぬけまいり》善悪教訓鑑《かがみ》』）も出たが、ただちに反論された。文配層も「困ったものだ」と思いながらも、大衆の不満発散の効用を認めざるを得なかったのである。

爆発的な伊勢参りが起こると、消費需要が激増する。宝永時代には、まだ旅館や飲食店が少なかったので大混乱を生んだ。

沿道の地主や富商は、伊勢参りの人々に手拭いを配ったり飯を食べさせたり宿を提供したりした。元禄のバブル景気で儲けた商人は、多少の社会還元をしても当然だ、という思いが庶民の間には強かった。景気の下降期の入口で毎回のように爆発した伊勢参りは、ある種の富の再分配行為だった、といえなくもない。

しかし、景気の下り坂での巨額の支出に、京や大坂の商人も耐えかねた。彼らは武士からも庶民からも憎まれないように倹約一途《いちず》に暮らし出したから、景気はますます悪化した。

元禄、宝永は五代将軍綱吉の時代だが、そのあとには二代、治世の短い将軍がつづき、いよいよ第八代将軍吉宗の登場となる。

景気が悪くなると、当然のことながら各藩の収入も減る。幕府の財政も元禄以来の過剰な公共投資と放漫な支出によって大赤字、元禄の貨幣改鋳益金もたちまち使い果たした。

財政難に対応して、吉宗は徹底的な倹約を説いた。幕府財政を再建するための享保の改革である。自らも質素倹約に努めたが、他人にもそれを強要した。御庭番を使って個人生活を監視し、贅沢者は引っ捕らえて財産を没収するという官僚統制社会を創り上げたのである。

こんな下り坂の暗い時代に、二十三歳の石田梅岩は、京都の呉服屋、黒柳家に再度就職する。この店はかなり有名な呉服屋だったが、十二、三歳の丁稚たちと同じような修行をするのは、相当に苦しかったはずだ。石田梅岩は、落ちこぼれ的な暗い境遇に立たされたのである。

当時の世情は一九九〇年代のバブル崩壊後の情況に似ている。武士の社会は百年前にゼロサム化し、つづいて商人の社会も十年あまり前から下降していた。このことは、商人の社会に精神的な打撃を与えた。もともと商人とは金儲けを志向する者だから、その金儲けが限界に達したとあれば、人生の成功目標がなくなってしまう。

そうなるとあとは守りの姿勢、なんとか家産を残すことしかない。「鴻池家訓」や三井高利《たかとし》の「書置之次第」、三井高房《たかふさ》の『町人考見録』など、今日に残る有名な豪商の家訓も、大抵は元禄後の宝永、正徳、享保とつづく下り坂の時代に書かれたものだ。いずれも「勤勉に働いて倹約せよ」という質実な守りの人生訓を示しているのは、このためだろう。

元禄バブルが弾けたあとの不況を体験した商家の経営者は、いつ何どき不況がきても生き残れるように、勤勉に働き、地味に暮らし、倹約に努めよ、と説いた。つまりローコストに徹して内部留保を厚くし、不況に耐えられる経営体質を築け、というのである。

これはミクロ経済、つまり一つの企業の経営としては正しい理論である。けれども、みんなが勤勉に働いて倹約に努めたら、マクロの国民経済全体としてはバランスがとれなくなってしまう。みんなが勤勉に働けば生産量は増え、供給は多くなるが、みんなが倹約すれば需要は減る。結果としては売れ残りが発生して、いくら働いても生活は苦しい、ということになる。

これが現在であれば、生産過剰は輸出に回るので貿易黒字になる。平成のはじめ、日本が千三百億ドルもの貿易黒字を出したのは、投資対象がなくなったのに、みんなが勤勉に働いて貯蓄したため、供給が需要を上回ってどっと輸出に回ったからだ。近代経済学の言葉でいえば、経済は常に「S＝I」、貯蓄（S）と投資（I）が見合わなければいけない。ところがS（貯蓄）が増えてもI（投資）対象がないとなると、不況によってS（貯蓄）を削るしかない。

享保の人々にはそんな経済学的知識はないから、幕府は盛んに倹約令を出して贅沢を取り締まった。このため需要がますます減り、縮小均衡になっていった。だが、やがてこのことに日本人は気がついた。植民地や対外戦争に逃げ道のあった西欧人の気づかなかったことが、十八世紀の日本人にはよく分かっていたのだ。

どうしたらよいか。道は二つ。一つはみんなに贅沢を奨《すす》めること、いわば消費の美徳化だ。もう一つは、勤勉を捨てること、勤勉に働くのはやめて余暇を楽しもうという労働時間の短縮である。

当時の日本人は「勤勉」を捨てるわけにいかない。ミクロで見れば商家でも農民でも勤勉は大事である。だが、贅沢もいけない。贅沢をすると幕府に怒られて、淀屋辰五郎のように闕所《けっしょ》（財産没収の上、地元追放）になる。いやその前にコストの上昇で商売が成り立たない。贅沢もできず勤勉も捨てられず、当時の日本人は大いに悩んだ。

それに対して、最初に出てきた解答は、伊藤（食行《じきぎょう》）身禄《みろく》が広めた富士信仰、のちの「富士講」だった。「六根清浄《ろっこんしょうじょう》」と唱えながら富士山にただただ登る。ところが、一方で「銭金は浮世を渡る船筏」といって歩く。つまり、死んだら極楽へ行けますようにという神仏頼りよりも、現世利益を追求する精神修養なのだ。

勤勉に動くけれども生産にはつながらない、そんな「徒労のすすめ」である。その代わり、富士山に何回登ると先達になり、さらに回を重ねると大先達としてその仲間内では顔が利くという利点があった。富士講は短期間にかなり広まったが、さすがに、ただただ徒労するだけでは、あまりにも幼稚で、多くの人々を納得させるには至らなかった。

こういう悩みを抱えた享保時代が、石田梅岩の第二期である。つまり、第二の奉公先である呉服屋の黒柳家において、丁稚から番頭になる商人時代を、梅岩は激しい矛盾の中で過ごしたわけだ。

これには梅岩の父親の教育も関係していた。この父親はひどく生真面目《きまじめ》な人で、梅岩が子供の時、栗を拾ってくると、「その栗は山の境界線の右側に落ちていたか左側に落ちていたか」と問い糺《ただ》し、「左側に落ちていた」というと、「それはよその栗が落ちてうちの山へ転がってきたのだから元へ戻せ」といって、夜中に山の中へ置きに行かせたという逸話が残っている。こんな父親の厳しい教育を受けたことも、梅岩をまじめ一徹の男にした一因だったに違いない。主人の悪口をいってはいけない、という父の言葉のままに、奉公先が倒産したことを何年間も親に隠していたというのだから、梅岩の生まじめは半端ではない。

梅岩は、それぐらい「まじめ人間」であったから、時勢の矛盾にも非常に悩んだ。そしていろいろと考えた末、ある閃《ひらめ》きを覚え、四十二、三歳で黒柳家の番頭を辞めた。先述した小栗了雲について修行し、とうとう独自のものを考えついたというのである。

享保十四（一七二九）年、四十五歳の時、京都の車屋町にはじめて塾を開いた。といっても、最初から受講生がいたわけではない。まずは自分の思っていることを通りに向かって演説するのである。今日であれば街頭演説のようなものだ。最初の日は、大根を片手に持った農家の人がただ一人聴いていただけだった、という。

一時、竹下登さんが「われ辻立ちしてでもこの道を説かん」といったが、この言葉のもとは石田梅岩である。つまり街頭演説してでも自分はこの道を教えたい。こういう意欲に満ちていたわけだ。それから十五年間、梅岩の辻立ち遊説活動がつづく。

◉勤勉に働くことは人生修行

では一体、石田梅岩が説いたのは何であったか。まさに勤勉に働くこと、倹約して清貧に生きること。そして勤勉と倹約の二つを両立させるにはどうすべきか、という問題への解答だった。単に勤勉だけでなく、同時に倹約を説き、その両立を目指す倫理を発表したところが重要である。

その根源は、彼が独自に考えた「諸業即修行」に集約できる。勤勉に働くことは人生修行だ、というのである。「諸業」つまり農民なら農耕、商人なら商い、職人なら物づくり、何でもいいからその生業に勤勉に携わっていると、自らの人格が修行される。したがって、そのためには生産性を無視してもよいのではないか、というのだ。梅岩の言葉を集約したものとして、よくいわれるのは、

「人、三刻働きて三石の米を得る。われ、四刻働きて三石と一升を得《う》。なんとすばらしき」

他人が日に六時間働いて三石の米を収穫した、自分は毎日八時間働いて三石と一升の米を穫った、これはすばらしい喜びであるという意味だ。ここでの「働き」は、生産に関心が置かれているのではなく、人格修行、人としてのあり方を示したものと解すべきであろう。

労働生産性という概念を持ち出せば、最後の一刻については著しく下がっている、毎日、三刻（六時間）働いて年に三石の米を得られるとすると、一刻で一石である。ところが、自分は四刻（八時間）働いて三石と一升だから、最後の一刻の限界労働生産性は、前に比べて百分の一に下がっている。けれども、ゼロではない。ここがミソである。

「富士講」ははじめから生産額ゼロと分かっている富士登山を薦めたが、こちらはゼロではない。ひょっとしたら、この一刻が大豊作につながるかも知れないし、これで凶作が避けられるかも知れない。だから、遊んでいるよりはましである。その上さらに人格修行となれば、これほどすばらしいことはないではないか。

梅岩の著作『倹約斉家論《せいか》』や、門人との共著『都鄙《とひ》問答』、弟子の質問に対する答えを弟子が記録した『石田先生語録』は、結局のところ「勤勉に働けば人格修行になる」ということを繰り返し繰り返し述べている。

石門心学は、この思想をまず根底に置いている。息苦しい生産への勤勉さではなく、それを通しての修行こそ本旨であるとしたことで、当時の人々は納得を得られたのだ。

梅岩の思想は、やがて弟子たちによって全国に拡められ、石門心学の講舎が各地に設立された。梅岩没後に、京都には修正舎、時習舎、明倫舎の三塾ができた。大坂にも明試舎、静安舎、倚衡《いこう》舎の三塾、それから江戸にも参前舎ができた。

この中から、いろいろと優れた弟子が現れる。例えば、手島堵庵《てじまとあん》は梅岩の考え方を敷衍《ふえん》した貢献者だが、自宅を心学塾に開放したというから、かなりの金持ちだったようだ。あるいは、堵庵の弟子になり関東一円の心学舎の基盤を充実させた中沢道二《どうに》は、江戸後期の石門心学者として有名だが、播磨国《はりまのくに》山崎藩主をはじめ十人の諸大名も門弟になっている。

彼らの教えの一番の特徴は、説教坊主のように多くの面白い譬《たと》え話を作り、庶民の日常生活に即したテーマで非常に平易に心学を説いたことである。これを大名も一般庶民も歓迎した。特に、それまで女性を対象にした学校などはなかったが、石門心学が女性を歓迎したのは驚くべき進歩性である。

心学塾の講義風景の絵を見ると、部屋の中央正面の舞台みたいなところに先生が座り、聴衆の席は簾《みす》で仕切ってあり、向こう側が男子、こちら側は女子席で、先生の顔は見えるが、男女は互いの顔が見えないようになっている。そんな新しい試みもあって、全国に石門心学は拡まり、心のよりどころを求めていた大衆から強力な支持を得、二十一の心学塾が開かれるまでに発展していった。この数多い塾のどこでも教えつづけたのは、結局、勤勉に働きなさい、あなたの職業を一生懸命勤めなさい、そうするとあなたの人格が磨かれますよ、という石田梅岩の勤勉・倹約・知足安分の思想である。

◉「遊んでいるのはもったいない」

石田梅岩という風変わりな商家の番頭がはじめた心学の思想は、その後の日本と日本人に大きな影響を残しており、今日の激しい時代変化の中でも考えるべき課題となっている。

その影響の第一は、日本人全体が「生産性や経済性を度外視してでも勤勉に働くのは非常に良いことだ」と考えるようになったことだ。したがって「遊んでいるのはもったいない」という意識が生まれる。さすがに最近は減ったが、つい十年、十五年前までは、農業や自営業の人々には、この意識が根強くあった。

例えば、街角の果物屋などで、夜の十時十一時まで開けている店がある。そこで「八時過ぎにお客さんはどのくらいきますか」と聞くと、「八時過ぎにくる人は、ぽつぽつですね。結局、電気代くらいですよ」。「では店を閉めて、休んだら」というと、「いやぁ、遊んでいるのはもったいないですよ、店番でもしていないと」という返事が返ってきた。

あるいはクリーニング店へ行くと、洗濯物をきちんと畳《たた》んでビニール袋に包んでいる。ところが、外国のクリーニング店では、そんな手間なことをしないで、針金のハンガーに掛けてくる。日本でも沖縄県では早くからそうしていた。ところが、この針金のハンガーは一本十円くらいする。その十円ときちんと畳んでビニール袋をかける十分間の手間とを比較すると、賃金換算では非常に安くて引き合わない。けれども、「どうせ遊んでいるのだから夜なべに畳んだ方がいいですよ」というクリーニング店主が多かった。

農業は特にそれが著しい。収穫がどれだけ増えるのか分からなくとも、「遊んでいてはもったいない」と田畑に出た。つまり、働いているということによる自己満足、あるいは自分を安心させる習慣が、この国にはできたのだ。昭和の頃には「日本人は働きすぎだ」とよくいわれたが、まさに梅岩の「勤勉に働いていれば精神修行になり、人格が立派になる」という思想の残渣《ざんさ》である。

しかし、ここで留まれば、まだ影響は少ない。さらにこれが広範囲に拡がって、日本独特の文化を創り出してゆくのである。

◉勤勉と清貧のジレンマ

ヨーロッパのキリスト教文明や、中東のイスラム社会では、勤勉に働くのは、やがて財を成し名を挙げて人生をエンジョイするためである、と考えられている。したがって、勤勉そのものの是非が問題になる。あくまでも清貧を説くのなら、勤勉に働くよりも信仰、神に祈ることを優先すべきだ、というのである。

中国の儒学、とりわけ知識を重視する主知主義を採った朱子学は勤勉を奨励したが、その勤勉とは生産活動に携わるよりも知識や学問に取り組む勤勉さである。つまり、現世利益を追求する生産活動に勤勉に従事することを奨励しているわけではない。

清貧の思想はカトリックの中心思想の一つでもある。中世のカトリックでは、「一文なしのゴーチェ」とか「貧者ピエール」、あるいは「鳥にまで語りかけた聖フランシスコ」などが「偉い」とされていた。修道士は虚飾を排して衣服は黒または白一色、フランシスコ派は茶色一色である。腰は麻縄の帯だけという倹約を実践した。

清貧を善とする思想は世界中にある。だが、同時に生産活動に勤勉に携わることを説いた思想家は少ない。神に祈ることの熱心さや知識を習得することの重要さは説いても、生産活動に携わることの勤勉さは、清貧と両立しないという理由で退けられた。ところが、梅岩は勤勉なら商業でも製造業でも農業でもよい、という真に独創的な倫理を樹立したのである。

もちろん、生産活動に勤勉に携わるのを善とする思想は、外国にもある。いわゆるプロテスタンティズムだ。だが、ここでも勤勉と清貧(倹約)の矛盾に突き当った。

プロテスタントの中でも清教徒(ピューリタン)は、この双方を実行したため、森を伐り開いて田畑を拡げ、他の者からは自然と経済のバランスを破壊する者と恐れられた。一時はピューリタン革命によってイングランドを支配するほどの勢力を持ったピューリタンが、結局は全ヨーロッパで生きる場を失い、アメリカ大陸に移住したのはこのためである。

一方、プロテスタントの中でも、勤勉を優先して清貧を捨てた宗派もいる。勤勉に働いた成果は、人生の楽しみに使ってもよい、というのだ。マックス・ウェーバーのいう「資本主義の精神」を生み出した思想はこれである。

外国人に日本を誤解させ易いものの一つに、禅がある。梅岩も禅には強い関心を示し帰依しているから、石門心学も禅から派生したものといえなくはない。だが、多くの外国人が研究している禅は、鎌倉時代の禅であり、今日、一般の日本人が考えているものとはかなり違う。本来の禅は、達磨《だるま》大師のように壁に向かって三年間も座っているのが偉い。つまり、世俗の生産活動に勤勉に従事しないで、清貧に徹することこそ大切なのである。

◉商慣習となった細部主義

梅岩が「諸業すなわち人生修行である」と説いたことの第二の影響は、ここから「人格が立派であれば生産活動に勤勉に携わるはずだ」という裏の推論が成立したことである。

徳川時代の日本は、技術進歩が乏しく、土地や資源も限られていた。これに対して、みんなが勤勉に働くとなると労働過剰、土地資源不足となり、「一所懸命」現象が起こる。つまり一つの限られた場所、わずかな資源に労働力を限りなく投入して、細部まできれいにする競争が起こる。これが高じると、「私は人格高潔だから勤勉です、この証拠にあなた方の気がつかないところまで手を入れてありますよ」ということになる。日本独特の細部重視で、着物の裏や仏壇の底まで凝るようになった。

つまり、勤勉と倹約を両立させるためには、生産性を下げるだけでなく、人の気がつかない細部にまで目を行き届かせるほどの勤勉さで僅かでも付加価値を上げようとする。いやむしろ、細部の丁寧さを主張することで商品価値が高いといい張る。そしてそれができる職人こそ積徳の士であるという人物評価のパターンが作り出された。

やがてこれが日本の商品の特徴になり、商慣習ともなった。細部にこだわり、どうでもよいところまで丁寧に作る。商品の包み方やレッテルの貼り方にも細心の注意を払う。

しかし、そんな細部にこだわっても素人には分からない。だが、職人の間では素人には気がつかない細部の競争になり、「私は勤勉だから同量の資源でも労働力のかけ方が違う。ここを見てくれ、御素人衆には分からぬところにも手間をかけておりまするわ」となる。

今も日本の市場へ外国の商品が入ってくると、細部が悪いというクレームがつき易い。例えば、自動車でも、日本車は塗装がきれいに仕上がっているかどうかを見るために、一本の線を引いて斜めの光を当て、それが鏡にきれいに映るかどうか一台ずつ検査していた。また、ドアを閉めた時、ボディの柱と扉の間の溝が上から下まで正確に同じ幅かどうかも厳格にチェックしていた。こんなことをしていたのは、日本だけである。

細部に凝る日本的美意識は、書物などの印刷物にも現れている。外国では言葉が違うから、一行に何ワード入っているか分からないため、行頭は揃っているが行末にはでこぼこがある。日本では一行を四十一字なら四十一字にきちっと合わせて、句読点をぶら下がりにする。あるいは一部の書籍や新聞記事は句読点をぶら下がりにしないことになっているので、文字間隔を少しずつずらして、どの文字の間が空いているのか分からないようにして行頭と行末を揃える。

書物は紙の両面に印刷してあるが、紙の表と裏の文字行がきちんと重なっていなければならない。つい十年くらい前まではそれほどこだわらなかったが、最近はますます厳しくなってきた。もちろん、それだけコストは高くなる。

細部にこだわる日本的美意識は、現在の日本のコスト高を生む原因の一つでもある。梅岩の時代には、人件費が安くて残業手当てなど出さなくともみな頑張った。しかし、今や日本の人件費は世界一高くなった。残業手当てなしに頑張る「諸業即修行」の習慣も消えた。それなのに細部にこだわる心学思想の派生だけが残り、高コスト社会を生んでいるのである。

テレビ放送の制作費用でも、外国に比べると日本は三倍から十倍かかるといわれている。その原因の一つは色合わせを厳格にすることにある。例えば、三台のカメラで撮ると各カメラの調子やカメラマンの感覚で、色映りが多少は違う。ところが日本では、サッカーや野球の中継でも、ユニフォームや芝生の色が少しでも違ってはいけないと、厳格な色合わせをする。このため大勢が張り付き、人件費がかさむ。放送時間にしても、外国では番組終了時間が僅かに延びても気にしないが、日本では正確に何時何分何秒で終わらねばならない。日本は、こうした細部にも膨大な費用（コスト）をかけているのである。

建築になると、それがさらに著しい。日本の建築コストは、欧米に比べて約二倍、アジア諸国に比べて三倍以上という。その大きな部分は、タイルの目地合わせとか床の張り方など、専門家にしか分からないところに支払われている。素人目にはいわれないと分からないが、職人同士が見れば「こんなものを誰が作ったのか」「これでよいといったのはどんなやつだ」という話になってしまう。

梅岩の広めた石門心学の精神――故・山本七平氏のいう日本的資本主義の精神――が今日までの勤勉を盛り上げ、日本の製造業を中心とした発展を促したことは確かである。だが、それが今やコスト高を生み出していることも無視できない。日本の工業製品は「過剰品質」現象に浸っているのである。

国際的大競争の時代となった今、日本の企業も、いわゆる「VA」（バリュー・アセスメント＝価値評価、あるいはバリュー・アナリシス＝価値分析）を重視して、コストダウンを図らねばならない。つまり、この部分はこの程度の質でよい、それ以上の品質にする必要はないという評価分析である。

石門心学の影響が今なお強い日本では、各部門技術者は何でも最高のものを作りたがる。廉価販売の自動車でも高級車と同程度の細部仕上げをしたがる。これが国際競争が激しい分野ならバリュー・アナリシスによってコストダウンもするだろうが、国際競争のない公共事業や教育、医療などになると、それも行われない。発注監督する側の官僚たちも、細部が見苦しいといわれないために、人手をかけ、品質に凝った製品を作らせ、平気で単価を吊り上げる。

石田梅岩の日本的資本主義の精神はヒト余りモノ不足の社会で生まれた思想だ。そこには、古き良き日本的伝統を生み出した利点もあるが、国際基準から離れた慣習を生む危険性も含まれているのを忘れてはならない。

◉丁寧さ如何が組織人格論に発展

石門心学の第三の影響としては、人格高潔な職人が作ったものは非常に丁寧な作りだということから、逆に、丁寧なつくりでない商品を製造しているのは人格下劣なやつらだ、という類推を生んだことだ。例えば、アメリカの自動車は日本の自動車ほど塗装基準が厳格ではない、あるいはドアと柱の隙間が完璧に上下同じに合わされていない。そうなると、日本人の間では、「この自動車を作った会社の労働倫理は頽廃《たいはい》している」という話になってしまう。

「アメリカの自動車を買ってしばらく乗ったら、なにか変な臭いがするので調べてみると、ドアの外側の鉄板と内張りの間に腐ったハンバーガーが入っていた。アメリカの工場ではハンバーガーを食いながら組み立てているから置き忘れたのだ」

この話を私は一九八〇年代の十年間に四回――二回は海外駐在の日本人から、二回は日本国内で――聞いた。恐らくそんなことがあったのは事実だろう。けれども、四回の話はすべて同じだから、そんなことがあったのは日本人が買った何万台かのうちの一台だろう。ところが、この一例から引き出された結論は、「アメリカの自動車メーカーの労働倫理の頽廃」という組織人格論である。

この国では、「粗雑な製品を作った会社は労働倫理が頽廃し、組織人格が下劣だ」と思われ、「同社の製品は他のものも悪いのではないか」と消費者に思わせる危険がある。このため、日本の企業、とりわけ多数の商品を生産する大企業は、廉価品を作りたがらない。そのことが、日本社会全体を、手間のかかる高コスト社会にしているのである。

石田梅岩のはじめた石門心学の思想は、今も日本人の美意識と倫理観を規定している面が少なくない。

鎖国時代の日本は資源不足、土地不足だったから、労働生産性を落としても、資源当たり付加価値を高め、土地生産性を向上させようとしたのにも、一定の合理性があった。日本人は外国から技術や商品の基本を導入すると、細部の点で優良な製品を作り上げたため、遠からず師の国よりも良いものを作った。これが一九八〇年代には巨大な貿易黒字の原因にもなった。

その一方、海外から日本市場に売り込もうとすると、外国人には信じられないような細部の丁寧さが要求されるため、「日本市場は閉鎖的だ」といわれたりもする。日本市場特有のデザイン・プロブレムである。

また、日本人は本当の余暇を楽しめない、というのにも石門心学の影響がある。遊んでいたらもったいない、遊ぶくらいならせめて勉強しよう、カルチャー教室かヘルス・クラブに通おう、ということになる。この国では、バカンスが「空白」を意味するとは思われていないのだ。

◉「贅沢は敵」の発想

石門心学の残した第四の影響は、倹約の美徳を強調した点である。

梅岩は単に勤勉を奨めたということだけでなく、同時に倹約の精神を説いた。この倹約を善とすることからも大きな影響が拡がり、今日の社会にアンバランスを生んでいる。

まず、倹約奨励から「贅沢は敵だ」という発想が生まれた。このため、政治家が贅沢をすると非難される。今でも、政治家夫人は東京に出てくる時は派手にしても、選挙区では清貧を装っていることが多い。贅沢をすると必ず非難の対象になるか、品が悪いといわれる。石門心学では、立派な人間は勤勉に働くことで人格を修養し、清貧に甘んじることに喜びを感じる、と教えているからだ。このため貯蓄が増えて消費が少ない。したがって官庁や企業にお金が集まり、組織だけが贅沢に使う。

つまり、会社のためなら派手な交際も許されるが、個人で贅沢をしてはいけない。社用や官僚接待のためなら高い料亭も使うが、個人で行くと非難される。会社なら都心の一等地に大きな社宅やクラブハウスをいくつも建ててもよいが、役員の個人住宅はいたって貧弱だ。贅沢は敵だ、但し組織の贅沢は味方なのである。

こうして見てくると、石門心学は今日の日本と日本人の「文化」に非常に大きな影響を残していることが分かるであろう。

石門心学の考え方の下地があったところへ、明治以後にヨーロッパ文化が入ってきた。明治以後の日本人は、ヨーロッパ文化に細部の精巧さだけを加えるのがいい方法だ、外国の技術や制度を真似て勤勉かつ精巧にやるのが偉い人だ、と教育された。このため細部は上手だが、全体としてのコンセプトづくりや発想の飛躍は不得手なだけではなく、不得手なことがむしろ品行方正の証《あかし》のように考えられている。

論文を書いても、全体の論旨がすばらしい、これは独創性があると評価するよりも、先輩や外国人の説に忠実で引用文や参考文献の数の多さが重視される。このため、世界を驚かせるような新学説はまず生まれないし、生まれても拡めることは禁じられる。これでは、敢えて基礎研究に打ち込み、新学説を立てようとする者がいなくなるのも当然だろう。

勤勉と倹約の両立という思想が、細部へのこだわりを生み、さらに「手続き主義」を生み出した。これはまた現在の官僚統制とも関係がある。

◉石門心学がもたらした「ちゃんとイズム」

東京駐在の外国外交官の間で「ちゃんとイズム」という言葉が囁《ささや》かれている。日本人は、包装の仕方、稟議書《りんぎしょ》の回し方、領収書の取り方まで、何でもちゃんとしないと気が済まない。徴税も一円まできちんとする。外国の消費税は大まかだが、日本では五パーセントの消費税でも売上げ三千万円以下の人は納めなくてもよいというだけで益税論議が出る。

しかし、この「ちゃんとイズム」は実効があるのだろうか。日本の建築基準法や消防法は世界一厳しいが、阪神・淡路大震災ではどこの国よりも多くの施設が潰れた。焼死率もきわめて高い。つまり「ちゃんと」手続きをし基準に合わせているだけで実効は乏しい。

同じようなことは、救急車による心不全の救助率の低さ、薬害エイズの発生、パチンコ・プリペイド・カードの偽造続出などでもいえる。日本的「ちゃんとイズム」は実効よりも手続き重視なのだ。

では、何のためにちゃんとするのか。その第一は、手続きを丁寧にすることに美意識を感じていることだ。第二は、これによって横並びが確認できることだ。誰もが突飛なことも独創的なこともしない。ちゃんとするから安心だ、というわけだ。そして第三には、手続きをちゃんとすることで責任逃れができることだ。「これこの通りちゃんと手続きがしてあり、みんなが了承しています。誰の責任でもありません」というわけである。

もし日本が規制を緩和して自由競争の社会を作ろうとするならば、現在の基準主義、官僚統制、「ちゃんとイズム」から抜け出し、ある程度のルーズさを許容する必要がある。

多少細部が悪くても売り出してみるべきだ。自由であるということは、猥雑物《わいざつぶつ》も入る余地があるということだ。あらゆるものが参入して自由に競争し、消費者が選んだものが発展拡大する消費者主権を確立するためには、石門心学、とりわけそこから派生した日本的「ちゃんとイズム」から脱却することも必要であろう。

享保時代の統制社会の中で庶民の知恵として興った石門心学は、まさに日本人が創り出したきわめて独創性豊かな哲学である。

今や、われわれは生産性が高くなり、豊かになった。そのわれわれに必要なのは、石田梅岩の哲学を超える新しい倫理と美意識である。

第八章

大久保利通

——「官僚制度」の創建

◉官僚主導の源流

今、規制緩和が大きな政治問題になっている。以降の各内閣は、規制緩和を最大の政治課題と位置づけているが、決して容易な問題ではない。

そもそも規制緩和と行政改革をいい出したのは昭和五十五（一九八〇）年七月に誕生した鈴木善幸《ぜんこう》内閣だ。以来既に長い歳月が経っている。特に鈴木内閣につづいた中曽根康弘内閣は、自ら「行革内閣」と称して土光《どこう》臨調を設け、行政改革、規制緩和、地方分権を断行しようと張り切ったものだ。

その結果、多少の成果を上げた。まず国鉄を七つの民間企業に分割した。同時に日本電信電話公社と専売公社をそれぞれNTTとJTという民営企業にした。当時の情況からいえば、思い切った改革だったが、行政機関の本体である中央官庁や地方自治体の仕組みには手を触れることができなかった。

二十一世紀に入ってからの小泉純一郎内閣は高速道路公団や郵政事業の民営化など、一歩踏み込んだようにも見えるが、看板の掛替えにとどまると危惧する声も強い。

なぜこんなことになるのか。ひと言でいえば官僚の力が強く、それに依存したがる人々も多いのだ。官庁には、それぞれの業界がぶら下がっている。その中には、何でもお上（官僚）が考え、主導してくれるものと期待している業者が多い。そしてそれをまた、一般国民も当然と思っている。お上が指導統制しなければ目茶苦茶になると考える人々が、この国には今も多いのである。

このような官僚主導の風潮は、いつどのようにしてでき上がったのだろうか。遡っていくと明治政府に突き当たる。そしてその明治政府の中核にあって官僚制度を創った人物といえば、まず大久保利通《としみち》ということになるだろう。

明治の元勲大久保利通の果たした役割を考える前に、日本はなぜ規制が多いのか、どうして官僚主導が崩れないのか。それを考えてみると、二つの面が見えてくる。

まず、官僚自身に「われわれが主導しなければ日本は立ち行かない」という強い責任感とエリート意識があることだ。だからこそ日本の官僚は仕事熱心で誇り高いのだが、その半面では、「民間に任せたらろくなことをしない」という愚民視思想が今もつきまとっていることも見逃せない。

官僚のエリート意識は、あらゆる分野に及んでいる。国民の側にも、何か事件があると、すぐ「役所はどうしていたのか」「役人がもっとよく監督しなければ」といい出す者が必ずいる。役所万能、役人頼りなのだ。こうしたことは、明治にはじまった官民双方の意識体系の中で生まれたのだが、それこそが大久保利通の考えた官僚主導制である。

◉近代化に不可欠だった官僚システム

もう一つの面は、官僚機構の生い立ちと機能である。日本の官庁の多くは、各分野の人材や企業を育てる近代機能育成機関を自認してきた。それも、単に育成するだけではなく、各分野ごとに協調体制を作り上げ、規格基準を教え込もうという指導意欲と権力志向に燃えていた。これを逆に見れば、役所の規制で新規参入者との競争から守られる利益を業界に与えることになる。そのような仕掛けができているため、規制緩和をするとなると、すべての専門家や事業者が反対するのである。

特に官僚主導の強い分野は、教育、医療、建設、運輸、通信及び警備だ。これらは、国際競争に曝《さら》されることもなく、役所と業界団体とのなれ合いで高コスト高価格を保っている。自動車や電機などの製造業も、国際競争は激しく厳しいが、国内市場では流通機構の規制からかなりの恩恵を受けてきた。しかし、今では他の分野のコスト高を背負う負担の方が大きくなり出している。

「日本には、輸出競争をしている一ドル百円産業と、国際競争から守られた一ドル二百円産業、そして国内でも競争のない一ドル三百六十円産業とがある」という。

例えば、高速道路の通行料金も外国に比べるとずっと高い。もちろん、それには地価や地形の問題もあるが、同じような場所でも建設コストは欧米と比べて約二倍かかっている。その理由として、長く日本は地震が多いので頑丈で安全な規格が必要だからだ、といわれてきた。

一九九四（平成六）年一月十七日にロサンゼルスで地震が起こり、ビルやハイウエーがいくつか崩落した。その時、日本の建設関係者は、役人も学者も業者も、日本のビルや高速道路は安全性に力を入れてあるので絶対大丈夫、アメリカは効率第一で安価に造るから崩落したのだ、と声を揃えていた。

ところが、それからちょうど一年後の平成七（一九九五）年一月十七日の阪神・淡路大震災では、どこの国よりも多くのビルや高速道路が倒壊した。もちろん、地震の揺れ方も違うし、地盤も違うから一概にはいえないけれども、確実なのは、日本の高速道路は絶対に安全だという建設関係者の発言は間違いだったことだ。

要するに、公共事業やビル建設が割高なわりには、安全性は高くなかった。むしろ割高費用の原因は、業界の談合や許認可手続きにかかる費用にあったことも見逃せない。

この国では、いろいろな分野に様々な仕組みがあり、そのそれぞれにコストがかかる。こういった仕組みが業界を大きくし、官僚の権限を強化してきたのだ。建設業者が五十四万軒以上も存在していられるのも、建設業界に対する官僚機構の保護育成のおかげである。

教育、医療、運輸などにしても、ほぼ同様か、それ以上だ。こうした消費者無視、供給者優先の官僚姿勢ができ上がった根本は、明治時代に創られた。

明治政府は、近代化を急ぐため各分野別の供給者育成官庁を並べる一方、住民（消費者）保護官庁として内務省を設置した。そしてそこで働く者は、主として試験によって採用され、旧来の身分や階級とはまったく無関係に集められた。そういった官僚システムを創建した代表的な人物こそ大久保利通である。

その意味で現代のわれわれが直面している規制緩和や内外価格差なども、「大久保からはじまった」といえなくもない。「維新の元勲」といわれる人物は数多いが、今日の日本に与えている影響力という点では、大久保利通こそ「日本を創った人物」に数えるべき男である。

◉権謀術数で反対派を分断

さて、大久保利通という名前はよく知られているが、その実体については必ずしも正確に知られていない。一体、どのような人物であったのか。

大久保利通は、「天保の改革」で知られる天保の最初の年（一八三〇年）に薩摩で生まれた。父親は薩摩藩士、中堅クラスの武士だった。

弘化三（一八四六）年、数えで十七歳の時に薩摩藩の記録所書役助となる。十七歳で書記になったということは、読み書きそろばんが上手だった、学力が優秀だったからだろう。その後、「高崎くずれ」という一種の御家騒動で父親が追放されたのと共に、息子の利通も免職となった。利通は二十一歳から二十四歳まで役を失っている。

安政四（一八五七）年、二十八歳で徒目付《かちめつけ》（歩兵隊下士官）となる。同年に西郷隆盛も徒目付となっているから、ここで大久保・西郷という明治維新の両雄がそろったことになる。但し、そのあと西郷は僧月照《げっしょう》らと事件を起こし、島流しにあったりしているから、同役でいた期間はあまり長くなかったようだ。

大久保が実際に活躍するようになるのは、安政六（一八五九）年、三十歳からである。この頃、薩摩藩の殿様が代わったので、大久保は藩主の父の島津久光に接近しようとした。久光公が碁好きと知って、大久保は囲碁を習い、碁の友だちということで近づいた。これが成功して、翌年には勘定方小頭となった。当時の三十歳は現在でいうと四十歳近い感じである。中年になって碁を習い、殿様に接近しようというのだから、意欲満々の人物だったに違いない。出世主義者だったといってもよいだろう。

文久二（一八六二）年、はじめて江戸へ出る。二年後に薩摩へ帰って藩政改革を行うが、いろいろと抵抗を受けた。この頃から薩摩藩は佐幕派から倒幕派になるが、大久保は一生懸命に改革運動をした。

それから四年後の慶応四（一八六八）年、つまり明治改元の年には鳥羽伏見の戦いがあった。ここで敗れた徳川将軍慶喜は、政権を捨てて江戸へ帰るが、これを追討せよという主張が出る。大久保利通は、その中でも強硬派に属していた。ここまでは、幕末の志士といわれるにふさわしい革命家の生き方である。

しかし、大久保利通が実力を発揮するのは、明治維新が成功して新政府ができてからだ。明治維新の翌年の明治二年には参議となり、明治四（一八七一）年には大蔵卿となった。当時は参議の方が高い地位だったようで、大蔵卿はいささか左遷だったらしいが、大久保は自分の立場があまりよくないことを意識したらしく、これを受け入れた。

しかもその年の十一月には岩倉具視《ともみ》を全権大使とする遣外使節団を組織し、自ら全権副使となって外国に出発した。それから一年半ほど欧米を巡察して明治六（一八七三）年の五月、四十四歳で帰国する。これからが、いよいよ大久保の実力発揮の時である。

岩倉や大久保が外遊の間、日本では征韓論が高まっていた。帰国した大久保は、対外遠征よりも国内整備が先だと主張、西郷隆盛、江藤新平、板垣退助らと激論の末、征韓論を押さえ込んだ。これが大久保の本当の実力を発揮するチャンスを作ったといってよい。

参議に復帰した大久保利通は、内務卿（内務省長官）を兼任する。内務卿は、のちに明治十八（一八八五）年の官制改革で内務大臣となるが、掌握範囲はそれ以上に広く、内政全般を執り仕切る役職だった。それだけの権限を背景に、大久保は西郷隆盛を孤立させるためにあらゆる策略を練った。

明治八（一八七五）年には有名な大阪会談が開かれた。大阪に木戸孝允《たかよし》（元長州藩士の桂小五郎）、板垣退助（元土佐藩）、大久保利通の三人が会し、板垣を説得して取り込み、入閣協力を取り付けたのである。大久保はその前年に台湾出兵を承認し、これをテコに隆盛の弟の西郷従道《つぐみち》をも取り込んでいた。

次々と仕掛けを作って反対派を分断する。江藤新平なども一時は国論を分けるほどの力があったが、だんだんと孤立させられてしまう。このあたりはなかなか権謀術数に長《た》けた人物でもあったようだ。この結果、次第に明治政府は大久保独裁の形になっていく。そこで大久保が行ったのは、殖産興業、つまり産業振興政策である。

◉外国に蔑まれない国を

幕末の志士たちは、高杉晋作、桂小五郎、西郷隆盛、そしてこの大久保利通も、最初はみな外国を排撃して鎖国を守ることを主張した攘夷論者であった。そのため幕府の大老井伊直弼《なおすけ》をはじめとする開国論者を次々と暗殺したのだが、その十年後には攘夷論者がみな開国論者になっていた。尊皇攘夷の維新の志士が、明治政府の高官になると文明開化の主導者になる。その点では自己の主張を逆転させた変節漢のはずだが、彼らには変節漢や転向者の暗さはまったくない。これは明治維新の面白い現象である。

そうであったのは、維新の志士たちがみな思想家ではなく実際主義者であり、主義主張よりも愛国心と負けじ魂に燃えていたからだろう。

のちに維新の志士といわれる人々が、黒船の来航を聞いてまず考えたのは、外国に侮《あなど》られない日本、外国に蔑《さげす》まれない祖国を創りたい、ということだった。そのためには、まず武力が強いことを示すべきだ、武力で黒船を撃退してしまえば、外国は日本を蔑まない。当時の一般武士は、そんな単純な考え方をした。

それを真に受けて、実際に武力で外国と戦った大名もいた。長州藩は馬関《ばかん》（現在の下関）海峡を通るアメリカの商船やフランス、オランダの軍艦を砲撃した。薩摩藩は陸上の砲台から鹿児島湾に侵入したイギリス艦隊に発砲した。前者が馬関戦争、後者が薩英戦争である。

ところが、百門以上の大砲を積んだ黒船（夷国船《いこく》）は強かった。彼我《ひが》の武器の優劣の差があまりに大きく、これまでの鎧《よろい》・兜《かぶと》・刀・火縄銃・大砲では戦えない、外国に武力で勝つためには、最新の軍艦と大砲を持たねばならない、それも沢山の数がいる。

この事実を知った各大名や幕府は、長崎にいたオランダ商人のところへ「大砲を買いたい」「軍艦を輸入したい」と駆けつけた。

ところが、大砲や軍艦は値段が高い。しかも藩札などは通用せず、金銀でないと買えない。そこで武士たちは、大砲の作れる工場、軍艦の建造できる造船所を興さなければ、強い武力は持てないと悟った。

しかし、それは容易なことではない。そこで次に出てきたのが、大砲や軍艦を買える金銀を得る手段として、輸出できる商品を製造する産業を興すことだ。そしてその殖産興業のためにも、外国の技術や制度を学んで日本を近代工業国家にしなければいけない、もう尊皇攘夷などとはいっておれない、外国に蔑まれない国造りのためには文明開化より道がない、というわけである。

要するに、維新の志士たちは、民族主義的な発想から出発して、近代工業を興すための文明開化へと行き着いた。出発点と到着点は逆に見えるが、これは正しい結論だった。ただそれが勢いあまって行きすぎ、外国の近代技術や近代制度を採り入れるために、旧来の日本の伝統を全部やめてしまおう、という考えが広まった。森有礼《ありのり》の如きは、日本語を廃止してフランス語を公用語にすべしと主張したほどである。

維新の目的はあくまでも日本を外国に蔑まれない国にすることであったとすれば、その手段として、はじめは武力で外国を追い出そうと主張した者が、のちには外国に学んで強くなろうといい出したとしても、手段を変えただけで目的は変えていない、と信じることができた。尊皇攘夷の民族主義者と文明開化の欧化論者が同一人でありながら、自らを変節漢とは思わなかったのはこのためだろう。いかにも日本人らしい思想転換の経路だが、大久保利通はその代表格の一人である。

そのような経緯から徹底した文明開化論者となった大久保利通は、権謀術数を使って西郷を孤立させることも、江藤新平を追い詰めることも、正義感を持って行ったに違いない。明治政府の中で「大久保独裁」といわれる体制を布《し》いたのも、文明開化と殖産興業、つまりは日本を外国に蔑まれない強くて豊かな国にするため、と信じて行ったことに違いない。

◉ドイツ帝国に学んだ国内体制作り

明治の日本は、外交的にはイギリス陣営に属していた。だが、国内体制はドイツ帝国に学ぶことにした。ここにも大久保の実際主義が見える。

もっとも、日本が外交的にイギリス陣営に属したのは、自ら選んだわけではない。

日本に開国を迫ったのは黒船、つまり嘉永六（一八五三）年にペリー提督が率いてきた四隻のアメリカ艦隊であった。ペリーは翌年に再来、開国の強談判《こわだんぱん》を持ち込んだ。

ところが、その後、日本に開国を迫ったアメリカの国内では、南北戦争がはじまってしまう。奴隷解放を巡るこの内戦は、当時のアメリカに甚大な被害をもたらし、とうてい日本という極東の島国に干渉している余裕などなくなった。

一方、ヨーロッパは、日本が幕末の動乱にあった時、普墺《ふおう》戦争（一八六六年）、普仏戦争（一八七〇〜七一年）が続発する大動乱期だ。現在のベルリンを中心としたプロシアがオーストリアとの戦争に勝利し、つづいてフランスにも勝利した。この結果、一八七一年にドイツ統一が実現、プロシアを中心とするドイツ帝国が誕生する。この間にイタリアも民族国家として統一された。ヨーロッパ大陸も約十年間の大動乱期だったのだ。したがって、フランス、ドイツ、オーストリアも日本に対して軍事的干渉をする余裕はなかった。

この時期、欧米列強の中で極東にまで軍隊を派遣できる国は、イギリスとロシアしかなかった。ところが、当時の帝政ロシアは、拡張意欲は強く、多数の軍隊を擁していたが、経済や技術の水準は低く、社会制度などはむしろ日本より後れていた。何しろロシアは、明治維新の頃にようやく農奴解放をはじめたばかりで、とうてい日本に技術や資本の援助をできる状態ではなかった。

こうなると、近代化を目指す日本が与《くみ》すべきは、イギリスだけである。この点は第二次世界大戦（太平洋戦争）後の日本の状態と似ている。昭和二十六（一九五一）年に日本はサンフランシスコ条約を結んで西側陣営に属したが、アメリカに占領されていた状況で朝鮮戦争が起こったのだから、それ以外の選択肢はなかっただろう。

明治の日本も、イギリス陣営に属さざるを得なかった。幕末に黒船が来て以後、日本へ入ってくる外国情報は、オランダ経由のものからイギリス発のものに代わった。このため、明治維新の時には、日本人は近代国家といえばイギリスのような自由経済民主主義だと思っていた。

ところが、明治四年に岩倉遣外使節団の副使となった大久保利通がヨーロッパへ行ってみると、近代国家というのはイギリスだけでなく、フランスもドイツもオーストリア・ハンガリー（一八六七年オーストリア帝国からオーストリア＝ハンガリー帝国に改組）もある。そしてその各国の体制はそれぞれに異なっていることを知った。中でも大久保利通が注目したのは新興の覇気に燃えるドイツ帝国である。

ヨーロッパの中で最初に近代工業を興したのはイギリスだった。それを追いかけるようにしてオランダ、フランス、後れてドイツ帝国にも近代工業が興る。工業化に後れたドイツ帝国は、イギリスに追いつくため強力な産業育成政策を採った。「鉄血宰相」といわれたビスマルクが指導したドイツ帝国が、そのために採った制度と組織は、イギリスとは対照的な官僚主導だった。

イギリスでは、十八世紀の後半に早くも産業革命がはじまる。ここでは様々な技術や方法が発案されたが、実際にどれが良い技術なのか、どれが正しい方法なのか、誰にも判定できなかった。何しろ当時は、千年余も信じられてきた「神の言葉」である聖書でさえ疑われるような時代である。「大地は動かず」と聖書にはあるが本当は地動説が正しいらしい、「人間は神が創造した」と書いてあるが、ひょっとしたら猿から進化したのではないか、といわれ出した。千年以上も信じられた「神の言葉」でさえ疑わしいとなれば、役人や学者のいうことなど信じられない。これでは、前例も基準も役に立たない。

そんな中で、十八世紀のイギリス人はこう考えた。まず、あらゆる人々に供給者になれるチャンスを平等に与えるべきだ。「機会の平等」こそ大切である。それまでは各業種別にギルド（同業者組合）があり、商品を生産販売できるのは当該商品のギルドに入っている職人や商人だけだった。鉄製品を生産できるのは鍛冶屋ギルドに入っている者だけ、毛織物は毛織物ギルドの者だけに限られていた。「機会の平等」とは、身分や出身にかかわらず、われと思わん者は誰でもどんなものでも、どんどん作って売り出してよろしい、ということだ。つまり、新規参入の自由である。

そしてその中で、どれが良いものか誰が上手かは、消費者の選択に任せる、いわば「売れたものは良いものだ」という消費者主権を実現したのである。マーケットに出して売れる製品の供給者が繁栄する、適者繁栄の発想である。のちにダーウィンが『種の起源』において唱えてこれを「自然の摂理」にまで高めたが、イギリス人は実践社会においてダーウィンより百年も前に、それを実行していたわけである。

実は、これこそがアングロサクソン流の自由経済だ。イギリスの自由経済体制が保障するのは「機会の平等」、つまり職業の自由である。誰でも供給者となり、結果は競争によって決まる。多くの消費者に購入された供給者が繁栄し、消費者の支持を失った者は消滅する。

この自由経済、消費者主権の考え方を、政治に適用したのが民主主義だ。民主主義の政治制度では、原則として誰でも政治家に立候補できる。つまり、誰でも政治の供給者となる機会がある。そしてそれを選ぶのは政治の消費者である有権者だ。有権者の支持を多く得た立候補者が議員に当選し、政見の一番よく売れた政党が政権を獲得する。民主主義とは、政治における消費者主権、つまり、自由経済の政治版である。

産業革命を最初に興したイギリスでは前例も基準もなかったので、自由経済と民主主義の仕組みを考えたが、これが成熟するのには長い時間と多くの混乱があったことも見逃せない。

今日から見れば、産業革命当時のイギリス人は、ハーグリーブズの自動織機とか、スチーブンソンの機関車とか、立派なものばかり作ったように見えるが、今も語られるのは成功した発明だからである。

実際には、産業革命当時に作られた機械装置の多くはガラクタで、役に立たないものがほとんどだった。その一部は、今もロンドンの大英博物館の地下展示場で見ることができる。その中には「寝ながらコーヒーが飲める機械」などというのもある。十八世紀後半から十九世紀にかけてのイギリスでは、そんな機械装置が次々と作られていた。そんなものを製造するのに出資した人がおり、売り込みを図った連中もいたのである。

もちろん、詐欺まがいの商売もあれば、脅迫強奪も横行した。産業革命期のイギリスは、実に猥雑な社会だったのだ。だが、そんなことが百年近くもつづいた結果、良いものが残り、それを製造する近代工業が発達したのである。

ところが、ナポレオン戦争ののち、一八三〇年頃になると、フランスやドイツでも急速な工業化がはじまった。一八七〇年代になってドイツ帝国を指導したビスマルクは、先進工業国イギリスに追いつく方法として、イギリスの前例を学ぶことにした。

自由競争による淘汰を待つ必要はない、イギリスでは消費者主権で実験をした。ドイツはその結果を見て、よかったものだけを採り入れて工業化すれば無駄がない。それには、イギリスの前例に詳しい人々が選択をして、一番良いものを産業界に作らせ全国民に売れば効率的に近代化できる。それなら詐欺も起こらず、倒産も生じない、国民も欺《だま》される心配がなくて幸せだ、というわけである。

では、誰がイギリスの前例に詳しいか。それはエリート官僚と国立大学の教授である。したがって、これらの人々が主導して様々な規格を定め、産業界にこういうものを作れといい、国民にはこれを買えと指導すべきである。いわゆる官僚主導型の啓蒙主義がドイツ帝国の基本となったのである。

ヨーロッパへ行った大久保利通らはこのドイツ帝国の制度を聞いて感激、「なるほど、日本もこれを採り入れて実行すべきだ」と思った。恐らく大久保は、それ以前からイギリスの自由経済民主主義には、矛盾と反感を抱いていたのであろう。

◉内務卿として国政全般を執り仕切る

日本へ帰った大久保利通は、西郷隆盛や板垣退助、江藤新平らの征韓論に対して、朝鮮半島へ出兵するよりもまず内政改革をすべきであると主張し、そのための最善の方法は俺が学んできたドイツ帝国の仕組みだ、と説き回った。そしてそれが明治政府の多数を占め、西郷や江藤を切り、やがて板垣を抱き込んだ。同時に、自らは殖産興業に力を入れるために内務卿となり、一切の政務を執り仕切るのである。

大久保利通の発想は、今日から見れば国民蔑視のエリート主義だが、当時としては身分制度（士族）にこだわった西郷などよりずっと進んでいた。

同時に国民多数に対する啓蒙、とりわけ産業技術の普及には熱心に取り組んだ。その現れが博覧会の開催である。

大久保自ら博覧会の総裁に三回も就任した。博覧会において、外国の優秀な技術を並べて国民に見せ、これを産業化する者を募ったのである。応ずる者には政府が事業資金を援助した。また、製糸業ではフランスの工場をそっくりそのまま模倣した模範工場を造り、「これを真似すればよい」と実物教育も行った。こうした政策は内務卿の大久保が一手に推進したものである。

では、当時の内務省が管轄したのは、どの範囲であったのか。今日の通商産業省（現経済産業省）、農林水産省、厚生省（現厚生労働省）、建設省（現国土交通省）、自治省（現総務省）、警察庁及び各県知事に当たる業務すべてが内務省という一つの役所で行われていた。

この内務省から、政府機構が進むにつれて各省が分立していく。まず農商務省が独立、やがて大正十四（一九二五）年には農林省と商工省に分かれた。昭和になると厚生省（昭和十三年）が、戦後には労働省（昭和二十二年）、建設省（昭和二十三年）が独立し、知事も公選になり、内務省の本体は自治省と警察庁に分かれて府県を監督調整するだけとなった。

要するに、明治初期の内務省は地方行政から産業振興まで、内政万般を執り仕切っていたわけだ。当時、内務省以外にあったのは外交の外務省、軍事の陸軍省、海軍省、皇室関係の宮内省、法曹関係の法務省、教育を実施する文部省（現文部科学省）、財政を司る大蔵省（現財務省）、鉄道を経営する鉄道省、それに郵便と電信を経営する逓信省などである。当時は海運も電力も逓信省の所管だった。

つまり、教育と財政と国営事業以外の内政はすべて内務省といってよい。一般産業である農業、林業、鉱業、工業、流通業、建設業、そして医療、労働問題など、大久保一人が押さえていたことになる。

明治の官僚制度はドイツ帝国に学んだ官僚主導型啓蒙主義だから、まず、供給者育成官庁をずらっと並べた。例えば、文部省は教師を養成し、学校を普及振興する官庁である。文部省は、昔も今も生徒のことは考えない。鉄道省は全国に鉄道を敷き、運行する企業と技師を育成した。大蔵省は銀行の、逓信省は電信と海運の発展を図った。

だが、その一方では、一般の住民、つまり消費者を保護する役所も創った。これが戦前の内務省、つまり地域別に所掌する知事と警察である。

地方行政と警察を中心とした戦前の内務省には、民を牧《やしな》う官僚という意識が強く、内務官僚は自らを「牧民官」と呼んでいた。その呼称はなんと昭和四十五（一九七〇）年ぐらいまで使われたものだ。自分たちは民を牧する役人である、他省庁が供給者を育成するのに対して、内務官僚は悪しき供給者からひ弱な住民を保護するのだ、というエリート意識の現れである。

ドイツ帝国型の官僚主導というのは、一方では産業を育てる諸官庁があり、他方には住民を牧う内務官僚がいる。そのバランスによって国を発展させ、国民を保護する、というものだ。大久保利通は、このドイツ帝国の制度をそのまま日本へ持ち込んだのだが、自らが押さえた内務省は、当分の間、その両方を行うこととしたのである。これでは「大久保独裁」といわれたのも当然だろう。

それはともかく、このようにして創られた明治の官僚制度からは、「官僚はもの知りで偉い」という官僚依存意識が広まると同時に、官僚の中には「国民は無知である。だから保護してやらねば」という愚民視感覚も生まれた。ヨーロッパの進んだ制度や技術は官僚がすべて教えてやる、民間企業はその手足となって現場で働けばよい、というわけだ。

したがって、製品の種類や規格も、施設の基準も、労働時間や雇用制度も、すべて役人が決める。それが近代的な産業を興し、消費者のためにもなる、そういった意識と感覚を非常に強く持つようになった。そしてその一方では、無知無力な住民が悪辣《あくらつ》な商人に搾取されないように内務官僚や府県知事がいて、行政警察官が見張ってやる、犯罪人は必ず司法警察が取り締まるという国家警察ができ上がった。これは、確かに日本を近代工業国家とする上では役に立った。

◉大久保の死後に強化された官僚制度

大久保利通が導入した明治官僚制度が本当に確立されたのは明治十（一八七七）年、西南戦争の頃である。維新政府は、明治四（一八七一）年までは徳川幕府の制度（幕藩制度）を廃止することに努めていたが、そのあとをどのようにするかは考えていなかった。それが本格的に議論されるようになったのは、明治四年、岩倉遣外使節団が出発してからである。

当然、この大問題を巡ってしばらくは大混乱で、日本の国をどう運営していくのか定まっていなかった。ようやく明治六年に大久保らの主張が通って官僚主導体制で行くという基本方針のようなものができ上がったが、まだまだ反対が強く各地に反乱が発生した。まだ官僚制度の実力は信じられていなかったのだ。

ところが明治十年、西南戦争において農民から徴兵された鎮台兵が、西郷の士族軍を破ったことで事態は一変する。官僚は士族より偉くて強いのである。

その上、この戦いにおいて汽船、銃器、軍服、軍靴などの産業が確立、兵員資材を運んだ海運業が大発展した。

敗れた西郷隆盛は鹿児島の城山で自刃。そして木戸孝允（桂小五郎）も病死する。いよいよ大久保の一人舞台、誰もがそう思ったが、翌明治十一（一八七八）年五月に大久保も暗殺されてしまう。これで明治維新を主導した革命第一世代はほぼ一掃されたわけだ。以後は革命第二世代ともいうべき伊藤博文や山県有朋が明治政府を牛耳《ぎゅうじ》っていくことになる。

しかし、大久保の創った官僚制度は、革命第二世代の伊藤博文たちによって、ますます強固に固定化されていく。そのためにまず、官僚制度を担う人材を養成する帝国大学を設置した。のちの東京帝国大学だが、当初は帝国大学が一つしかなかったので「東京」はつかなかった。その後明治三十（一八九七）年に第二番目の帝国大学が京都に設けられ、第一のものが東京帝国大学と改名したのである。

帝国大学は何を目的として創立されたのかというと、法学部は行政官と裁判官を養成するためであり、工学部は利水治水や鉄道、逓信などの官業技術者を養成するためだ。

帝国大学は、他の私学と比べて高い権威を持っていた。そのため必然的に、帝国大学を卒業して各官庁に入った役人は偉いというエリート意識を持つようになったし、そのように仕向けられてもいた。ここにも大久保の創った官僚主導型国家の思想が現れている。

それに対して民間企業には、私学や高等専門学校（高商、高工）の卒業生が多く入った。帝国議会の議員も大部分は私学卒だった。この教育体制は、高度の企画や方針は政府（官僚）が定めるから、民間企業は現場のことだけをやっていればよい、という発想である。

明治二十三（一八九〇）年には、帝国議会が設置されたが、これもドイツ帝国の国会と同様、政府委員が一段と高い位置に座る構造になっていた。議会は、民の意見を政府に陳情する機関、という意識が強かったのである。

帝国大学を出た官僚たちは、選挙で選ばれた民の代表よりも偉かった。現在の国会議事堂は昭和十一（一九三六）年にできたものだが、中央の最高段に議長席があり、その前に演説席、その左右に大臣席が並び、その後ろに政府委員といわれる官僚の席がある。国民から選ばれた議員の方が低い場所にいて、政府委員を見上げる格好になっている。

イギリスの議会では、議員一人ずつの椅子はなく、与野党が向かい合ったベンチ（長椅子）に座る。階段状になっており、一方に総理大臣以下の与党議員が、他方に野党議員が並び、向かい合って議論するので、役人の出る幕はまったくない。同じ議院内閣制といっても内実は日本と大きく違う。

日本の国会の議場の手本となったドイツ帝国国会の議事堂は、一九三三年、ヒトラーの陰謀で放火されて閉鎖となり、ソ連軍の「ベルリン包攻」で激しく破壊された。戦後は長く「ベルリンの壁」近くに残骸を晒していたが、東西ドイツの統一によって首都機能がベルリンに戻ることとなり、再び国会（下院）の議事堂として使用されている。但し、内部はイギリスの建築家サー・ノーマン・フォスターの設計でまったく変更されている。

明治時代の日本は、成功したといえるだろう。外交的にはイギリス陣営に属したおかげで日清、日露の戦争にも勝てたし、イギリスから外資も導入できた。鉄道、電信、郵便等の制度と技術も学ぶことができた。その上、第一次世界大戦では戦勝国の地位を得、一時は「世界三大強国の一つ」などと自称したものだ。

同時に、国内制度はドイツ帝国に学んだので、非常に早い時期に全国に鉄道を敷き、電信を拡げ、初等教育を津々浦々に普及することもできた。民間の競争と試行錯誤を排したドイツ型の制度の成果である。

内外双方の成功が相まって明治から大正にかけての日本は急成長することができた。

◉ドイツ型官僚制度の欠陥

ところが、大久保の採り入れたドイツ型官僚制度は、多くの利点と共に重大な欠陥を孕《はら》んでいた。

最初のうちは大久保利通や伊藤博文、山県有朋など、官僚機構の生みの親育ての親といえる政治家がいたので、そのひと言で各省の役人を黙らせることができた。山県有朋なら陸軍軍人たちを押さえるのも容易だった。これは、先例のドイツ帝国が鉄血宰相ビスマルクや参謀総長モルトケ元帥がいた時代にはうまくいったのと同じである。

ところが、時代が進んで、ひと声で官僚を押さえられたような元勲や大政治家が亡くなると、官僚機構のタテ割りの弊害が現れる。文部省は教育だけを考え、通産省は産業育成だけを考える。農林水産省、建設省、厚生省、みな自分の業界だけを考え相互調整ができない。

これを世間では「縄張り根性」とか「権限意識」とかいうが、官僚は権限意識があるからこそ働くのだ。例えば、農水省なら農業を保護して農協を安定させることと、文科省なら教育を普及するために学校と教師を守ることこそが大事だ、と思っているから熱心に仕事をするのである。権限意識がなくなり、俺のやっている仕事は大したことがない、などと思いはじめたら官僚は働けない。

しかし、権限意識を持ち自分の仕事が一番大事だと思っている官僚が、それぞれにその目的を追求するとどうなるか。一つは規制の増大と強化になり、財政支出が拡大する。

まず官僚たちは、自分が偉いと信じている。「俺がやらなければ」「民間には任せられない」という意識で規制を増やし権限を強める。官僚機構の恐ろしいところは、誰も反対できない極端な少数の例を持って規制を強める結果、一般的な利便の喪失とコストの上昇をもたらすことである。役所というのは採算性がないから、限りなく規制強化の方に動くのだ。

例えば、阪神・淡路大震災で高速道路が倒壊すると、震度七でも耐えられるように強化しよう、建設事業をさらに強く規制しよう、という話になる。金融機関が倒産すれば、すぐ金融機関に対する検査監督を強化しよう、と言い出す。それにはもちろん、官僚の意向に反するような貸し出しはさせない、という話も入っている。一見、もっともに見えるが、それによってコストがかかるし、自由な経営ができなくなる。企業は官僚の顔色をうかがい、横並びの事なかれ主義になり、官僚はそれを喜んでコストの価格への転化を保証する。

その上、タテ割り官庁がそれぞれ規制監督すると、二重、三重、四重、五重と規制がかかり、手続きは煩わしくなり、経営はがんじがらめになってしまう。そのため、結局は不便になり、値段が高くなる。これが官僚制度の害悪である。

第二の問題は、各省がそれぞれの目的を追求すると、外国との摩擦が強くなることだ。各省が自分の分野は譲歩しない。外交交渉ではAを譲ってBを取ることも必要だが、官僚はタテ割りだから、自分のところだけは譲らない、自動車輸出になると通産省が譲らない、航空協定は運輸省が譲らない、コメの話になると農水省が譲らない、酒税のパネルでは大蔵省が一歩も退かない。各官庁が譲らないから必ず外国と衝突する。実は、ビスマルク引退後のドイツ帝国でも、これが起こった。

ビスマルクは様々な工夫をこらして多くの同盟国を作り、複雑な同盟システムで帝国の安全保障に努力した。いわゆる「二重保険政策」である。

しかし、ビスマルクやモルトケが引退すると、各省の官僚を押さえる政治家がいなくなり、陸軍省、海軍省、鉄道省、商工省等々がみな自分のいい分を通そうとした。このためドイツは世界各国と対立、第一次世界大戦がはじまった時にはオーストリア＝ハンガリー帝国以外には有力な同盟国はなくなっていた。太平洋戦争前の日本も同様で、太平洋戦争では世界中を敵とした。これが官僚機構の非常に危険なところである。

◉現在の桎梏を招く

さて、明治、大正と時代が進むにつれて、日本では大久保利通型の官僚意識が非常に強くなった。特に戦後は、しかも大久保の創った官僚機構の中から牧民官の内務省だけがなくなり、供給者育成官庁ばかりが残った。したがって官僚はすべて供給者の味方、消費者の敵となり、国際競争に関係のない分野ではどんどんコストが高くなり、やたらと規制が強化されて不便不愉快な世の中になっている。

その意味で、大久保利通は、日本の官僚制度の基礎を築き、明治時代の産業発展には大いに寄与したけれども、現代の日本が困っている規制の強さや内外価格差に象徴される物価高、そして選択の自由のなさにも重大な責任がある。いわば「豊かになっても幸せにならない」日本を創った人物だ、ともいわざるを得ない。

ところで、大久保が暗殺されずに明治時代を生き抜いたとしたら、その後の日本はどうなっていたか。

維新が起きて十年後の明治十（一八七七）年、西南戦争で日本の官僚主導体制は固まった。そしてその翌年に大久保利通は暗殺された。したがって、大久保は体制を布いただけで、それを動かすところまではいかなかった。もしその後も大久保が生きていたら、ビスマルクと同じような独裁体制を布いたであろう。内政と同時に、条約改正問題などに首を突っ込んだりしていたので、外交もやりたかったに違いない。

明治初期の日本では、徳川体制に逆戻りするのではないか、つまり強大な独裁者のもとに幕府ができるのではないか、という危惧があった。大久保利通を暗殺したのも、薩摩の殿様を征夷大将軍にして幕府を開き、大久保利通が大老となって独裁政治を布くのではないか、という危機感を抱く者だったという。

その後、明治二十二（一八八九）年に発布された大日本帝国憲法（明治憲法）も、幕府を復活させないように配慮されていた。明治憲法では、各大臣が天皇に直結し、首相にその任免権を持たせなかった。また陸軍、海軍の軍令に関する統帥権も、天皇の大権として政府の国務から独立させた。なぜ、それほど天皇直結を多くし、各権限を分立させたのかというと、一人の総理大臣に権限が集中し、幕府的権力を振るうことを恐れたからである。

大久保利通は、その死の直前にはほぼ確実な独裁体制を作っていた。しかし、幕府を開くようなことは、絶対にしなかっただろう。

日本の歴史には独裁者は少ない。明確なビジョンを持ってリーダーシップを発揮した独裁的人物は、信長にしても大久保にしても、暗殺されてしまった。長い平和な時代を持った日本では、強力なリーダーシップの必要性が少なかったため、特定の人々が独裁化すると嫉妬を招き易い。

明治維新には多くの志士たちが命を捨てて、改革のために邁進した。彼らをそこまで駆り立てたのは、幕末維新における社会主観といえるだろう。つまり「安定」を第一の正義とした徳川幕藩体制の社会倫理を排除し、進歩（文明開化）と効率（殖産興業）と国家への忠誠（忠義）を正義とする新体制を創ろうという情熱である。大久保が西南戦争を引き起こしても官僚主導体制を創ろうとしたのは、この三つの正義をより確実に達成するためだったに違いない。

大久保利通は、外国に蔑まれない日本を創ることを目指して効率のよい国造りのために官僚主導を選んだ。それは、大久保の時代から約四十年間は有効に働いた。そして、そのあとでは、軍事官僚（軍部）の独走へと突進して行った。

また、戦後も経済の発展と成長に役立った。そして今、それが大きな桎梏《しっこく》となっている。この男は、良い点でも困った点でも、今日の「日本を創った」重要人物である。

第九章

渋沢栄一

――「日本的資本主義」の創始

◉「財界」を創った男

渋沢栄一は、明治時代に非常に多くの企業に関係し、日本の近代的な産業のほとんどすべてを興した、といってよいほど大活躍をした人物である。

渋沢が関係した業種は、銀行から鉄道、海運、メーカー、商事など、ほとんどあらゆる分野にわたっており、生涯に約五百の大企業を創り上げたとされている。

その意味で、渋沢栄一こそは日本の資本主義の先駆者であったが、それだけに留まらない。より重要なのは、外国には例のない日本独特の「財界」という〈かたまり〉を創った点である。

例えば、アメリカの鉄鋼王アンドリュー・カーネギーや自動車王のヘンリー・フォードなどは巨大な企業を生み育て、強力な財団を残して文化や学術にも貢献した。しかし、「財界」という経営者が集団として言動するような場を創ることはしなかった。イギリスのロスチャイルドもドイツのクルップもそうである。

その中で日本にだけ早くから「財界」「実業界」という経営者集団ができ、業界談合体制が育った。渋沢栄一が何百もの企業に関与し、共同出資の環境を創り上げたからである。そうした独特の風土を持つ日本的資本主義の創始者として、渋沢栄一にはきわめて大きな存在価値があり、現代の日本にも大きな影響を残している。まさしく〝日本を創った十二人〟の一人にふさわしい人物といえるだろう。

渋沢栄一は、天保十一（一八四〇）年に生まれ、なんと昭和六（一九三一）年まで生きた。数えで九十一歳、当時としては稀なる長寿を全《まっと》うしたのである。

そもそもの出身は武蔵の国榛沢《はんざわ》郡（現在の埼玉県深谷市）で、実家は大百姓だったといわれている。今は百姓を農家とか農民といい換えたりしているが、これは誤解を生む。農家とか農民とかいえばコメ作りを主に、野菜作りや牛飼いをして食糧は自給している家族を想像するだろうが、徳川時代の百姓はそれに限らない。実は、渋沢栄一の実家も養蚕と藍玉《あいだま》の製造を主に、商工業を手広く営んでいた。

養蚕も藍玉も換金商品である。自らも製造すると同時に、周囲からも集荷し販売する産地問屋だったのだ。

したがって、渋沢の生家は、農家というよりも商家と考えた方がよい。その上、村人を相手の質商も営んでいたというから、地域の顔役でもあったろう。渋沢栄一は、農・工・商にまたがる家業の中で少年時代を送ったわけだ。経済的には豊かな環境だったし、多くのことを学べる条件でもあったようである。

渋沢が十四歳の頃、ペリー提督の率いる黒船が浦賀沖に来航し、日本は国論を二分する大騒ぎになった。

二十二歳の時、江戸に出た渋沢は、外国人を打ち払えという攘夷論者に加担、その運動でかなり熱心に走り回っていた。横浜の外国人居留地焼打ち計画という過激な攘夷運動にも加わったというから、血気盛んな青年の間で流行した国粋主義者または愛国主義者の一人だったことは確かだろう。

この横浜外国人居留地焼打ち計画の首謀者は清川八郎という人物だが、清川は新撰組を提唱したことで知られている策士だ。幕末の混乱に乗じていろいろなことを画策したが、実行の途中で提唱していた目的が変わったりして、結局は暗殺されてしまう。決行寸前まで至っていた横浜の外国人居留地焼打ち計画が挫折したのも、清川の性格によるところが大きい。

それで京都へ逃れた渋沢は、あと四年で明治という元治《げんじ》元（一八六四）年に、徳川御三卿の一つ、一橋家の御用人に採用された。そしてその一橋家から慶喜が将軍になったために、渋沢も幕府の中核に入る形になったのである。

明治に活動した人々の大部分とは逆に、渋沢栄一は、最後の段階で潰れかかった幕府の家来になり、慶応三（一八六七）年には将軍慶喜の弟の民部大輔徳川昭武《あきたけ》に随伴してパリ万国博覧会に赴き、欧米を見学することができた。ところが、その旅行中に明治維新が起こり、幕府は潰れてしまう。

この時のパリ万国博覧会には佐幕倒幕双方の人材が集まっていた。のちに渋沢と肩を並べる明治財界の大物となる五代友厚《ともあつ》も薩摩藩の代表の一人として万国博にきており、虚々実々の外交戦を展開した。

明治元（一八六八）年、帰国した渋沢は徳川家と共に静岡に移住し、一時、駿府藩の勘定組頭、つまり藩札発行担当者となったりもしたが、それはごく短期間のことである。

◉まず金融制度を創る

パリから帰国後、最初の仕事は、徳川家の領地であった静岡に政府から五十万両（まだ当時は両であった）の太政官札を借り入れ、日本で最初の株式会社ともいうべき合本会社「商法会所」を設立したことである。渋沢はパリ万国博覧会の時に、滞在したヨーロッパの状況を見て、会社の創り方に非常な興味を覚え、それを早速に実行してみたのである。

では、商法会所とは一体、何をする会社だったのか。実は、業務内容もはっきりしないまま、政府から借り入れた資金で、とにかく会社を創るという発想だったらしい。そこにこそ、のちに活躍する渋沢の思想的根拠、考え方がよく出ている。つまり渋沢栄一が興味を持ったのは、金儲けでも産業育成でもなく、組織を創ることだったのである。

しかし、渋沢は静岡に留まらず、すぐに職を辞して翌明治二年には新政府の大蔵官僚になった。人材不足の新政府は、幕臣も歓《よろこ》んで入れた。

明治四（一八七一）年、通貨がそれまでの両から円に替わる。翌明治五年、商業上の金融機関の設立と政府発行の不換紙幣の焼却処分とを目的とする国立銀行条例が制定された。それに伴い、明治六年には大蔵省を退官した渋沢が、まず「第一国立銀行」の設立を手掛け、翌七年にはその頭取となった。

当時から渋沢は、金融、通貨、会社機構の問題に関する第一人者と思われていた。したがって、国立銀行を設立するという時は、まず渋沢に声が掛かったのである。

これが彼の運命を決定した。以後、多くの会社を創る契機となったからだ。

渋沢栄一が創立に関与したのはまず銀行である。最初の第一国立銀行だけではなく、各地に続出するナンバー銀行の多くにも関与した。

のち、明治十五（一八八二）年に日本銀行が創立されるまで存続した明治初期の国立銀行というのは、民間企業でありながら発券銀行として、各銀行が紙幣を発行する特権を与えられていたものを指す。「国立」といっても国の出資や保障があったわけではない。

資金も知識も乏しい明治政府は、各地の有力な商人や資産家を集め、紙幣を出す特権を与える代わりに、大判や小判（金銀正貨）を政府に預けさせた。いわば資産家の信用を基盤として正貨を保証に取り、その何倍かの国立銀行紙幣（国立銀行券）を出させる、という制度を創ったのである。

当時、日本では明治維新政府が不換紙幣（政府紙幣）を発行していたが、乱発のために信用を失っていた。国立銀行条例の制定には、政府紙幣を国立銀行の資本金払い込みの形で民間から吸収し、正貨兌換《だかん》の国立銀行紙幣と取り換えようという狙いもあった。

もちろん、銀行だから預金も扱う。紙幣も発行するのだから倒産したら困るので、その何分の一かは正貨で預けさせる、こういう制度を明治のはじめに創った。誰の知恵かは不明だが、かなり巧妙な金融通貨操作である。

東京の日本橋に設立された第一国立銀行は、日本人の設計施工による初の大型洋館建築で、東京名物の一つとなり、おのぼりさんの見学が絶えないほど豪華だった。

これにつづいて各地に百数十のナンバーのついた国立銀行が設立された。その何行かは現在もその名で残っている。新潟の第四銀行などがそれである。そのうちのかなりの数の設立に渋沢は関係した。渋沢栄一の最初の仕事は、銀行設立、というよりも金融制度そのものの創立だったのである。

◉日本的協調主義の生みの親

次には、メーカーを沢山創った。まず明治六（一八七三）年、東京の王子に抄紙《しょうし》会社（のちの王子製紙）を設立し、甥に技術部門を担当させた。明治のはじめに紙を製造するのは、大変重要な仕事であったのだ。

その九年後の明治十五（一八八二）年に、大阪紡績会社を創立した。これが日本における近代綿紡のはじまりであり、やがて日本は近代紡績の世界的な中心国となっていく。ほかにも三重紡績など多くの紡績会社に渋沢は関係する。

明治二十（一八八七）年、東京人造肥料会社を創立した。農業を振興するためには化学肥料が必要だというと、渋沢はたちまち化学肥料の会社も興したのである。

その後、東京電力、東京瓦斯《ガス》、帝国ホテル、北海道炭鉱鉄道、東洋汽船、京釜鉄道など、重要企業の創立に当たっては発起人となった。

明治三十九（一九〇六）年から四十年にかけては、会社の拡張や新設のための株式募集が活発となったが、渋沢が設立委員長になると、その会社の権利株に羽が生えて飛んだ、などという記載が長谷川光太郎の『財閥盛衰記』に見られる。多数の会社を生み育てた渋沢に対する期待が大きかったのである。

渋沢栄一は、そのようにして多くの銀行や会社を創り、実業界で活躍すると同時に、明治二十四（一八九一）年には東京商業会議所の会頭となった。明治十一（一八七八）年に設立された商法会議所が改組改名されて商業会議所となったのだ。のちの昭和二（一九二七）年には、これが商工会議所に発展する。この間、渋沢栄一は会頭でありつづけた。

つまり、個々の企業を創ると同時に、「財界」という集団を創ったのである。このことに渋沢は最初から非常に興味を持っていた。

渋沢の考えでは、これからの日本の基本は合本主義であり、みんなから資金を集めて事業を興す協調主義であるべきだ、そのためには、一人一人の実業家や経営者が動くだけではなく、商業会議所を全国に設置し、それの提唱で地方の資産家や商人に資金を出させ、次々と新しい会社を設立していくのが正しい、というものだった。いわば「日本的協調主義」の主張である。

渋沢栄一は、株式会社というものを、資産家の協調機関と誤解していた節さえある。そのことが渋沢栄一をして「合本主義」を唱道せしめ、日本の近代化が進む過程で、この国独特の協調型資本主義を生むことにもなった。それがやがて、事あるごとに主要企業に出資勧進が回る「財界協調主義」にまで発展した。

そのようなことを次々と重ねて、明治、大正そして昭和に至るまで、渋沢栄一は財界の重鎮として活躍、何か起こると、誰いうとなく「渋沢さんをまずキャップ

（頭）に据えて」といわれつづけた。

こうした日本独特の「財界協調主義」は、戦後になると一段と激しくなり、今日の業界内協調体制、いわば各業界ごとの談合体質を形成する。今では、新規業種を興す時には、経団連や関経連が声を掛け、各企業が応分の出資をする「奉賀帳」が一つの「制度」とさえなってしまった。渋沢栄一は、いわば日本的談合社会の生みの親でもあるわけだ。

◉対照としての岩崎弥太郎

明治の財界人を見ると、合本組織によってみんなをまとめ上げ事業を進める渋沢栄一や、関西で同じことをした五代友厚などの協調型と、「俺がやるのだ」という進歩的な投機感覚にあふれた個人主義の経営者とがいた。後者の典型は三菱財閥の祖、岩崎弥太郎である。

岩崎弥太郎は、事業の上でも人生経験でも、主義主張の点でも渋沢栄一のライバルといってよい。この二人が事業で激突したのは、のちに述べる海運業だが、日本の資本主義の発展を推し進める過程においては、みごとなほどに対照的でありながら、よく補完的役割を果したといえるだろう。

では、その岩崎弥太郎とはどういう人物だったか。明治という時代を理解する点では、これまた避けて通れない人物である。

岩崎弥太郎は、天保五（一八三四）年の生まれだから、天保十一（一八四〇）年生まれの渋沢よりは六歳年上である。土佐（現在の高知県）の出身だが、もともとは「地下《じげ》浪人」といわれた非常に貧しい浪人の息子だったようだ。のちに弥太郎自身が才覚を現し、明治がはじまる三年前の慶応元（一八六五）年になって、やっと郷《ごう》士《し》株を買い入れる、という状態だった。少年期青年期の生活環境は貧しかったはずで、渋沢栄一の方がはるかに恵まれた成長期を送ったわけである。

岩崎弥太郎も幕末維新の政治運動に絡み、文久二（一八六二）年には、土佐藩の重臣で藩政改革の推進者だった吉田東洋らと一緒に、走り回っていた。東洋が勤王党の凶刃に暗殺されると、その犯人を探して大坂まで行くが、うまくいかずに帰藩している。

その後、大坂で材木屋をはじめ、たちまち失敗するが、これを契機として岩崎の商売人、そして実業家としての活躍がはじまる。まず明治元年、長崎に土佐藩の資材購入に当たる土佐商会を創り、その顧問になった。

同じ年に渋沢は五十万両の政府紙幣を借りて徳川家の領地であった静岡に商法会所を設立しているが、岩崎もまた旧幕藩体制の土佐藩を商売の糸口にして組織を創ったわけだ。この当時は土佐屋善兵衛と名乗っており、岩崎弥太郎と改名するのはのちのことである。しかし、この土佐商会もたいして発展はしなかった。明治の御一新で土佐藩自体が揺らいでいたからだ。

明治三（一八七〇）年には、土佐屋善兵衛の名で、土佐開成社を創るが、これまたすぐに行き詰まり、九十九《つくも》商会と改称、翌年の廃藩に際しては岩崎の私企業にした。この頃は主として藩船を利用し海運と通商を行っていたが、明治五年には三川《みつかわ》商会と改称し、翌六年に三菱商会と改称した。この時点で、岩崎弥太郎の経営権と所有権が確立した。明治三年から六年までの間に次々と会社の名前を変えたのは、主として新しい借金をするためだったという。

その頃の岩崎は文字通り七転八倒、のちの大成功からは信じられないほどの苦労を味わっていた。この点でも洋行帰りの新知識としてみんなに頼りにされた渋沢とは大違いである。

◉個人主義の岩崎商法

岩崎の目まぐるしい動きが本格的な事業として大発展するのは、明治七（一八七四）年に三菱商会の本店を東京に移し、翌年郵便汽船三菱会社（のちの日本郵船）と改称して幕府や新政府が持っていた船の払い下げを受けたことからである。実はこの汽船会社が大いに当たったのだ。

岩崎が三菱商会本店を東京に置いた明治七年には佐賀の乱があり、三菱会社は新政府の要請に応じて兵員と軍需品を現地に輸送した。この時はまだ旧土佐藩の船しかなかったのだが、他の船も雇船して巧みに運用したらしい。翌年の国有船払い下げは、この実績を買われてのことと思われる。

だが、何といっても三菱を飛躍させたのは明治十（一八七七）年、西郷隆盛の起こした西南戦争だった。この戦争のために明治政府は全国から鎮台さん（軍隊）を大阪に集結し、船で九州に渡した。その輸送を請け負ったのが岩崎の郵便汽船三菱会社であり、これによって大変な利益を上げた。

この時、大久保利通ら明治政府の首脳は、西郷軍は薩摩の士族よりなる強兵だから、これに対抗するためには圧倒的な数の兵員資材を送る必要がある、と考えた。折しも季節は冬ということもあって、羅紗《らしゃ》の軍服、革の軍靴《ぐんか》、そして大量の鉄砲や兵糧を調達した。日本ではじめて兵士が軍靴をはいて戦争したのもこの時である。

何しろ天下分け目の戦争であり、値段のことなど政府はとやかくいわないから、受注者は大いに儲けた。羅紗で稼いだ芝川家、軍靴で儲けた大倉家など、たちまち大富豪になった者も少なくない。中でも岩崎の利益は膨大で、これが三菱財閥のはじまりである。

そこで儲けた資金を活用して、岩崎は石炭の鉱山を安い値段で沢山買った。鉱山も当時は労働問題や湧水問題などがあって、なかなか簡単には掘れなかったが、これを解決して石炭の増産をしなければ日本の近代化ができないというので、明治政府は国有炭坑の払い下げ民営化の方針を打ち出した。岩崎弥太郎は汽船で儲けた資金に多額の借金を上乗せして大胆に鉱山の払い下げを受け、それらをどんどん立ち直らせて巨額の利益を得たのである。

岩崎の考え方は、何もかも「自分」であった。つまり、会社は仮の姿であり、三菱はすべて岩崎弥太郎という個人に集約している、と考えていた。岩崎が扇子《せんす》に小判を貼り、「小判に頭を下げると思ったら腹は立たない」と豪語していたというのは有名な話である。

したがって、みんなから資金を集めるのではなく、他人からは金を借り、自分の資金として増やし、それを次々と事業に投資していくという形を採った。各地の商人や素封家に投資を奨めた渋沢とは逆に、もっぱら融資だけを求めたのである。

明治から大正にかけてのジャーナリストであり歴史家であった山路愛山は、その著書『現代富豪論』の中で、日本の資本家について分析を行い、「一身一家の富を為《な》すを以《もっ》て主義とするものにして要するに個人主義と云《い》ふべきものに非《あら》ずや」と述べ、その大富豪の例として岩崎家、三井家、住友家、安田家を挙げている。

岩崎弥太郎の「俺が、俺が」主義と、渋沢の「みんなが、みんなが」主義とは、明治の典型的な二つの流れだった。

◉海運事業で岩崎と直接対決

この二人が直接対決の形で激突したのが海運事業である。

岩崎弥太郎の創った郵便汽船三菱会社が、どんどんと発展して儲かり出すと、政府にも財界にも海運を一層発展させるためには三菱の独占を破らなければいけない、という見解が現れ、三菱に対抗する汽船会社を創る動きがはじまった。多数の地主や商人から資金を集める合本（株式会社方式）協調主義で成功していた渋沢栄一が、これに目をつけないはずはない。大勢の人々から資本金を集め、岩崎の郵便汽船三菱に対抗する海運会社として「共同運輸」を設立し、東京―大阪間の荷物輸送をはじめたのである。

当然、岩崎の郵便汽船三菱会社との間には猛烈な競争が演じられた。当時は原始的資本主義そのもので、ものすごい叩き合いの競争が流行していた。なにもこの海運二社のケースだけではなく、いたるところで馬鹿げた競争が行われていた。海運も鉄道も石炭の売り込みや荷役作業の奪い合いにも馬鹿馬鹿しい過熱話が残っている。

中でも、郵便汽船三菱と共同運輸の競争はその最たるもの、双方がどんどんと料金の割引きをし、最終的にはまったくのタダになった。それどころか、「こちらの船に乗っていただいたら弁当を出しましょう」、さらには「お召を一反つけます」などという無茶苦茶なことまでやり出した。どちらも意地になっていたのだろう。

この結果、渋沢栄一の共同運輸は倒産してしまう。岩崎の郵便汽船三菱の方は、西南戦争その他で資本の蓄積があり、船舶も償却済みだった上、船員の教育もよかったことなどから競争には勝てた。だが、経営的には深手を負い、岩崎弥太郎自身も明治十八（一八八五）年に五十二歳で亡くなってしまう。

当時としても五十二歳はまだ若かった。岩崎がこの年齢で急死したのは、共同運輸との競争が相当にこたえたのではないか、といわれている。

共同運輸と郵便汽船三菱の値引き競争の直前、岩崎と渋沢は会談を持ったことがある。この時、渋沢は岩崎に対し、「きみも一緒になって合本会社にしようではないか。みんなで出資してやろうではないか」と提案した。ところが、岩崎は「会社というのは、みんなが仲良しクラブでやっておったのでは、コストが下がらない。ここはそれぞれの会社の人たちが命を懸け、才覚を発揮して競争し、できるだけ効率のいいものだけが残った方がいい」と主張してケンカ別れになった、といわれている。

この競争に限っていえば、岩崎弥太郎の郵便汽船三菱が勝利し、渋沢栄一の共同運輸は倒産したが、ここには既に日本資本主義の二つの流れが生まれていた、といえるだろう。

◉「財閥」と企業系列グループの違い

一つは、同族で会社を創り、そこで上げた収益は株主（個人）に還元するという岩崎家の三菱に代表される財閥形態である。

もっとも、ここでも最初は岩崎家だが、だんだん三菱本社が株主となり、傘下の各企業から三菱本社に利益を還元して、それを元手に三菱本社が次の事業に投資する、という形になる。例えば、船会社で儲けると次に三菱鉱業を興して石炭を掘り、石炭で大いに儲けると次は造船がよさそうだと三菱重工を設立する。この三菱重工が利益を上げると、その利益を三菱本社に配当して、その資金で三菱化成や三菱電機を創っていく。つまり、「財閥」というものは本来の資本主義の形態を採った形で数々の企業を興していく。

岩崎家の三菱だけではない。三井家、住友家、安田家も同様であった。三井家などは明確に三井家一族の「三井合名会社」が総本社である。

会社は株主（個人）のものだ、したがって、会社の利益は株主（個人）に配当されるべきだ、と岩崎は考えていた。だから郵便汽船三菱会社が上げた利益は岩崎弥太郎個人の手元に入る。それを元手にして岩崎自身が三菱鉱業を設立する、決して郵便汽船三菱会社の子会社に石炭会社があり、石炭会社の子会社として造船会社ができたわけではない。日本でも戦前までは諸外国と同じような形で資本形成が行われていたのである。

したがって、戦前には相当の大会社でも子会社や孫会社が五十もある会社はなかった。財閥系列はあったが、それらはすべて持ち株会社の本社につながっていたのであって、各事業会社や銀行の子会社として設立されたのではない。

日本経済の中で、三菱、三井、住友などの財閥は相対的に巨大であったが、財閥に属する会社は出資者（財閥本社）を共にするだけで、経営は独立していた。それらを統括するのは財閥本社ただ一つ、ここから派遣されるエリート社員も何十人かはいたが、各事業会社は独立で終身雇用も成り立っていなかった。この点は、戦後の金融中心の企業系列グループとは組み立て方も考え方もまったく違っている。

戦後は、企業が利益を上げれば、株主（個人）に配当するのはごくごくわずかに抑え、ほとんどは企業で内部留保され、その企業の経営者の判断で子会社や孫会社あるいは事業の多角化のために投資された。このため、各企業の事業と人脈が拡がり、天下りポストも増えた。

今日では、ちょっと大きな企業なら子会社や孫会社が五百くらいあるのが普通である。日立製作所や三菱商事のような超大企業になると千社を超えるであろう。それだけ多くの子会社や孫会社を創り、事業も多角化したので、中高年の天下り先も多くなり、終身雇用を維持することができたのである。

岩崎弥太郎はじめ明治に財閥を創り上げた人々は、株式会社は株主のものという個人主義的発想に立っていた。それは英米式の純粋な資本主義に忠実なやり方には違いない。

◉雇われ経営者の「財界」

ところが、もう一つの流れである渋沢栄一の考え方は、これとまったく違って、会社というのは一人で持つべきものでなく、みんなが資本金を出し合って創設する合本主義であるべきだ、個人的に多額の資金のある人は、あちらにも少しこちらにも少しと、多くの会社に少しずつ関係するのが正しい、という発想である。みんなが少しずつ資本金を出すと圧倒的な株主はいなくなり、雇われ経営者が会社を運営することになる。

豪農の子から幕臣になり、新政府の大蔵官僚から新知識を請われて会社設立を指導した渋沢は、自らのすべてを賭ける冒険を嫌った。「安全な顔役でいたい」と願う渋沢は、おのずから自分と同じような立場の雇われ経営者に権限と栄誉を与えたかったのだろう。

雇われ経営者というのは、それほど多くの資本金を会社に出しているわけではないが、知識がある、顔が利く、ということで社内の出世の階段を昇って社長なり会長になった人々だ。渋沢は、そういう人々のサークルとしての「財界」というのを考えた。

彼は岩崎弥太郎ほどの大金持ちにはならなかった。渋沢財閥というものがあったわけでもない。いたるところに関係して顔を利かせ、多くの会社を創り、多くの人々を組織化した。けれども、一つの会社を自分が完全に所有していたということはなかった。同時に、どこかの会社の責任を取ることもなかった。前述の共同運輸が三菱との競争に敗れて倒産した時も、渋沢は何の責任も取らなかった。

渋沢は、そういう人々、つまり自分の出資額は少ないが会社の経営に携わっている雇われ経営者や、いろんな企業に出資している資産家たちを集めて商工会議所という組織を創った。さらに日本紡績協会など各種の業界団体も次々と創った。互いに協調していくことが近代経営の基本だと考え、かつ実行したのである。

明治の日本経済界には、渋沢の業界団体志向と、岩崎を代表とする財閥形態との二つの流れができた。しかし、明治十八（一八八五）年に岩崎弥太郎は五十二歳で亡くなり、三菱財閥にも全体を引っ張っていく人がいなくなった。

弥太郎の跡を継いだ二代目社長は弟の弥之助で、これもなかなかの出来物《できぶつ》だったが、個人色でリーダーシップを取れるほどの大物ではなかったため、だんだん協調主義に変わっていく。そこに昭和に入ると、商工省や大蔵省の官僚が産業界にも深くかかわるようになり、渋沢が亡くなった昭和六（一九三一）年頃からは、日本型の官僚主導による業界協調体制ができ上がってしまう。

みんなが協調する、業界全部が官僚主導に歩調を合わすということになると、経営者も官僚化し、各社の昇進が年功序列で決まるという安易な形になってしまう。しかも自分で多額の出資をしている資本家ではないから、できるだけ波風を立てないように前後左右を見ながら、互いに抜け駆けをしない横並び経営に陥ってしまう。

これは官僚統制にはやり易い条件だ。昭和十（一九三五）年頃からは、統制色が強まり、官僚が法規を超えて業界団体を通じて指導統制する体制が生まれた。日本独特の「官民協調体制」といわれるものである。

この体制は、敗戦によって一時崩れたが、戦後になるとすぐまた復活してくる。渋沢栄一が理想とした状況が戦後の日本には確立された、といえるだろう。

◉合本主義の欠点

現在、日本の経済界は、業界ごとの「護送船団方式」だといわれている。

護送船団とは、敵の潜水艦から輸送船を守るために、多数の輸送船を集団にまとめ、周囲を海軍の駆逐艦が取り巻いて護衛していく船団のことである。

例えば、すべての銀行が護送船団の中に入り、その周囲を海軍の駆逐艦に当たる大蔵省が護衛し、一行も脱落しないように進んでいく。これでは船団全部が最も遅い船に合わせた速度でしか進めない。速く進める船も、出力を落としジグザグ行進することになるから、産業界全体が非効率高コストになってしまう。

これはべつに銀行や証券など金融機関に限ったことでなく、トラック運送から医師や米作農家まで、政府の許認可に関係のある業界は、すべて護送船団方式になっている。

政府は料金を許認可する際、その業界の中で最もコストの高い企業に合わせる。つまり最も経営の下手な会社に合わせてコストを算定、一社も潰れないようにするのである。これでは、大変な高コスト高価格になり、諸外国に比べると高額の内外価格差が生じてしまう。

それでも潰れそうになる企業が出ると、救済合併させる。この結果、強き者も弱きを背負って遅くなり、ますます高コスト社会になっていく。政府は、弱い企業も潰れないように微に入り細にわたって監督しなければならないので、ますます官僚の主導制が強固になる。渋沢栄一の「合本主義」には護送船団方式の発想があった。少なくともその萌芽はあったといえるだろう。

護送船団方式で、スピードの速い船も遅くするとなれば、スピードの速い船には余裕ができる、つまり優良企業は儲かりすぎるはずである。しかし、経営が上手で経営資源がよいからといって、特定の企業があまり利益を上げると世間の非難と足並みの乱れを招く。

したがって、経営が上手で経営資源に恵まれた企業には、役所の天下りを採れとか、窓際族を養えとか、業界団体に寄付をしろとか、わざと無駄を作らせて利益格差がないようにする。それでも利益が多いと、悪い企業を吸収合併させる。その代わり吸収企業のシェアや営業地域を加えてシェアを拡げることができる。優良企業をそれに応じさせるためには、経営者の評価を利益率ではなく、企業規模や業界内のシェアで測る必要がある。

一九八〇年代までの銀行行政は、まさしくその典型だった。その結果、すべての銀行のコストは上昇、一旦バブルが崩壊すると、全部が巨額の不良債権を抱えた状況になってしまう。

現在の日本では、国際競争に曝《さら》されることの少ない建設、金融、運輸、電力、通信、情報などは、護送船団方式で守られているため一ドル＝二百円以上という割高になっている。渋沢栄一の考えた合本主義の欠点が今になって現れてきた、といえるだろう。

渋沢栄一はそのような特殊な日本的資本主義を提唱し実現したという点で、現在の日本に大変大きな影響を与えた人物なのである。

◉日本式出世階段

もう一つ、渋沢栄一が残した重大な影響は、経営者の人生目標についての考え方である。

岩崎弥太郎的な発想でいくと、経営者は、事業を伸ばしカネを儲けることが人生の目標である。実業家はカネを儲けても死蔵するわけではない。その利益で次々と新規事業を興すことによって社会に貢献する。したがって、自分のような上手な経営者が頑張って多くの事業を推進すれば、世の中に上手なやり方や新しい技術が普及し、社会の人材と資源が効率よく使われるようになる。

これによって自分も儲けるが、社会もよくなり、世の中は豊かになり、人々が能力を発揮する職場もできる。これが実業家の真の社会貢献というものだ。岩崎弥太郎はそう主張したかったに違いない。この発想はアングロサクソン的個人主義、原初的な資本主義の発想である。

それに対して、みんなが仲良く協調する合本主義で行こうという渋沢的発想では、特定の会社だけが能力を発揮して安いものを作れば、それができない多くの企業が困ってしまう。だから、協調性のある経営者が財界のリーダーになり、業界内の調整に当たるべきだ。したがって、実業界の中で高く評価すべきは、会社の利益を増やし財産を築いた人ではなく、業界団体の世話役、まとめ役を長く務めた人である。

今日でも、大抵のサラリーマンは、会社に入って課長、部長、取締役になる頃までは、会社のためばかりを考えるが、それも大体は常務まで、専務、副社長ともなると業界全体のことも視野に入れてあまり無理をしなくなり、社長になると業界協調を重んじることが多い。さらに、会長になると業界の世話役から商工会議所の会頭や経団連の会長、副会長を狙い出す。つまり、経営者から「財界人」になるのだ。財界人として業界のまとめ役、政府の御意見番になる。「現代の渋沢」こそが多数の経営者の理想なのだ。

戦後も、岩崎型と渋沢型の二つの流れが経営者の間にはある。自らの才覚で会社を伸ばすことによって社会に貢献すべきだと考える「岩崎派」の後継者は、松下幸之助だろう（第十二章参照）。

松下は経団連会長や商工会議所会頭にはならなかった。もっぱら松下電器産業及びその関連会社を発展成長させ、便利な製品を安価に生産して消費者に提供すると共に、従業員には高い給与を支払い、株主には配当と株価で報いることこそ世の中をよくする、といいつづけた。つまり、松下電器産業と松下グループの発展とその製品の進歩を通じて社会に貢献するのが経営者としての自分の務めだ、その結果、自分も大株主として大金持ちになったのは当然の報いである、という哲学である。

松下流の発想で日本の経済と日本人の暮らしに貢献した経営者としては、本田技研を創立した本田宗一郎やソニーの井深大《いぶかまさる》、大和ハウスの石橋信夫らを挙げることができる。

一方、サラリーマンとして大企業に入り、社内の出世の階段を昇りつめたのちに経団連会長や商工会議所会頭の地位に就いた人物にも、歴史に名の残るような大物が少なくない。ただ彼らは「財界人」としては優れていても、企業経営者として特に優秀だったか否か、つまり経営がどれほど上手だったかは必ずしも鮮明ではない。

例えば、松下電器産業に比べると、東芝の業績はかなり劣る。戦前から東芝は大企業だったが、戦後は松下電器産業の後塵を拝することになった。その限りでは松下幸之助はすばらしい経営者であり、東芝にはそれほどの人材はいなかったといわざるを得ない。

ところが、東芝からは石坂泰三《たいぞう》と土光敏夫と経団連会長が二人も出た。しかも、いずれも大会長の誉れ高い人物である。渋沢的尺度でいえば、石坂も土光も最高の財界人、合本主義の体現者ということになるだろう。

◉渋沢型からの脱却の時機

日本特有の「財界」の存在、経営者から財界人への出世の階段、それを生み出し、実行し、残したのは、まぎれもなく渋沢栄一だが、さりとて渋沢が戦後の日本の財界のあり方や徹底した護送船団行政をどれほど予想していただろうか。

というのは、戦前までは財界の世話役として優れた人物であれば、その人物の企業規模など問題にしなかった。ところが戦後は財界世話役を選ぶに当たって、その人自身の人格や識見だけでなく、その人の経営する企業の規模というのが加わった。

渋沢栄一の時代には、彼自身がそれほど大きな会社を自ら経営していたわけではなく、世話役に徹していた。様々な企業を創り出し、約五百の会社に関係していたのだから、そのすべてを見ることは不可能である。一日一社ずつでも一年一回は回り切れない。渋沢の仕事は、一種の経営コンサルタント兼起業指導者、そして何よりも世話役として出資勧進を行い、適任者を選んで経営させるという組織者である。

渋沢栄一は、明治においては文明開化の新知識であり、その実績が昭和にまでものをいった。その渋沢が引退すると、次の段階では財界世話役の専門家ともいうべき人々が現れた。

経営する企業の規模は大きくないが、古くからの有名な老舗《しにせ》であり、本業に熱中しなくとも会社は安泰だ、むしろ人格高潔で見識豊かな点を見込まれて、財界まとめ役として請われた人望家である。

例えば、大阪商工会議所の玄関には、三体の銅像が建っている。

その第一は五代友厚。「関西の渋沢栄一」といわれ、西日本に多くの会社を設立し、大阪商工会議所の生みの親ともなった人物である。

第二は稲畑勝太郎。稲畑産業という染料会社の経営者だった。規模は大きくないが稲畑産業は明治以来の伝統のある企業で、その経営者である稲畑勝太郎は大阪商人の手本といわれ、人格も識見もしっかりしていた。この人なら大阪財界をまとめるのに適任というので商工会議所の会頭に就任、数々の業績を残した。

第三は杉道助。戦後の経営者で、商事会社の八木商店の社長であった。八木商店も先々代からの商事会社で、「五綿八社」（大手五社と中堅八社）といわれた関西系貿易会社の八社（中堅）の一つである。だが、その経営者の杉道助は人格や識見が高いとされ、温厚な人柄と相まって大阪財界のまとめ役に選ばれ、大阪商工会議所会頭を長く務めた。

しかし、それが通用したのは昭和三十五（一九六〇）年まで、やがて「大きいことはいいことだ」との美意識が財界人の評価にも入り込み、経営する企業の規模を問題にする時代になった。つまり巨大企業のトップでなければ財界トップに据わることはできない、という事態がはじまったのだ。

これには、経団連の会長や商工会議所の会頭ともなれば、多数の秘書団を自前で置き、年々相当額の交際費がかかるようになったことも関係している。中小中堅企業の経営者ではそれほどの負担を持ち切れない。このため、経団連の会長は東京電力、新日鉄、東芝など、潰れる心配のない大企業の経営者から出ることになってしまった。

諸外国の資本主義には見られない官民協調体制や業界談合体制が、この国にでき上がったのは渋沢栄一の合本主義にはじまった。これが明治の近代化や昭和の復興には大いに役立った。しかし今後もこの状態をつづけるべきなのかどうかは、また別の問題である。

私の個人的な見解としては、今や明治維新あるいは終戦直後のような乱世に入った。しかも今日では明治や戦後のように、欧米から新しい技術や知識がどっと入ってくるわけではない。したがって今後は、渋沢型の財界人よりも、むしろ明治の岩崎、戦後の松下幸之助や本田宗一郎のような経営者・起業家を必要とするのではあるまいか。

しかし、官民協調による渋沢的形態を保とうとする官僚と既成企業の動きは、絶えることなくつづくだろう。行政改革、規制緩和、自由競争社会の構築等々のキャッチフレーズは、渋沢的なものからの脱皮を意味している。それをこれほどまでに熱唱しなければならないのは、渋沢栄一の影響の強さを物語っている。

◉『論語』的発想の限界

渋沢が座右の書としていた『論語』を、以前、NHKの番組に出た時に見せていただいたことがある。だいぶ読み込んであったらしく、擦り切れた状態になっていたが、それは朱子学の『論語』であった。

朱子学が日本の資本主義や近代工業化に与えた影響については、一九六〇年代までと九〇年代では、まるで異なる評価がなされている。

かつては、ヨーロッパがルネッサンスや産業革命で大発展したのに、アジアが停滞したままなのには『論語』の悪影響がある、といわれたものだ。『論語』の教えでは、社会には固有の秩序があり、親と子、君と臣、長と幼、男と女といった序列が不変の重みを持つ。つまり、新しい制度や発想で世の中の序列を引っくり返す下剋上はよろしくない、というのだ。

下剋上は民主主義にも通じる。明治初期には「デモクラシー」を「下剋上」と訳した辞書もあったくらいだ。したがって、『論語』を中心とする儒教の教えは、新規産業や体制改革によって従来の秩序を引っくり返す進歩発展を嫌うため成長を妨げる、というマイナスの評価が強かった。

ところが、昭和五十五（一九八〇）年頃からは、韓国、台湾、シンガポール、香港が急成長、つづいて東南アジア各国が、九〇年代に入ると中国も、ものすごい勢いで経済成長し出した。その結果、「儒教文化圏」「儒教経済圏」といった言葉が生まれ、『論語』を中心とする儒教の教えの中に勤勉の精神を見出そうとした。特に朱子学の「主知主義」（知識を重視する思想）が家族制度と結びついて勤勉な労働や熱心な進学勉強を促しているのではないか、という積極的な評価が拡まり出した。

渋沢の思想には、こうした意味での『論語』（儒教）の思想が反映している。

一方においては多くの進歩的な事業を興したが、他方においては秩序と協調を重視した。岩崎弥太郎のような「幾百万と雖《いえど》もわれ征《ゆ》かん」ではなく、みんなが出資し、みんなで利益を分けることを強調したのである。

ただ、この場合、あくまでも対象は会社に出資できる上流階級に限られている。各地の素封家から資金を集めて国立銀行を創る、東京や大阪の豪商から資金を集めて共同運輸を創る、つまり、ある階級秩序の存在を前提にした上流階級協調主義を考えたのだ。これは『論語』的な発想といえるだろう。

『論語』は「貧しきを憂えず、等しからざるを憂う」と説きながら、同時に、殿様は殿様、家来は家来、農民は農民といった秩序の維持を説く。

朱子学の影響が強かった徳川時代には、将軍も大名も農民も、もっと貧しい人もいることが目に見えているのに「等しからざるを憂う」といっていた。ここで名君といわれた将軍や大名が求めたのは、「ヨコの平等」ではなくて「タテの平等」である。

平等には「機会の平等」と「結果の平等」とがある。誰でも入学試験が受けられる、議員に立候補できる、自由に商売ができる、これは「機会の平等」である。

しかし、「機会の平等」を保つと合格する人と落第する人が、当選者と落選者、繁盛する会社と倒産する会社が出る。つまり結果は不平等にならざるを得ない。アメリカ独立宣言やフランス革命のスローガンとなった「自由・平等・博愛」の「平等」とは、このことである。

これに対して『論語』は「結果の平等」を説いている。そしてその「結果の平等」にも「タテの平等」と「ヨコの平等」とがある。

徳川時代は「ヨコの平等」はなかった。殿様と農民、親と子、男と女は平等ではなかったし、それを変えようという革命思想もほとんどなかった。にもかかわらず、なぜ「等しからざるを憂う」といったのか。ここでいう「等しい」とは「タテの平等」を実現することだったのだ。

ある時点での日本国民の所得や資産に大きな差がなければ、経済的な「ヨコの平等」が実現したことになる。これに対して、三十年前に足軽だった人が今も同じ足軽であり、二十年前に大学を卒業して入った同期の社員が今はみな課長になっているとすれば、その集団の中での「タテの平等」が保たれていることになる。

三十年前に殿様だった人の中から今は足軽になっている者もいる。逆に三十年前に足軽だった人で今は殿様になっている人もいる。それぞれにそうなるべき理由はあっても、これは「タテの不平等」なのだ。

『論語』の中に深く入っているのは、「タテの平等」主義だ。現在の日本も「タテの平等」主義が非常に強い。

例えば、米作り農家は、一生、米作り農業をしていられるように保護しようとする。ひょっとしたら農業をやめてマンションを建てた方がずっと豊かになるかも知れない。けれども、以前と同じ立場に置いておく方がみんな安心である、だから農業がつづけられるように保護してくれ、というわけだ。

年功序列は企業や官庁の職場社会における「タテの平等」を保つための仕組みである。同期に入社した者は、課長クラスまではみんな一緒に昇進していく。これがまさに渋沢的協調主義と表裏をなしている。そしてそれが現在の官民協調主義にまで発展したわけである。

「タテの平等」は、世の中全体を発展させない。これを維持させるのは「嫉妬の政治」である。この点に『論語』の限界があり、渋沢的協調主義の限界もある。

平成の日本が「渋沢」を超えられるか、あるいは「渋沢」を捨てられるか――これは目下の大問題、行政改革の成否を決める重要ポイントであろう。

第十章

マッカーサー

――日本を「理想のアメリカ」にする試行

◉ウェストポイントを首席で卒業

「日本を創った」人物の十人目として、ダグラス・マッカーサー元帥を取り上げたい。私が選んだ十二人の中では、ただ一人の外国人である。

戦後六十年経った現在の日本を考える上で、マッカーサーに象徴される占領軍の果たした役割はきわめて大きい。また戦後の日本を占領した連合国軍の最高司令官であり、GHQ（総司令部）を統括した人物が、アメリカの軍人としても個性の強いダグラス・マッカーサーであったことは、現代日本に少なからぬ影響を与えている。

まず、この人物の経歴を述べておこう。

ダグラス・マッカーサーは一八八〇年に、アメリカ合衆国アーカンソー州のリトルロックで生まれた。アーカンソー州というとクリントン元大統領の出身地だが、リトルロックはその州都である。父のアーサー・マッカーサーも陸軍軍人であり、リトルロックに駐在した時にダグラスが生まれたのだ。

だから、生粋の南部人というわけではない。先祖はスコットランドの名門だったと、マッカーサーはその自叙伝に長々と書いているが、これだけでも彼の自己顕示欲や家系に対する誇りの強さを知るのに十分だろう。この誇りの高さが、彼の言動にも影響し、際立った特徴とさえなった。

少年時代に、父のアーサーは、アメリカ領になったばかりのフィリピンで駐留米軍総司令官となった。フィリピンは、十九世紀末の米西戦争の結果、スペインからアメリカに割譲された植民地である。

当時のフィリピンはさほど開けていなかった。また、世界的にも白人優位の植民地主義が強い時代だった。そんな時代の駐留軍総司令官の息子としてマッカーサーは育ったのである。

ダグラスは順調に成長、やがてウェストポイント陸軍士官学校に入学、記録的な成績を残して首席で卒業した。彼の成績の良さはアメリカ陸軍の将軍のほとんどを育てたウェストポイントでも、いまだに語り草になっている、といわれるほどだ。大変な勉強家であり、驚くべき記憶力の持ち主だったらしい。

一九〇五（明治三十八）年には、父が日露戦争の観戦武官となった関係もあって来日し、父の副官として日本にしばらく住んだこともある。

第一次世界大戦がはじまり、アメリカが参戦すると、精鋭をもって組織する「レインボー師団」の創設を提言して容れられ、自ら参謀長となって指揮をした。「レインボー」には大西洋の架橋としてアメリカからヨーロッパ戦線へ行くという意味と、夢のエリート師団という意味とが込められていた。選り抜きのエリート師団を編成して自ら参謀長になると提言したあたりにも、エリート意識と自己顕示欲の強さがうかがわれる。

その後、一九一九年には三十九歳で陸軍士官学校の校長となり、一九二五年には四十五歳で少将、一九三〇年には五十歳で陸軍参謀総長となった。いずれも最年少記録であり、陸軍の中では超エリート・コースを歩んだわけだ。

ところが、マッカーサーを考える時には、ここで注釈が必要である。超エリートの軍人として最も活躍した一九二五年から三〇年にかけては、軍縮から大恐慌の時代だったことだ。

一九二〇年代から三〇年代はじめにかけて、ワシントン条約やロンドン軍縮会議があり、アメリカは猛烈な軍縮を行った。第一次世界大戦が終わったあとのアメリカの軍縮は、他の国々に比べても凄まじい。あっという間に軍事費をGNPの約一パーセントにまで引き下げてしまったのだ。今日の日本の自衛隊くらいの比率である。

ワシントン条約では、軍艦の量が制限された。これは日本もイギリスその他の国も同様だが、クーリッジ米大統領は、造りかけの軍艦を映画会社に売り、それを撃沈する光景を撮影させるようなことまでした。軍人にとっては経済的にも組織的にも苦しかったが、精神的屈辱はそれ以上に大きかったに違いない。

陸軍でも師団が削減され、新しい兵器等はほとんど購入できないような状況になった。世界中が平和ムードで不戦条約等が結ばれ、軍備はどんどんと縮小していく。社会的にも軍人の地位は低下し、優秀な人材が軍に入らない時代だった。

日本でも「大正軍縮」といわれたこの時代には、軍服を着て料理屋へ入れば馬鹿にされる、軍人では嫁の来手がない、などといわれた。日本よりもずっと厳しく長くつづいたアメリカの軍縮時代と、マッカーサーが陸軍少将になり参謀総長になって活躍した時代とが重なっているのは注目すべきところである。

父も軍人であり、自分もウェストポイントの陸軍士官学校を首席で卒業した超エリート軍人であるマッカーサーは、志を達せられない思いで悶々としたことだろう。

◉フィリピン奪回から日本占領へ

やがて民族主義の成長と共に、フィリピン独立の機運が盛り上がってくる。一九三五年、マッカーサーは陸軍の予備役になってフィリピン国軍創設の軍事顧問となった。父が総司令官だった時のフィリピンは完全な植民地だったので、アメリカ軍が駐留して防衛に当たっていた。息子のマッカーサーは、ルーズベルト大統領がフィリピンをやがて独立させると宣言したのに応じて、独立国の新しい軍隊を作るための軍事顧問として赴任したのだ。もちろん米軍もかなり駐留していたが、父の時代のようには張り切っていなかっただろう。

フィリピン軍創設顧問となったダグラス・マッカーサーは、将来独立した時のフィリピン憲法の草案作りにも参画し、いくつもの案を考えた。その流れが、のちの日本国憲法の草案にも引き継がれている。つまり、マッカーサーの描いた理想というものが、一貫して流れているのだ。

フィリピンの軍事顧問を退役したあと、一九四一（昭和十六）年七月、日米の間に戦争が起こりそうだというので現役に復帰、極東アメリカ陸軍司令官となってフィリピンに駐在することになった。マッカーサーの生涯は、アメリカ陸軍軍人としては珍しく極東と縁が深い。そしてその五カ月後に太平洋戦争がはじまった。日本軍の猛攻撃を受けたマッカーサー大将は、コレヒドール島からミンダナオ島を経てオーストラリアへ脱出した。そこでの第一声が、「アイ・シャル・リターン」（私は帰る）という有名な言葉である。フィリピンを出る時ではなく、オーストラリアに着いた時にいったらしい。

やがて戦況がアメリカ側に有利となると、マッカーサーは勇躍反攻に出た。この時、アメリカ軍の日本に対する反攻の筋道は二つあった。

一つは太平洋艦隊司令長官のニミッツ海軍大将（のち元帥）が立てた作戦で、マリアナ諸島から西へ進んで硫黄島を占領して日本本土に達する、いわゆる「飛び石づたいの進攻」である。あまり地上戦をせずに島を占領して航空基地を造り、そこから航空母艦を発進させて日本を海上封鎖して、戦力をなくさせようというものだ。

一方、フィリピン奪回に執念を燃やすマッカーサー大将は、オーストラリアから北上して、まずニューギニア島を占領し、南太平洋からフィリピンのレイテ島、そして約束したフィリピン全土を奪回して沖縄と台湾へ渡り、日本本土に上陸するというものだ。広大な陸地を占領していく作戦である。

日本との戦争に勝利するという合目的性からすれば、ニミッツ提督の作戦の方がはるかに効率がよく、費用も少なくて勝てるだろう。けれども、政治的に考えるとマッカーサー大将のニューギニア、フィリピン、台湾を次々に解放していく方が華やかで、大義を立てる効果はある。こうした作戦の中にもマッカーサーの高度な政治性が入っていた。

結局米軍は、この二つの作戦を二つながら実施、海軍力によって日本を封鎖すると共に、地上軍を使ってフィリピンや沖縄を占領した。なお、この作戦の最中の一九四四（昭和十九）年、マッカーサーは元帥に昇格している。

昭和二十（一九四五）年八月十五日、日本降伏。時を移さず日本占領の連合国軍最高司令官に任命されたマッカーサー元帥は日本へ乗り込んだ。占領軍が厚木航空基地に到着したのは八月三十日であった。ただちに横浜税関を総司令部（GHQ）に当て（のちに皇居堀端の第一生命ビルに移転）、この日から日本占領がはじまった。ついで九月二日、ミズーリ号艦上で降伏文書調印式が行われ、これによって日本は正式に占領下に置かれた。

マッカーサーが日本に大きな影響を与えたのは、もちろん日本軍を破った軍人ということもあるが、それから約六年間にわたる占領政策に負うところがより大きい。

日本占領時代の昭和二十五（一九五〇）年六月に朝鮮戦争がはじまった。マッカーサーは、時を移さずアメリカ軍を中心とする国連軍の司令官に就任した。この時も彼は、単なる軍司令官としてだけでなく、いろいろと政治的な理想や主張を持って対応した。そしてそれもまた、日本の将来に重大な影響を残すことになったのである。

朝鮮戦争では、当初は南の韓国軍が大敗を喫した。急遽、日本に駐留していたアメリカの第二十四師団が救援に駆けつけたが、北朝鮮側（現在の朝鮮民主主義人民共和国）の重戦車隊は強力で、第二十四師団はほとんど壊滅、師団長のディーン少将も捕虜になるという苦戦を強いられた。米韓軍は「釜山橋頭堡《プサンきょうとうほ》」といわれた狭い地区に追い詰められ、海に追い落とされるのではないか、と心配されたものだ。

しかし、やがて米本土から第一軍の増援を得たマッカーサー元帥は、仁川《インチョン》上陸作戦を決行し、釜山橋頭堡にいた第八軍と挟み打ちにして、北朝鮮側を撃滅する派手な作戦を展開した。ここにも政治的な効果を重視するマッカーサー流の演出が見られる。

しかし、一九五〇年秋からの反攻に成功したマッカーサー指揮下の米韓軍が北上して中国との国境近くまで進むと、また逆転が起こった。十一月の末、マッカーサーは「今年のクリスマスまでには朝鮮全体を占領する」という楽観論を公《おおやけ》にしていた。もっとも、正確には「クリスマスまでに二個師団を帰したい」と述べたのが誤解されたというが、いずれにしろ、「クリスマスまでに勝つ」と思っていたことは確かだろう。

ところが、現実はそれどころではなかった。凍結した鴨緑江を渡って中国義勇軍が大挙して朝鮮に進入、その猛烈な反撃を受けて米韓軍は劇的な大損害を被って敗走するのである。

第八軍司令官のウォーカー中将も戦死するほどの大敗で、米軍は多数の将兵と装備のほとんどを失ったといわれている。

窮地に立ったマッカーサーは、朝鮮の北側、中国東北部を爆撃して中国軍の補給ルートを遮断する全面戦争をやるべきだと主張した。この時、マッカーサーは、そして彼の司令部が駐屯する日本は、東西冷戦の最先端に立っていたし、世界もまかり間違えば第三次世界大戦の瀬戸際にいたのである。

だが、当時の米大統領トルーマンは、中国と直接対決に入るのを嫌い、マッカーサー元帥を解任するという事態にまで発展した。

マッカーサー元帥は一九五一（昭和二十六）年に解任され、祖国へ帰った。既に七十歳を超えていたマッカーサーは、議会演説で「老兵は消え去るのみ」の名言を残して退官し、一時はレミントン社の社長ともなった。老後はニューヨークの高級ホテル、ウォルドルフ・アストリアに住み、この人らしい華やかさを保っていた。一九六四（昭和三十九）年、八十四歳でその生涯を終えている。

◉「理想のアメリカ」をお手本に

日本の占領政策が、このような個性の強い軍人によって展開されたことは、戦後の日本にきわめて大きな影響を残した。

同じ敗戦国でもドイツの場合は、占領軍司令官はアイゼンハワー元帥（のちの大統領）だったが、東半分はソ連が、西半分をアメリカ、イギリス、フランスの三カ国が占領するという複雑な形になった。そして米英仏の西側の占領政策は、文官のマックロイ高等弁務官が主導した。日本の場合は事実上米国の単独占領であり、軍最高司令官であるマッカーサーが政治も経済も、憲法改正や皇室の儀式も一切を主導する立場となった。

その時、マッカーサー元帥は、これから自分が支配する日本という国に対して大きな夢を抱いた。その夢とは、かつてフィリピンで描いたと同じように、日本をアメリカ的民主主義国家にすることであった。それを最も端的に表したのが「日本十二歳論」である。

「現在（一九四〇年代後半）の日本は十二歳、中学校一年生くらいの水準である。だが、やがては中学校を卒業して高校に行き、一人前になって社会に出る。そして最後にはアメリカと同じような立派な大人の国になれるだろう。日本国民は、それを目指して頑張るべきだ」

マッカーサーだけではなく、終戦直後に日本にきた戦後第一世代の知日家といわれたライシャワー博士などは、みな同じような考えを持っていた。

「アメリカと日本はいろいろなところが違っている。それは日本が経済的に貧しく、文化的に後れているからだ。やがて日本も経済が豊かになり、文化が発展し、民度全般が上がれば、アメリカと同じような国になるに違いない。アメリカと日本の違いは主として発展段階の差である。戦争中には間違った指導があったが、これからは日本も民主主義の国になり、豊かな工業国家になると、アメリカと同じような個人の選択を重んじる文化を持つだろう。また、そうなるべきである」

この思想はその後も長く尾を引き、「日本も豊かになればアメリカと同じような民主主義と自由経済の国になるだろう」といわれつづけた。

但し、マッカーサーが「日本もアメリカと同じ国になる」といった「アメリカ」とは、現実のアメリカというよりは、マッカーサーが理想として描いていた「あるべきアメリカ」だった。

先に述べたように、父と共に青少年時代をフィリピンと日本に過ごし、一九三五年からまたフィリピンに駐在、そして日本の占領軍司令官となったマッカーサーは、本国よりも外国にいることの方が多かった。このため、祖国アメリカを実際以上に美化し、理想化した思想を持っていた。そしてその「理想のアメリカ」に日本を近づけようとしたのである。

では、彼が描いた「理想のアメリカ像」、日本が近づくべき対象とは、どんなものだったのだろうか。

◉「極東のスイスであれ」

まず、外交的には、文句なく対米追随である。これは彼自身が軍司令官として占領していたのだから当然のことだが、特に一九四九（昭和二十四）年、蔣介石政権が中国大陸を追い出され、中華人民共和国が成立して極東に冷戦構造が確立してからは、日本をアメリカ陣営の一員として利用できる同盟国にしようという意識が強くなった。

冷戦構造の中で、単にアメリカのために日本を子分のような同盟国にしようとしたのではない。マッカーサーは、日本が幸せになるためにも、「正義の国」アメリカ陣営に属し、アメリカに協力し追随することが不可欠だと信じていた。これはアメリカの軍人として、あるいはアメリカから派遣された施政官として当然の役目であると同時に、アメリカを理想化したマッカーサー個人の信念でもあっただろう。

次に、日本の政治の形は、アメリカ型の投票制民主主義に基づく議会制民主主義とした。但し、アメリカと違うところは大統領制でなく、議会選出の首相とし、象徴天皇制を認めた点だ。天皇は象徴であって政治に口を出さない、政治を行うのは投票で選ばれた国会議員であり、国会議員から選ばれる首相である。ここではアメリカ型の大統領直接選挙制を排して、イギリス型の議院内閣制を選んだ。戦後の混乱の中で全国的な大統領選挙を行えば、反米的人物が当選する恐れがある、と危惧したのかも知れない。

同時に、アメリカ型の地方自治を重視し、それが定着すると期待していた。地方自治については、もともとアメリカ人と日本人の考え方がまったく違う。マッカーサーはこの点を理解していなかったらしい。

「人間は誰しも自分の町を自分たちで治めたがっているはずだ。したがって、地方を統制している内務省を廃止し都道府県の知事を住民の直接投票で選ぶようにすれば、都道府県は強力な自治体となって中央政府をチェックするだろう。アメリカの各州のようになるに違いない」

マッカーサーはそう信じていた。つまり、国の抑制を取り除けば地方自治は進むものだ、住民はそれを望んでいるはずだ、と考えていたのだ。この地方自治と強力な権力を持つ国会との組み合わせによって、日本がアメリカ型の民主主義国になるものと、予測したのである。

経済の方はどうか。ここでもマッカーサーはアメリカ型の自由競争の市場システムを持ち、軍事力強化につながらない中小企業と小規模自作農の国がよいと考えた。一時は一ドル＝百円前後になるほど日本の製造業の国際競争力が強化されるとは想像しなかった。

もっともこれはマッカーサーだけの誤りではない。日本人もアメリカ人も、みんなそう思った。違ったところは、マッカーサーの日本観では経済水準がそれほど高くならなくとも、みんなが平和に暮らせる国になれば日本人は満足する、と考えていたことだ。そのため、中小企業と小規模自作農が栄えるように財閥解体と農地改革と労働組合の確立の三つが必要だ、と考えたのである。

マッカーサー元帥の考え方では、まず自由競争を徹底し、財閥を解体する。そして再び財閥ができないようにアメリカ型の独占禁止法を布いておく。そうすると中小企業が発達する。同時に農地を解放し、小作をしていた人々が土地を持てるようにする。土地を持った農民は保守化するので、大都市集中にはならないだろう。小規模自作農と農村に点在する中小企業の国なら、軍事産業は発展しないから再び世界に害を及ぼす国にはならず、平和で美しい国になるだろう。これがマッカーサーの理想とした「日本は極東のスイスであれ」である。

そもそも人口が数百万の山国スイスには、大企業が育たない。けれども、国民の生活水準は非常に高い。そういう国であればいいのではないか。スイスを美化した点や、スイスの地理的条件や観光立国といったことを無視した点は多々あるが、日本が中小企業と小規模自作農によって成り立つ平和な国であってほしいという考えは、当時としては好意的でもある。

◉平等と安全重視の倫理を注入

社会意識の改革では、マッカーサーはまず日本を古い封建社会と考え、欧米式の

「平等」を広めようとした。男女平等や労働組合の推進、農地解放等がそれであり、朝鮮戦争がはじまるまでは、むしろ左翼的な労働運動を支援した。これには、第二次世界大戦中のルーズベルト政権で勢力を伸ばしたニューディール政策派の影響も強かったようだ。

また、「平等」を実現するためには日本の大家族制度を廃止しないといけない、と考えた。マッカーサー元帥とそのブレーンは、日本の大家族制度を、本家の家長を頭とする拘束的な階級制度だとみなし、それを全国家的に拡大したのが戦前の天皇制だ、と考えていたらしい。

したがって、これを廃止しなければ平等な社会にならないとして、男女平等を重視すると共に「長幼の序」をも敵視する政策を採った。これこそマッカーサー元帥が残した最も大きな社会意識の変革だった。

次に「安全」を正義として教えた。安全というと、まず第一に〈平和〉である。戦争ほど危険なことはない。したがって、日本国憲法に戦争放棄を掲げ、あらゆる戦争は悪だと教えた。併せて暴力や腕力も徹底的に否定、教師や親の「愛のムチ」さえ厳禁した。

安全の第二は〈健康〉である。戦後の行政と教育の中で健康には非常に力を注ぎ、害虫や寄生虫の駆除に努力をした。今は有機農法がよいともいわれているが、終戦直後には日本人の七〇パーセントに寄生虫が発生したので、有機農法ほど健康に悪いものはない、汚らしいものだ、と宣伝された。近代農業は、化学肥料と農薬によって行わなければいけない。そんな清潔感を全日本に植え付けたのである。これがマッカーサーに代表される占領軍の衛生感覚でもあった。占領軍自身が日本の野菜は汚いから食べない、という噂を流したこともある。

今日から見れば、一般のアメリカ人はそれほど清潔に神経質とは思えないが、日本を占領したアメリカの軍人は、現実以上に清潔感を強調した。日本は汚いから気を付けろ、というような意識を植え付け、「アメリカ人はこれほど清潔に気を使っている」というデモンストレーション効果も狙ったらしい。

第三は〈事故災害の防止〉である。労働災害の防止などで安全を強調したことが、今日の建築基準法や消防法などにも影響しており、日本を規制社会にし高コスト社会にしている。

マッカーサーの安全重視の倫理の注入は、単に戦争放棄というだけではなく、健康問題から一切の暴力否定まで、日本社会に深い影響を今も（ますます）残している。

文化の面では、一も二もなくアメリカ文化が最高であると宣伝した。特に、スクリーン（映画）・スポーツ・セックスの「3S」は、アメリカ文化の象徴として宣伝された。

マッカーサーは、自らが信じるアメリカ文化の普及のために学校教育を利用した。六三制の民主教育の中で、戦前にはなかったホームルームやPTA活動などを導入した。

しかし、教育に関しては、マッカーサーの思うようにならなかった面が多かったはずだ。規格大量生産に適した没個性的人間をつくる「国民学校」制度の基本である初等教育公営制と通学区域を残したからである。

どうやらマッカーサーのブレーンは、徳川時代に遡る日本人の教育熱を見落としていたらしい。マッカーサー自身は、「日本の靴磨きの男女がみな新聞を読んでいる」と、その識字率の高さに驚いているが。

最後にマッカーサーは、日本が再び軍国主義・帝国主義の国にならないために、精神主義の否定に努めた。それは、ある意味では「近代化の流れ」でもある。

近代主義とは、客観性を重んじ物質文明を重視する。西洋の精神主義は中世的な宗教万能にも通じる。マッカーサーは「近代化」という名のもとに精神主義を否定し、この国に唯物主義を植え付けようとした。アメリカの物質的豊かさに感服させることで日本にアメリカ信奉を揺るぎないものにしようとして、経済学者や経済官僚を重用し、「豊かな国アメリカに学べ」という効率重視の価値観を宣伝した。効率が、平等と安全に並ぶ「戦後の正義」になったのである。

その一方では、日本の天孫降臨神話や大和魂を完全に否定することにも努めた。このために占領軍は、日本は戦争でアメリカの物量に敗けたという宣伝をした。物資不足の日本人に受け入れられ易い論理であり、勇戦したつもりの一般国民には納得できる話でもあった。

要するにマッカーサーは、一方には理想化したアメリカ文化を置き、他方には偏見に満ちた古き日本文化を置いて、戦後の日本をアメリカ礼讃の国に創り上げようとしたのである。

◉投票制民主主義と地方自治の空洞化

さて、このマッカーサーの意図は現実にどうなったのか。

その通りになった部分、ならなかった部分、日本的な風土にマッカーサー的思想を入れた結果、一種の化学変化を起こして別物が生まれた部分等々、いろいろな面がある。

まず、外交の面では、マッカーサーの意図はほぼ完全に成功した。以後、日本は対米追随外交を展開し、これがいささかでも揺らいだのは昭和三十五（一九六〇）年の安保闘争の時だけである（平成二年以降は別だが）。また、西側陣営に属することが、日本にも大変な利益をもたらした。日本はマッカーサーの決めた通りに対米追随をしたことで、安上がりの安全保障と安定した資源輸入と巨大な輸出市場を得て、日本経済の高度成長を実現させたのである。

しかし、政治体制の面では、マッカーサーの意図した投票制民主主義と地方自治との組み合わせは、現実の日本では急速に空洞化し、中央官僚集権型になってしまった。

地方自治とは、個人の自助の精神が拡大したものである。人間はみな自分自身で自分を助けて幸せを追求する。この自助の精神を地域社会に拡大したのがアメリカ型の地方自治だ。

自分の力で自分の幸せを追求するのが本来の生き方である。したがって、自分で戸締りもし強盗も追い払うのが最もよい。しかし、強盗には一人では勝てないから隣近所の人が集まって自警団を創る。自警団ではほかの仕事が妨げられるので、お金を出し合って保安官を雇う。西部劇の世界のように自助の精神の拡大としての自治があり、それが集まって州を創り、州が集まって国を創ったのが、アメリカ合衆国である。それと同じような発想をマッカーサーは日本人に期待した。

しかし、もともと日本には地域住民に自治の発想がなかった。いやその前に、自助の精神が存在しなかった。米作農村の伝統を持つ日本は、本来的に集団主義である。

したがって、マッカーサーの指示した自治体ができ上がってみると、自治体は国の権限を分けてもらうところであり、中央官庁から補助金や交付金をもらって国の行政を代理する機関になってしまった。

現在議論されている地方分権でも、各自治体は、国の権限や財源をどれだけ分けてもらえるか、ばかりを熱心に語る。三割自治といわれるが、三割どころか気楽な下請け機関になりたいという意識が自治体の方にも強い。日本は昔から幕府の命令で殿様が移動した国である。そういう中央集権的な日本の伝統の中では、マッカーサーの理想も育たなかった。

次に投票制民主主義も理想通りにはならなかった。議会（国会）の権力が育たず、官庁への陳情取り次ぎ機関と化してしまったのだ。

アメリカでは大統領や中央政府の官僚が不正をしているというと、すぐ議会が公聴会を開いてチェックする。政治とは、まず立法府（議会）が行い、それを正しく運営するのが行政府である。ところが、日本はその逆になっている。

マッカーサーは日本国憲法において国会を国権の最高機関としながら、同時にアメリカと違って政府提案による法律の作成を認めた。肝心の予算にいたっては、なぜか政府提案しかできないようになっている。不思議なことに、日本国憲法には

「予算は政府が提案する」とあり、「予算案」とさえ書かれていない。前述の大久保利通以来の官僚優位があったところへ、こんな曖昧な制度を残したのだから、中央官僚への権力集中が非常に強い政体になったのも当然だろう。ここでもマッカーサーの期待と予想は裏切られたのである。

◉財閥解体と農地解放策を崩した「五五年体制」

経済の面でも、中小企業と小規模自作農の自由競争社会というマッカーサーの意図は急速に外れていった。もっともその一部は、朝鮮戦争勃発によって、日本を反共の砦にしようとしたアメリカ（マッカーサー）自身の意図の変化によるものだ。

とにかく、日本は独立を回復すると、マッカーサーよりも第八章に述べた大久保利通と第九章に述べた渋沢栄一の考えた官僚主導の官民協調、業界内談合体質へと戻っていった。日本の経済や教育には戦前型の「昭和十六年体制」が蘇《よみがえ》ったのである。

マッカーサーにとって「不運」だったのは、占領時代の日本が極度の物不足だったことだ。食糧も衣料も配給、新聞社は紙を割り当ててもらわないと印刷できないという時代で、物資統制が避けられなかった。したがって、マッカーサーも官僚統制機構をなくせなかった。

日本型の官僚統制は、官僚が一社ずつ割り当てる前に、業界団体の談合に任せる。ここに渋沢栄一型の業界協調（談合）が入っている。電力も鉄も繊維も、みな同様であった。

このため、非常に強固な業界団体ができ上がり、この業界団体と所管官庁が癒着、業界の多数意見に従わない者を征伐する。この結果、官僚主導型業界協調体制ともいうものが生まれた。官僚たちが業界を指導して近代化や大規模化のために、一方では新規参入を抑え、他方では既成企業に財政投融資や補助金など様々な公的資金を投入する。

こうして日本は、マッカーサーが意図した小規模分散の自由競争の国ではなく、官僚主導型の経済大国になっていく。つまり、政策と経済と経営の「五五年体制」が確立されたわけだ。中でも大企業が育ったのは製造業であり、農業や流通業は小規模なまま残った。それをまた業界協調で地域別に抱えていく大小の「護送船団」ができ上がった。

これによって、製造業でも特に規格大量生産の製造業だけが大いに発展、この分野だけは輸出がどんどん進み、一ドル＝百円でも対応できるほどの国際競争力を身につけた。しかし、小規模事業者が温存された流通業や自作農、国内保護に甘える建設、運輸、情報といった分野になるとコストが一ドル＝二百円ないし四百円となっている。欧米諸国ともアジア諸国とも価格体系がまったく違う世の中ができ上がったのである。

この意味では、経済に関する限りマッカーサーが意図したところは、ほとんど実現しなかったといっていいだろう。マッカーサーが日本を自由競争の国にしようとして作った仕組みである独禁法（独占禁止法）も有効に働かなかったし、財閥解体も財閥家族の排除だけに終わった。

独禁法は、官僚たちの見て見ぬ振りで無力化し、公正取引委員長に大蔵官僚のOBが天下るようになるとほとんど効かなくなった。通産省や大蔵省は様々な独禁法違反を平気で指導することさえあった。

また、農地を解放して小規模農業を維持しようとしたのも、一世代だけは通用した。土地は捨てにくい。だから、農地解放で土地を得た農民は、小規模な自作農として残る。したがって、日本は小規模農家の多い「東洋のスイス」になる。これは、日本の再軍備を警戒した意地の悪い仕掛けだった。

しかし、「五五年体制」の完成と共にこれも崩れていく。

小さな農地を得た農民たちは、マッカーサーが考えた通り、土地を大切にして農業をつづけたし、農林省も小規模自作農を優遇した。だが、その子供たちは中学か高校を卒業すると、さっさと都会へ出て会社に勤め出した。このため小規模自作農は高齢化し兼業化した。

現在、日本の農業を営んでいる人々の中心的な年齢は六十代である。つまり終戦から二十年間に農業に入った人たちが、今も中核で、それ以下の年齢層では農業に入る人数は急激に減っている。皮肉なことに、中高年が農村に残り、若者だけが企業に勤めた結果、この国には年功序列と終身雇用の閉鎖的雇用慣行が生まれ、大企業の経営を拡大するのに役立った。「経営の五五年体制」を確立する上で、若年層だけが雇用できたのは企業にとって有難いことであった。

◉家族制度崩壊の原因を作る

しかし、小規模自作農の創出は、社会的に見ると、マッカーサーの意図を実現するのに役立った面もある。それは、家族制度を解体したことである。農地改革のおかげで、父母は農村にいるが、中学や高校を卒業した子供たちは大都会へ出てサラリーマンになった。このため、親と子の居住地が引き離された。日本の家族は、物理的な居住地の分離によって核家族化したのである。

マッカーサーの農地解放政策には、日本の労働力を地方に分散して、巨大な産業国家にさせない狙いもあった。朝鮮戦争より前、日本にあまり大きな工業力を持たせたくないというアメリカの思いが、農地解放によって人口を農村に分散する政策を採らせたといえなくもない。
それが結果としては中高年は地方に留まり、新卒者だけが都会に出て企業に勤め、会社の寮や社宅に住んで、家族を養わなくていいから安い賃金で働くという仕掛けを生み出した。マッカーサーが考えたのとは逆のことが起こってしまったのである。

一方、マッカーサーは、日本の家父長を核とした家族制度を、天皇を長とする国民国家の原型と見ていた。したがって、天皇制国民国家を破壊して民主主義国家とするためには、まず家父長制家族主義を壊さなければいけない。これこそ日本的封建社会の根本、天皇の勅命なら自殺攻撃をも辞さぬ大和魂の根源と考えた。ヴィットフォーゲルなどの古い社会学者のいう「アジア的専制」を、そのまま日本にも適用した見方である。マッカーサーは、これを壊せば日本は民主主義になり、平和な国になる、と思っていた。だが、実際に家族制度の破壊は「会社人間」を大量に生み出し、規格大量生産を実現することになったのである。

要するに、マッカーサーの日本改革は、日本人の倫理観と美意識を変え、家族制度や地域構造を改め、社会階層を一変させた。しかし、官僚主導の体制を打ち破ることはできなかったし、規格大量生産の近代工業社会を形成するという明治以来の日本人の夢を実現する上では、むしろ大きなプラスになった。精神主義の否定が、日本人を「会社人間」の「エコノミック・アニマル」にしたのである。

◉倫理と美意識の改革

今日の日本に、マッカーサーが残した影響の中で最も重要なものは、倫理観と美意識の改革、つまり「効率」と「平等」と「安全」の三つだけを絶対的な正義とする思想だろう。

この三つを「正義」とする点では、世界のどの国よりも日本は徹底している。但し、ここでの「平等」とは、フランス革命やアメリカ独立宣言でいわれた「機会の平等」ではない。

誰でも入学試験を受けられる、誰でも立候補できる、誰でもどんな職業にも就くことができる。それが「機会の平等」、いわゆる「法の前の平等」である。

しかし、入学試験を受けても合格する人と落第する人とがいる。同じ職業に就いても成功する人と失敗する人がいる。プロ野球の選手になる権利はあってもスターになる人と駄目になる人がいる。「機会の平等」は「結果の不平等」を生み出す。「結果の不平等」を緩和するためには、「結果の成功者」から累進課税で徴収し、「結果の失敗者」に手厚く福祉を施すなどして、結果の格差の修正が必要である。

ところが、日本の戦後民主主義は、「機会の平等」よりも「結果の平等」を優先した。したがって、「結果の平等」を重んじて「機会の平等」を抑制することになった。累進課税や福祉で修正するのではなく、「機会の平等」を制限することで「結果の平等」を生み出すという官僚統制主義が残ったのである。

マッカーサーが残した日本国憲法には「職業の自由」が保障されてはいるが、多くの職業で新規参入は制限されている。例えば、薬局を開くことは自由なはずだが、実は登録制で抑えられている。ガソリンスタンドの場合も同様である。

前章でも述べたように、「結果の平等」の中でも、日本で重視されたのは「ヨコの平等」よりも「タテの平等」である。

日本は今や「ヨコの平等」が世界で最も実現した国である。経済的平等が達成されているかどうかを見るのに最も適切な方法は、所得五段階比較だといわれている。所得の最も高い五分の一と、所得の最も低い五分の一との所得の開きが何倍かという数字である。これで見ると、日本は約二・九倍、アメリカは約九・四倍、ヨーロッパ諸国で比較的少ない旧西ドイツで約六・〇倍、多くの国は十倍以上である。もちろん、発展途上国はそれ以上に大きい。

一方、「タテの平等」は、今や日本独特の倫理かも知れない。マッカーサーの宣伝した「平等」にも、徳川時代以来の日本式「タテの平等」の概念が加わった。この現れの一つが年功序列である。例えば、大卒で入社した全員が二十年後にはみんな課長なら「タテの平等」は保たれているわけである。

また、二十年前に米を作っていた農民は将来も米を作る農民であるべきだ。したがって、米を作る農業は保護しなければいけない。今、小売店主だった人は二十年後も小売店主であるべきだ。したがって、大規模小売店を規制する法律（大店法）が作られる。

「タテの平等」を強調すると労働力は固定化する。だが、世代交代になるとこれがガラッと変わる。例えば、米づくり農業の父親の跡を息子が継ぐ必要はない、小売店も父親の跡を息子は継がない。同じ世代が働いている間は就業構造はあまり変わらないが、世代交代が生じると大きく変わるという仕組みになるわけだ。

マッカーサーが持ち込んだ平等思想は、彼の意図とはまったく違った「自由のない平等」を生み出したのである。

「安全」については、マッカーサーの意図よりもはるかに行きすぎてしまったようだ。日本という国は特攻隊まで出すくらいだから、安全など考えていない、「死を恐れぬ国民」だと思った。そのため、マッカーサーは安全を強調して、平和主義、清潔感、無事故無災害の社会を宣伝した。

ところが、日本はこれを極端に強くした。今や戦争は理由の如何《いかん》にかかわらず絶対悪であり、平和は絶対善である。したがって、湾岸戦争であろうが、ＰＫＯ（国連平和維持活動）であろうが、戦争といえば条件反射のように反対する人が大勢いる。

清潔感も大変なものだ。小学生は砂場に行くのも汚いからと手袋をはめる。ブランド品を汚さないようにグラウンドでは遊ばない、といった有り様である。

そして事故が起きないように規格基準を強化し、官僚の規制を強めた。だから、官僚（専門家）が「ひょっとしたら事故が起こるかも知れない」といえば何でも通る。しかも、八〇年代に入ってからはこれが官僚の権限強化につながり、管理のし易さが優先されたため、基準と規制ばかりが強くなってしまった。先の阪神・淡路大震災や血液製剤問題、O157、金融機関の破綻等で明確になったように、規制と制限が強いわりに安全性は低いのである。

◉物量崇拝と数字信仰を生んだ精神性の否定

もう一つ、マッカーサーが物質文明の価値観を宣伝し、神話や大和魂といった精神性を否定したことも、日本を奇妙なまでの物量崇拝と数字信仰に陥れた。例えば、会社のランクづけでも経営規模の大きさが第一であり、伝統や技術性が高くとも中小企業は尊敬されないようになった。かつては中小企業のオーナーも財界で尊敬されたが、今では一千億円の売上げ規模の会社経営者が東京や大阪の商工会議所会頭とか経団連会長とかになることはなくなってしまった。

　外国を見ると、ドイツでは、経団連に当たるドイツ工業連合会の会長には、眼鏡のフレームを製造しているローゼンストックのオーナーや刃物のヘンケルの社長が就任している。いずれも売上高一千億円から二千億円の企業だ。企業規模よりも伝統や技術性や知名度、あるいは経営者の人格識見を重視した選出である。

ところが、日本はすべて数量であり、絵の値段まで「号当たりいくら」と「目方」で決める。物量主義が日本の社会に浸透し、それが経済重視、金銭崇拝の思想にもつながった。

　その意味では、精神性の否定も行きすぎてしまった。恐らくマッカーサーは、日本には真の意味での宗教がないということを考えなかったのであろう。

　聖徳太子の章で述べたように、日本人の宗教観は「ええとこどり」である。そういうところで神話を否定し、精神性を否定したので、奇妙な唯物論がはびこったわけである。

◉軍人と同時に政治家だった

　マッカーサーは軍人であると同時に政治家だった。前述した経歴でも分かるように、軍人として活躍したのは第一次世界大戦と第二次世界大戦と朝鮮戦争の三回である。アメリカの軍人としては比較的多く戦場に出た方だが、フィリピンで新しい国家を創ろうとして憲法を用意したり、日本の占領政策に深入りしたり、政治性も強い人物だった。何よりも、大向こうをうならせたい自己顕示欲とエリート意識が強かった。

特に、日本を占領していた間に彼が行った変改指導は、軍人であるよりも政治家としてのものだ。それも、国民大衆の支持とか派閥争いといった政治活動抜きの独裁的政治家だった。

通常、政治家は他人の支持を取り付け、選挙の票の獲得や議会工作をするが、マッカーサーの場合には、背後に軍事力（それも外国の）があった。おかげで、他の政治家や役人と妥協することもなく、命令すればよかった。いわば帝王政治を行えたのである。

一九五二（昭和二十七）年のアメリカ大統領選挙に、マッカーサーは共和党から出ようとしたが、党の候補にもなれなかった。この時、共和党の候補に選ばれて大統領になったのは、後輩の陸軍軍人でヨーロッパ戦線を指令したアイゼンハワー元帥である。マッカーサーは政治家としての権謀術数や議会での駆け引きが上手ではなかったらしい。

しかし、日本における政治家としての動きは非常に派手だったし、巧みでもあった。そして自分の華やかさがアメリカ人にも日本人にも分かるように、いろいろと演出してポーズをとった。

例えば、マッカーサーと昭和天皇の会見写真を見ると、天皇陛下はモーニングを着ておられたが、マッカーサーは上着もつけていない。天皇が人間だというのを見せしめるためには絶好のポーズだ。朝鮮戦争でも南の方からじわじわと反撃した方が確実だったが、敢えてソウルに近い仁川に上陸する劇的な演出をしてみせた。そういった演出が非常に巧みであり好きでもあった。この男が幸せだったのは、アメリカの圧倒的な物量のおかげでその大部分が成功したことである。

歴史の流れの中で、突然、外国からマッカーサーという人物が日本に上陸、それほど正確な知識を持たないままに、この国を理想のアメリカにしようという夢を持ち込んだ。

マッカーサーの意図したことは、成り立ったところもあれば、行きすぎたところもある。だが、少なくとも今日の日本の社会に強烈な影響を残したことは間違いない。

この中で、今後はどの部分をさらに大きくしていくのか、どの部分を削り落としていくのか、マッカーサーの意図を修正し取り消す形で生まれた「五五年体制」が崩壊した今、これが再び問われるところであろう。

第十一章

池田勇人

——経済大国の実現

◉「所得倍増」への道

「日本を創った」人々の十一人目に取り上げたいのは、池田勇人《はやと》である。池田勇人というと、昭和三十五（一九六〇）年から三十九年のオリンピック東京大会の年まで、総理大臣を務めた人物であることは、どなたでもよくご存知だろう。

戦後の歴代総理大臣の中で、なぜ池田勇人だけが〝日本を創った十二人〟の一人なのか。

その理由として、現在われわれが生きている戦後の日本を、経済大国へと導いたことが挙げられる。実績としての経済成長の実現もさることながら、「所得倍増計画」の策定によって「経済大国」を日本の理想に据えた点が最重要である。

国の理想は様々だ。世界中から政治的に尊重される国、軍事的に恐れられ頼りにされる国。文化的に崇《あが》められる国、何となく楽しそうで愛される国、等々。その中で池田勇人は、経済大国になることを日本の理想として打ち出し、大方の合意を取り付けることに成功した。つまり、池田内閣は「所得倍増にすべてを賭けます」と宣言して国民の大変な支持を得たのである。

このことが今日の経済発展に貢献する一方、すべてに金銭が優先する価値観を生むことになり、「金権体質社会」を創り出したといえるだろう。また、規格大量生産型の産業構造や、都市集中型の地域構造、あるいは日本人がみな「会社人間」となるような「職縁型」の社会構造、こういったものを決定づけたのも、この間のことといえるだろう。

その意味で、池田勇人の果たした役割は、日本社会の理念と倫理を決定する上で、歴代総理大臣の中でも、最も大きかったのではないだろうか。

戦後の総理大臣としてよく取り上げられるのは、吉田茂、池田勇人、佐藤栄作、そして少しあとの田中角栄の四人である。その中では、吉田茂も大きな存在だが、重要な政治決定はほとんどが占領軍、つまりマッカーサーから出ていた。

それに比べて池田勇人は、自らの発想と手腕で今日の日本人の心や生き方、あるいは日本の社会のあり方や動き方に大きな影響を残したといえる。

例によって、まずこの人物の経歴を述べておきたい。

◉出世遅れの大蔵官僚

池田勇人は明治三十二（一八九九）年広島県に生まれた。したがって、満年齢では二十世紀の年数と同じである。

大正十四（一九二五）年、二十五歳で京都大学法学部を卒業した。一見して分かるように、二年から三年ほど遅い卒業である。恐らく、それほどの秀才ではなかったと思われる。体が丈夫でなかったこともあるが、熊本の第五高等学校も十八歳で入学し、京都大学へ進学するまでにも、普通は三年の旧制高等学校を四年かかって卒業している。五高から京都大学へ進んだのだから、出来が悪かったとはいえないにしても、前任者の岸信介《のぶすけ》が最短期間で一高・東大を卒業したのに比べると、受験ではかなり悪戦苦闘した形跡がある。

直ちに大蔵省へ入省。二年後の昭和二年、二十七歳の時、広沢金次郎伯爵の三女直子と結婚。媒酌は時の大蔵大臣井上準之助だった。この顔ぶれで見る限り、大蔵省のエリート官僚として、それなりの評価を受けていたと思われる。

ところが、それも束の間、昭和七（一九三二）年、三十二歳の時、妻の直子が狭心症で急死する。その前年から池田自身も病気になり、大蔵省を一時休職して療養生活に入った。体に発疹ができる難病（落葉性天疱瘡）だったそうで、母と一緒に四国八十八カ所を遍路して巡るようなこともあった。

病を克服し、昭和九（一九三四）年の末に、大蔵省へ復職。翌年には再婚して、満枝夫人との生活をはじめた。

戦争がはじまり、昭和十七（一九四二）年、四十二歳の時、主税局国税第一課長となる。

当時、主税局国税第一課長は三等級の管理職だった。四十二歳でその地位に就くというのは、かなり遅い出世である。多分将来の見込みも乏しかっただろう。

昭和十九（一九四四）年、四十四歳の時、東京財務局長となるが、これも二等級の職である。当時としては事務次官クラスの年齢だから、現在なら五十六、七歳で地方局長になったわけだ。完全に出世コースから外れていたわけである。

したがって、ここまでの池田の経歴を見ると、病気になったこともあって、官僚としては悪戦苦闘の人生だった、というべきだろう。

ところが、翌昭和二十（一九四五）年、主税局長になれた。主税局長は、うまくいけば国税庁長官になるポストだから、幸運にもまずまずの出世コースに戻ったといえる。そしてそこで終戦となり、ＧＨＱによる公職追放が行われた。

大蔵省でも上層部の多くが公職追放された。このせいか、昭和二十二年、池田は四十七歳で大蔵省事務次官となった。その直前までは望んでも無理と思っていたポストである。実は、これが池田の運のつきはじめである。

ところが、翌昭和二十三年、四十八歳で退官してしまう。理由は時の片山・芦田連立内閣と意見が合わなかったからだといわれているが、実際のところはよく分からない。

退官後の翌昭和二十四（一九四九）年一月二十三日、衆議院議員選挙に出馬し初

当選、二月十六日に組閣された第三次吉田内閣では、一気に大蔵大臣となった。公職追放令による人材不足と吉田首相自身の独裁癖で、つい数カ月前まで事務次官だった男をいきなり大蔵大臣にしたのである。

今なら、事務次官になるのが五十七、八歳、それで衆議院議員に当選しても、大臣までには三回か四回の当選を重ねないとなれない。ましてや大蔵大臣となると、大変である。

政変によって異例の早さで大蔵大臣になったといわれた「さきがけ」党首の武村正義にしても、県知事二期、当選三回目の六十歳だった。しかし、終戦直後なら、初当選の大臣もさほど驚くことではなかった。その頃の四十九歳は現在よりも老成していたし、公職追放で若手が抜擢されることも多かった。大企業の社長などにも同年齢の者が多数登場した。いわゆる「戦後第一世代」である。

池田は事務次官から初当選で大蔵大臣となり、しかも第三次吉田内閣では通産大臣も兼任し、経済閣僚の中枢を占めることになった。

また、第四次吉田内閣でも通産大臣と経済審議庁長官（現在の経済財政政策担当大臣）を兼任、その後も自由党の政調会長などを歴任、たちまち政界の中心に入っていった。

ところが、昭和二十九（一九五四）年、第五次吉田内閣の時に、計画造船に補助金を出すことを巡って疑獄事件が発生した。いわゆる造船疑獄である。

この時、吉田首相の下で異例の出世をしていたもう一人の男、当時の自由党幹事長の佐藤栄作に逮捕状が出た。これに対して、時の法務大臣犬養健《たける》が検事総長に対する指揮権を発動して佐藤逮捕を阻止するという事態に発展する。戦後の政治疑獄で指揮権が発動された唯一の例である。

これは職権濫用として世間から非難され、犬養健は法相を辞任し、内閣も倒壊したが、佐藤栄作は逮捕を免れた。

その時、逮捕状が出ていたのは佐藤栄作だが、池田勇人も怪しい、といわれていた。指揮権の発動によって佐藤が逮捕を免れたため、池田に対する逮捕状も沙汰止みになったのである。

この造船疑獄問題で、池田は二月二十八日に参考人として事情聴取を受けたが、その五カ月ほどあとの七月二十六日、自由党の幹事長となっている。このあたりが昭和二十年代の強引な政治というものだろう。要するに、造船疑獄も池田、佐藤の経歴に傷をつけることはなかったのである。

以後、池田勇人は、保守党第一の財政通として石橋湛山《たんざん》内閣と第一次岸内閣では大蔵大臣を、第二次岸内閣では無任所の国務大臣を、そして岸改造内閣では通産大臣を務めた。そしてその岸改造内閣が「六〇年安保」騒動の責任を取って総辞職したあとを受けて政権を獲得、池田内閣を組織する。昭和三十五（一九六〇）年七月十九日のことである。

この時、池田勇人は衆議院議員当選五回。今日ならやっと最初の伴食大臣が回ってくるかどうか、というようなところである。年齢は六十歳、実はこれまでは「吉田の子分」、いわゆる「吉田学校の優等生」程度に見られていた池田勇人が、本領を発揮するのはこれからである。

◉GNP信仰のはじまり

ここで、池田内閣に先立つ岸内閣についても簡単に述べておく必要がある。

昭和二十六（一九五一）年、サンフランシスコ講和条約と同時に結ばれた日米安全保障条約は期限十年であった。したがって、一九六一年に期限が切れ、それからあとは、「いずれか双方が一年前に解消を通告することで解消できる」状況になる。

昭和三十二（一九五七）年二月に就任した岸信介総理大臣は、日米安保条約を独立国同士のものにふさわしく改正し、十年間の期間延長を行おうと試みた。いわば「戦後体制の固定化」であり、日本が西側陣営に留まるためには当然のことのようにも思えた。ところが、これを巡って大騒動が起きた。いわゆる「六〇年安保」である。

ちょうどこの頃は、「五五年体制」が定着し、マッカーサー流の「東洋のスイス」から工業大国への方向転換が進んでいた。その現れの一つがエネルギーの合理化（流体化）、国産の石炭よりも安価で便利な輸入石油に転換する動きである。この進行に伴って石炭産業の縮小が進み、日本最大の炭鉱の一つ、三井三池でも人員整理が行われた。このため、これに反対する労働組合との間に大労働争議が起こった。「総資本対総労働の対決」といわれた三井三池闘争である。

こうした、いわば世情騒然の中で岸内閣は昭和三十五（一九六〇）年五月に、日米安保条約改正案を衆議院で強行採決、その自然成立を待って総辞職した。

池田内閣は、この岸内閣のあとを継いだのだから、東西対立冷戦構造を反映した日本国内の左右対決が頂点を極めたあとに発足したといえるだろう。そのため、左翼社会主義勢力も闘争に疲れていたし、国民もデモやストに飽きていた。それを池田勇人は巧みに利用したのである。

日米安保という国際政治の問題を巡って岸内閣は倒れたが、そのあとを受け継いだ池田総理は、あれほど大問題になった日米安保についてはほとんど語ることなく、すべてを経済問題に振り向けた。

七月十九日に内閣が成立すると、すぐ一カ月半後の九月五日には「所得倍増計画」を発表した。正式に「国民所得倍増計画」を閣議決定したのは、その年の暮れの十二月二十七日である。岸内閣が倒れてから「所得倍増計画」が閣議決定されるまでの約六カ月間に、国際政治と労資対決の問題意識を消し、経済成長へ国民的関心を変えたのである。

戦後の日本に重要な影響を与えた「所得倍増計画」は、池田内閣の中心的政策として有名になったが、その発案は、その前の岸内閣が出した「月給倍増計画」である。

岸内閣は、一方で日米安保条約の改正を成立させ、他方では経済政策として「月給倍増計画」を進めようとしていた。この発想は、歴史に照らして正しいが、政治的には拙劣だった。

先の三井三池闘争でも分かるように、高度経済成長政策は産業の合理化と経済の国際化（安価な原燃料輸入）を伴わざるを得ない。そしてそれは西側自由経済陣営に組み込まれることでもある。したがって「経済成長は対米追随のアメ」と見られ、安保反対の嵐の中で、高度成長政策も色あせてしまった。

ところが、池田勇人は、これを非常にプロフェッショナルな観点からとらえ、「GNP（国民総生産）の倍増」という当時の一般国民はもちろん、マルクス経済学者も分かりかねるような言葉に換えて発表した。

「月給倍増」と「所得倍増」は、詳しくいうと内容が異なる。「月給倍増計画」は、個人所得を倍にするという身近な話であり、より民主的大衆的である。だが、それだけに政治色が強く「安保のアメ」と呼ばれ易い欠点があった。

これに比べて、池田内閣の「所得倍増計画」は、GNPを倍にすることを目標としたのだから、実態ははるかに総資本的である。池田勇人とそのブレーンの頭の中では、国民生活よりも国民経済があった。その意味では、池田は岸以上に企業優先的であった。しかし、それだけに経済専門家でなければ議論できない複雑さがあった。いわば「尻尾が摑み難い」のである。

池田にとって幸いなことは、その頃には「五五年体制」が確立、国民の多くが「会社人間」になっていたことだ。「所得倍増」は「月給倍増」以上に、経営者の、ひいては会社人間たちの支持を得たのである。

◉「神武以来の好景気」に助けられる

池田内閣の打ち出した「所得倍増計画」は好評だった。たちまちのうちに、全日本人が何かにつけて「GNP、GNP」といい出すようになった。

池田内閣は、昭和三十五（一九六〇）年度を基準年度として昭和四十五（一九七〇）年度までの十年間にGNPを二倍にする、という「所得倍増計画」を立てただけではなく、現実に細部計画をも次々と打ち出した。

例えば、昭和二十五（一九五〇）年に公布された国土総合開発法に基づいて、地域整備を目標とする「全国総合開発計画」が昭和三十七（一九六二）年に策定された。それ以降も繰り返され、「新全国総合開発計画（新全総）」（昭和四十四年）となり、第三次全国総合開発計画（三全総）、第四次全国総合開発計画（四全総）とつづくことになる。

池田勇人の巧妙だったのは、この計画によって公共事業を拡大し、「新産業都市」などを打ち出して集中的な開発を図るということで、産業界と全国各地の期待をあおり立てたことだ。これは経済的には効率がよく、政治的には自民党に頼らなければならない仕組みである。

また、輸出・輸入、鉱工業生産及び農林水産業などについても、「国民所得倍増計画における主要経済指数」として明確な大枠を示し、こういう産業をこのようにして伸ばせば計画が達成できる、そのために整備資金をつける、といったようなことを次々と打ち出した。

幸いにも、この「倍増計画」発表の頃から日本経済は好況期に入り、高度成長へと進んでゆく。一九五〇年代の日本経済は、戦後復興の「キャッチアップ」効果によって、年平均九・六パーセントの高度成長をつづけていたが、六〇年代はそれを上回る一〇・三パーセントの成長率を維持した。

特に、池田内閣のはじめの四年間、昭和三十五（一九六〇）年の後半から、オリンピック東京大会の開かれた昭和三十九（一九六四）年秋にかけては、「神武以来の好景気」といわれた大ブームがあった。「経済の池田」が大人気を博する条件は十分にあったわけである。

ところが、昭和三十九年末に株価が急落し、急速に不況色が濃くなってくる。池田勇人は、その苦労人的経歴と素朴な風貌を利用して「私は嘘を申しません」をキャッチフレーズにしていたが、株価の急落は経済専門家としての池田の人気を傷つけた。昭和三十九年末からは、池田のキャッチフレーズを逆用した「池田首相は嘘つき」というギャグが流行するようにさえなってしまった。幸か不幸か、その頃既に池田勇人は喉頭癌を病んでおり、同年十一月に首相を辞任、翌昭和四十（一九六五）年八月十三日に逝去した。

池田勇人が総理大臣であったのは四年三カ月、吉田茂や佐藤栄作よりはずっと短い。しかし、この間に、この男の植え付けた経済優先思想と、それを実現する官僚主導の仕組みは、今日も揺るぎなくつづいている。池田勇人の立案し実施した「所得倍増計画」が、大成功したからである。

◉計画をはるかに上回る達成

「所得倍増計画」が大成功したというのは、当時の国民が期待した最善のコースを進んだ、という意味である。

まず、経済の実績が「所得倍増計画」の目標を、はるかに上回る速さで達成された。GNPを十年で二倍にするためには、日本経済は毎年七・二パーセントの成長をつづければよいのだが、一九六〇年代には平均年率一〇・三パーセントである。したがって、六年半でGNPは二倍になった。計画の目標年度の昭和四十五（一九七〇）年には、計画をはるかに上回る「超過達成」という形になったのだ。

また、この「所得倍増計画」が発表された頃、これに対する危惧や批判は沢山あった。特に社会党や共産党などの革新勢力は盛んに批判した。けれども、そういった人々の批判はまったく当たらなかった。

まず、「所得倍増計画」を推し進めてゆくと、金持ちはどんどん金持ちになるが、貧乏な人はますます貧乏になる、つまり所得格差が拡大する、という批判があった。ところが、現実には、この間に所得格差はどんどん縮まっていった。

あるいは、経済を成長させるために無理な拡大政策を採れば、悪性インフレが起こるのではないかという批判もあった。確かに物価は上昇したものの、その値上がりは、年率数パーセントという安全圏内での値上がりだったのである。

また、大いに経済を発展させるために企業優遇政策が行われ、様々な「ひずみ」が出るのではないか、という声もあった。いたるところで「クビ切り」が行われ、失業者が増える、というのである。さらには、都市が無秩序に膨張し、犯罪が激増する荒廃した世相になるのではないか、ともいわれた。しかし、現実には失業率は低下し、犯罪率も大いに下がった。

要するに、池田内閣が「所得倍増計画」を打ち出した当時、反対勢力からの批判は、何一つなかった。

池田内閣が「所得倍増計画」を打ち出した時に議論された事柄に関する限り、池田勇人の考えは正しかったといえる。

だが、まったく別の次元で、反対者も予想しなかった問題が発生してきた。それは公害問題であり、過密と過疎の問題である。池田内閣の時に「所得倍増計画」を批判した人たちも気がつかなかったことが、その目標年次とした昭和四十五（一九七〇）年には大きな問題となっていたのである。

◉「貧乏人は麦を食え」の真意

さて、池田勇人は、どういう思想の持ち主であり、どういうことを行い、今日のわれわれにどのような影響を残したのか。

まず、「池田語録」ともいわれる放言珍言の数々がある。その一つに、

「貧乏人は麦を食え」

というのがある。これは第三次吉田内閣の蔵相時代（昭和二十五年）の発言だが、実は、

「古来の習慣に戻って……所得の少ない人は麦を多く食う、所得の多い人は米を食うというような経済の原則に副《そ》った方へ持って行きたい」

という言葉をマスコミ流に翻訳したものである。さらに、

「（ヤミで儲けた）五人や十人の業者が倒産し、自殺しても止むを得ない」

という放言も巷間《こうかん》に伝わり非難を浴びた。議事録を見ると、正確には中小企業の倒産危機の質問に対して、

「思惑その他の、普通の原則に反した商売をせられた人が、五人や十人破産せられることは止むを得ない」

というマイルドないい方で、「自殺」とはいっていない。池田勇人は、マスコミが面白おかしく発言を曲げても、怒らなかった。これがマスコミにも人気を得た理由である。

池田が第三次吉田内閣に大蔵大臣として入閣した昭和二十四（一九四九）年は、

戦後不況のはじまりの年、いわゆるドッジ・ラインが発表された時期である。戦争中には軍備に多額の予算を費やした。戦後は復員してきた人々にも資金を撒《ま》いた。戦災の復旧にも巨額の資金を要した。いろいろなことでお金を大量にばら撒いた。その結果、通貨の流通量が激増、悪性インフレが起こった。これを収めるには、猛烈な引き締め政策を採るしかない。お決まりの戦後不況がやってきたのである。

その引き締め政策を指導したのがドッジ公使である。彼はアメリカのデトロイト銀行の頭取だったが、マッカーサーに請われて米国政府から派遣されて来日し、情け無用の強烈な引き締め政策を命令した。その結果、インフレは収まり物価は安定したが、金詰まりの大不況になり、中小企業の倒産が相次いだ。

時の蔵相の池田勇人は、ドッジ・ラインの緊縮財政で、戦後の財政膨張を鎮めるためには、中小企業の五人や十人倒産するのも、貧乏人が麦を食うのも、止むを得ないと主張したのである。

ところが、これらの言葉に示されている池田勇人の思想は、要するに「経済原理に従う」というものだ。つまり、経済原理に従って考えれば倒産者が出るのも止むを得ない。才能と努力と幸運に恵まれて金持ちになった人が米を食べ（より高い消費を楽しみ）、そうでなかった人は麦を食う（より低い消費で我慢する）という格差ができても当然である、といったのである。

最初の大蔵大臣時代にいったことが経済原理の肯定論だったことは、後々の池田の思想を考えていく上でも重要なポイントである。

池田勇人は、次に昭和三十一（一九五六）年、石橋内閣の大蔵大臣となった。この時は既に占領軍はいないし、「五五年体制」もできていた。池田は自らの思想に基づいて積極財政を行ってゆく。第三次吉田内閣の時の「ドッジ・ライン」とは正反対の政策である。

当時「千億減税・千億投資」といわれたが、公共事業投資を一千億円増やして、減税を一千億円する。当時の一千億円は、現在の一千億円とはケタ違いで、全予算金額の一割に近い。現在でいえば「七兆円減税・七兆円投資」に当たる。

池田は、それくらいの積極財政をやり出した。財政を赤字にしても景気を振興し、経済を発展させる。そうすると、それによって税収が増え、豊かな国になる、日本の経済は成長できるというのである。

前の吉田内閣で「貧乏人は麦を食え」といった蔵相時代の緊縮財政とはガラリと違うが、共通しているのは、池田が経済原理に沿った考え方をしていたところである。

もっとも、池田勇人の経済原理に従うという発想は、あくまでも「当時の情況には池田の「経済原理であり、自由な市場経済ではない。池田は「所得倍増計画」に見られるような経済官僚による計画的誘導で、経済原理に従った成長を達成しようとしたのである。つまり、戦中戦後の統制経済を、計画誘導経済に変えようとしたのである。

ところが、昭和三十五（一九六〇）年、いよいよ池田自身を首班とする池田内閣が樹立すると、「所得倍増計画」を打ち出した。この時の池田首相が挙げた第一は「寛容と忍耐」だった。

池田内閣の姿勢として「寛容」でなければいけない。反対派に対しても寛容であり、「忍耐」をもって話し合わなければいけない。これを池田首相は看板にした。いわゆる「低姿勢」である。次の佐藤首相が「寛容と忍耐」を一歩進めて「寛容と調和」という名文句を述べているが、これが以後の自由民主党政権に引き継がれた政治姿勢といってよいだろう。

池田が首相になって、「低姿勢」に変身したのは、吉田内閣時代に「貧乏人は麦を食え」といったことに対するアンチテーゼだった。だが、これはただのリップサービスでもなかった。「所得倍増計画」を実現する一方で、池田内閣は、減税・社会保障・公共事業の三本柱の経済政策を推進していったからである。

◉国民の目を「豊かなアメリカ」に

池田内閣の全体の構造を見ると、一にも二にも経済重視である。外交では、マッカーサーの方針を踏襲した対米追随に徹し、岸内閣が改定した日米安全保障条約を忠実に実行した。池田首相は外交で点数を上げようとは、最初からしなかった。

吉田内閣はサンフランシスコ平和条約、鳩山一郎内閣は日ソ条約、岸内閣は日米安保条約の改定と、それぞれ重大外交問題を取り上げた。

また池田内閣の次の佐藤栄作首相は小笠原と沖縄の返還で、その次の田中角栄首相も日中国交回復などで、外交的な活躍をした。ところが、池田首相は、経済政策以外にほとんど興味を示さなかった。日本は経済重視の国であることを自らの内閣で明示するためにも、あえて外交問題には手を出さなかったのかも知れない。

岸内閣が日米安保条約の改定を行った時には、改定よりも廃止して、西側陣営から離れてソ連陣営の方に歩むか、中立国になるべきだ、という意見が相当に強かった。

そのため安保反対闘争が盛り上がり岸内閣は倒れた。それに対して、池田内閣は、日本は安保体制の中で静かにしていればよい、それ以外は何も考えないという外交無策、いわば思考停止状態に陥った。それが通用するほどに、池田は国民の目を経済に集中させたのである。

池田首相が外遊した時、経済成長率九パーセントの目標を掲げたため、各国から「ミスター・ナインパーセント」と呼ばれた。当時フランスのド・ゴール大統領が、「彼はトランジスタのセールスマンじゃないか」といったという話もある。

フランスの政治的栄光を追求してやまなかったド・ゴール大統領には、経済しか語らない池田首相が小物（セールスマン）に見えたのだろう。

しかし、池田勇人は外交政策で何もしなかったわけではない。彼は経済優先の立場からアメリカのイメージを変えることにも成功した。

池田が総理大臣になった頃は、まだ安保騒動の直後で、日本人のアメリカに対する気持ちにはかなり複雑なものがあった。

終戦直後はマッカーサーの植え付けた理想のアメリカ像が日本に受け入れられ、「アメリカ良い国・強い国」のイメージがあった。つまり「正義を体現した民主国家」だったのだ。

ところが、サンフランシスコ条約が結ばれた頃から、日本人のアメリカに対するコンプレックスが非常に強くなった。プロレスに力道山が登場した初期、アメリカ人を日本人がぶっ倒して勝つのが強烈な快感を与えたものだ。その瞬間だけアメリカに対して優越感を持つことができたからだ。恐らく古橋広之進《ふるはしひろのしん》の水泳や白井義男のボクシングも同じだったろう。

ところが、安保騒動の頃になると、アメリカに対する政治的な嫌悪感と物質的な憧れという矛盾した感情が出てくる。安保騒動の時には「アメリカは正義の国とはいえない、むしろ日本を利用する戦争勢力だ」という意見が沸騰し、マスコミを通じて喧伝された。

そうした状況を引き継いだ池田首相は、アメリカが正義であるかどうかを問うことなく、経済的に豊かだという点だけを強調した。この時期に流行した言葉の一つが「アメリカン・ライフ」、郊外住宅に住んで電化製品を揃え、自動車を乗り回してスポーツを楽しむ、明るく豊かなアメリカ式生活への憧れである。

池田首相の外交的な立場は、このアメリカの物質的な豊かさを評価し、それと結びつくことで日本も豊かになる、そのためには、日米安保体制が必要だと説くものだった。豊かなアメリカに近づかなければ、アメリカからの技術や資本が導入できないし、アメリカへの輸出もできない。経済成長のためには日米同盟が必要だ、と日米安保を手段化してしまったのである。

そのため、アメリカの物質的な豊かさを殊更に誇張して宣伝し、アメリカン・ライフを実態以上に美化した。そして、そのアメリカを支えているのは重化学工業だから、日本も重化学工業を伸ばす必要がある、という理屈を立てた。

また、アメリカは自動車が発達して産業を引っ張っている、だから日本も高度成長のためには高速道路を造り、自動車産業を伸ばそうと説いた。

経済的な豊かさを前面に出し、そのあとから政治がついていくような理論構成で、対米追随を正当化したのである。池田勇人にとっては、日米安保も「所得倍増計画」の必要条件の一つだったのである。

◉地域の発展はまず工場から

歴史を見ても、国民的人気があった財政家はきわめて少ない。財政破綻のために戦争をやめようなどといった人物は、世界中どこでも評判が悪い。戦争に勝った将軍が圧倒的な人気を博しているのとは対照的である。

日本でいえば、朝鮮出兵の時に軍事的攻勢を主張した加藤清正は国民的人気がある。しかし、戦争をやめて貿易しよう、早く休戦しようと画策した小西行長は悪評である。

中国でも、北方から来た遊牧民の金国と戦うべきだと主張した宋朝の岳飛《がくひ》将軍の人気は高い。現在でも彼を祀《まつ》った岳飛廟は中国全土にある。だが、その時、戦争ができる財政状態にないから少々譲歩しても民生と経済の安定を優先すべきだと主張した秦檜《しんかい》は、まったく悪者になっている。各地の岳飛廟の一隅には、後ろ手に縛られた秦檜夫妻の石像があり、お参りした人は帰りに唾をかけていくことになっている。

財政で国民的人気を集めた例は稀有だが、池田勇人は、すべてを財政経済に集約させて国民的人気を得た。そういう状況に日本の社会ムードを持っていったのである。

そのために、どういう方策を採ったのか。まず、「減税・社会保障・公共事業」を拡大する積極財政を実施した。このため、医師と薬屋と建設業者とが利益を得、電機と自動車のメーカーが大発展した。家電製品と自動車を手に入れるのは、当時は国民の願いだったのだ。

第二に、産業構造を軽工業から重工業へと転換した。それまで日本の主要な輸出産業であった繊維や雑貨などの軽工業を抑えぎみにしても、鉄鋼、自動車、電機などの産業部門に政府資金の財政投融資を集中的に行い、その振興を図った。同時に、重化学工業のための用地を全国に整備した。具体的には「全国総合開発計画」において「新産業都市」や「工業整備特別地域」を指定し、そこに国が多くの補助金を出して埋め立てをし、道路を造り、港湾を整備する、などの公共事業を行ったのだ。

そのために、工業先導による地域振興を謳い上げ、地方自治体を工場誘致に血眼にした。こうしてできた大規模工場で規格大量生産をすることによって、日本の工業発展を目指したのだ。

重化学工業が工場を建設し易い土地を整備したおかげで、四日市、水島、鹿島など全国各地に新しい工業用地ができた。その結果、日本の製造業、特に重化学工業は、安価でよく整備された工業用地を手に入れた。従業員の居住や通勤にも、外国からの石油や鉄鉱石の輸入輸送にも非常に有利な条件を得たわけである。

これを促したのが工業先導性の理論だ。地域を発展させるためには、まず大規模工場を誘致しなければならない。大規模工場以外の小売やサービス業は、付随的な産業である。製造業の工場を誘致すれば、そこに勤める人たちが買い物をするから商店街もうるおい、学校も増え、病院も盛んになり、レストランやホテルも流行《はや》る、というのである。

池田内閣の頃には、知事も市長も、自分の町をよくするためには借金をしてでも工業団地を造り、工業用水を引き、産業用道路を造り、港湾を整備するしかないと信じていた。工場誘致のために重化学工業の立地に適した用地とインフラを造るのに資金を惜しまずに投下した。

この工業先導性理論は、歴史的事実としても理論的にもまったく間違っていた。

全世界の都市のほとんどは、第三次産業の拠点として興ったものだ。工場から興った町もないではないが、数は少なく、規模も小さい。

東京、金沢、福岡、仙台などは、まず城下町として発達した。大阪や新潟は、商業・港湾都市として出発した。そこに人口が集まり流通サービス業が盛んになり、そのあとから工場がきたのである。

ところが、「所得倍増計画」では、「まず工場だ」という工業先導性理論を打ち出した。それによって地方の自治体も住民も、自分のところが発展するためには工場誘致だというので、工業優遇策に全精力を集中した。そういう中で、重化学工業を中心とする企業群が規模の利益を取り入れて規格化・大量化を進めた。したがって、工場施設を大型化し、規格品を大量生産する近代工業社会が一挙に完成したわけである。

通産省ではJIS（日本工業規格）マークを、農林省ではJAS（日本農林規格）マークを普及することに努めた。米も酒もすべての商品が規格化されていった。多くは戦争中からはじまったものの踏襲だったが、「所得倍増計画」の中では製品の種類を減らす少品種大量生産が進み、そうすることが社会の正義とみなされた。

流通機構や販売形態も規格大量生産方式に合わせて改革、大型スーパーマーケットで規格品を大量に売るようになる。それぱかりではない。情報発信機能を東京一極に集中し、東京から宣伝広報を発信すれば、全国に同じ規格品が流れるような均質社会を創り上げていった。

池田内閣は、効率を最大の社会正義としたのである。

◉人間の規格化と人口の都市集中

このために、人間の規格化も考え、教育の規格大量生産化を実現した。教育カリキュラムを定め、教育指導要綱を作り、全国の学校で同じことを教えさせた。生徒指導に当たっては、それぞれの生徒の長所を伸ばすよりも欠点をなくすことに重点を置いた。そうすると子供たちは長所も欠点もない相似形のまん丸人間になる。五段階評価とすると、優秀な子は全科目5が並ぶ、普通の子は3が並ぶ。したがって、能力の差は、丸の大きさだけで測れる。この丸の大きさを示すのが偏差値、これ一つですべてが評価できるというわけである。

アメリカやヨーロッパでは、個性を伸ばすことを重視するので、体育では優秀だが算数は下手という生徒も、算数では大学教授になれそうだが体育は下手だという生徒もいる。一時日本でも人気を集めた映画『フォレスト・ガンプ』の主人公フォレスト・ガンプは、大学に合格したのはフットボール選手だったからで、字がまともに書けないのに一応は大学生になれた（もっとも中退するが）。

ところが、日本では、いくら体育が上手でも、数学も国語も英語も相当の学力がないと大学には入れない。芸大に入って画家になるのでも、数学を勉強しなければいけない。

こうなったのは、戦争中（昭和十六年）の国民学校令からだが、厳しくなるのは岸内閣の頃からであり、池田内閣時代に徹底された。規格大量生産に適した人間を作ろうという考えが、教育の場にも浸透したのである。

これと表裏をなして起こったのが人口の都市集中である。規格大量生産化の進《しん》捗《ちょく》と共に人口、特に若年層が大都市に集中した。

その結果、地方の過疎化がはじまる。若い人は大都市に出て、製造業や大型流通店などに就職してサラリーマンになり、農村には中高年しかいないという状況が生まれた。

池田内閣は、都市における労働力を提供するために、むしろこれを積極的に推進した。都市近辺に住宅地を開発して、地方から出てきて重化学工業やその周辺産業に勤める人々を収容できる住宅団地を造った。また、都市の住宅用地を拡げるために、速くかつ安く通勤できる鉄道や道路などの交通網を整備した。池田内閣は、効率第一主義で過疎と過密を助長するような政策を推進した。経済原理を貫く池田の思想の反映である。

日本人は「所得倍増計画」によって急速に豊かになった。その半面、当初心配された所得格差の拡大は生じなかった。その代わりに起こったのは地域の過密と過疎という問題である。そしてやがては過密のところでは公害問題が現れた。「所得倍増計画」発表当時は、批判者も気がつかなかった問題である。

◉官僚主導体制の強化

さらに、池田勇人が政治家として残した重要な影響は、金権体質と政・官・財の癒着、とりわけ官僚主導体制の強化である。

終戦から十五年の間、吉田内閣、鳩山内閣、岸内閣くらいまでは、政治の力が強く、マッカーサーが植え付けた民主主義の思想と仕組みがある程度保たれていた。ところが、池田勇人が総理大臣となり、「所得倍増計画」という官僚主導の計画経済的思考を定着させると共に、各官庁は規格規制や公共事業などの大きな権限を得た。また、政府の補助金がないと地方公共団体は事業ができない、という財政構造も創り上げた。

池田を中心とする官僚出身の政治家と、現役の中央官庁の官僚たちが手を取り合う形で、道路や鉄道、団地、都市施設を建設した。池田をはじめとする政治家は、官僚が計画した通りに財政資金を投入して規格大量生産型の重化学工業を育成したのだ。

こうして地方の都市や地域は、全国規格の無性格なものとなり、学校は格差のない均質的なものになった。戦争中にも実現できなかった官僚統制が、池田内閣時代に実現されたのである。

こうして強化された官僚と、自由民主党の政治家が結び付く。同時に官僚の指導によって各業界団体が強化される。各種業界団体では、過当競争を避けるという名目で談合体質が育っていった。

例えば、鉄鋼連盟では鉄鋼各社が協議して、溶鉱炉はいくつ作るべきか、A社が三つ、B社が二つ、C社が一つ、といったことを企業別地域別に決め、通産省の役人に「これでいいでしょうか」と伺いを立てる。通産省では「いや、一つ多いから、どこか削れ」というような指導を行い、その過程で一段と官僚の指導力を強める、というわけだ。

こうした官僚の行政指導を一段と強める手段として利用されたものに勲章がある。勲章もマッカーサー時代には一時なくなったが、その後復活、官僚主導の重要なテコとして利用された。企業の経営者も大きな業界団体の長になると、勲一等を叙するという政策がある。当然、官僚に従順なら業界団体の長になり易いから、勲章を欲しい経営者は官僚の指導に従うわけだ。

官僚が中心となり、一方に自由民主党の政治家、もう一方に協調体制の業界、この両方を操っていく官僚主導型の業界協調体制が池田内閣の時代に確立されたといってよいだろう。

そうなると、協調性を尊ぶ業界からは政治家へ献金がくる。政治家はその見返りに業界の意向を官庁に伝え、官僚はそれを忖度《そんたく》することで政治家を都合よく利用する、相互扶助的三角形ができ上がった。いわゆる「政、官、業のトライアングル」である。

その中でも一番大きな力を持っているのが官僚だった。政治家は個別企業のために働くことを政治資金規正法で禁じられたため、官庁経由で業界全体のために働いて政治資金を求めるようになっていった。官僚に嫌われた政治家は出世しない、という伝統も池田内閣と池田派（宏池《こうち》会）が創り出したものの一つである。

このような金権体質は、経済が成長し、公共事業が積極的に行われ、重化学工業を発展させる仕組みを維持していく中で年々強まった。したがって、自民党の議員先生に頼むと補助金を取ってくれる、他の政党では駄目だというので、自民党政権の安定性が高まった。それがさらに進むと、いわゆる「大派閥時代」になるわけである。

◉集金ルートを確保した宏池会の強み

戦後政治における「派閥」というのは、吉田内閣の末期に、戦前の政治家が公職追放から解除された時にはじまった、といわれている。鳩山一郎、三木武吉《ぶきち》らが追放解除で復帰し、吉田ワンマンに対抗する形で党人派を形成した。それが岸内閣の頃になると、集金力のある大物政治家を中心とするいくつかの集団（派閥）ができ上がる。

第三次鳩山内閣が辞任して石橋内閣ができる時は、大野（伴睦《ばんぼく》）派、河野（一郎）派などの派閥が活発に動いたのは有名な話だ。結果としては、岸、石橋、石井の三人が総裁に立候補し、二位の石橋湛山と三位の石井光次郎《みつじろう》が組んで、一位の岸信介を七票差で破って石橋内閣が成立した。しかし、石橋湛山はすぐ病気になる。これがシコリとなって派閥の対立がつづくわけだが、その頃までは親分個人の魅力や面倒見のよさで派閥ができていた。

ところが、池田内閣の時代からあとになると、派閥が親分個人を超えた強い組織になって継承されていく。特に池田派（宏池会）は池田勇人が亡くなると、すぐ前尾繁三郎がそのあとを継ぎ、前尾が辞めると大平正芳が、大平正芳が亡くなると鈴木善幸《ぜんこう》、そして宮沢喜一へと引き継がれていく。派閥が親分個人から離れた存在となったわけだ。

これに対して、大野派、河野派、岸派などは親分の死亡や交代の度に分裂再編を繰り返した。やがて佐藤栄作の作った巨大派閥（佐藤派）も、その引退後は福田派と田中派に分かれてからは安定し、河野派を継いだ中曽根派も組織として成り立った。これに三木武夫を中心とする「古くて小さい派閥」を加えて、「四個師団一連隊」といわれる自由民主党派閥地図ができ上がる。

なぜ、河野派や大野派と違って、池田派（宏池会）が組織として確立できたか。業界との結び付きによって政治資金が入る仕組みを作っていたからだ。これもまた、池田勇人の先見性といえなくもない。安定した資金ルートを持つことによって、池田が亡くなっても、そのあとを継いだ人は同様に業界から資金を集められたわけである。

戦後体制を考える上では、池田勇人とその内閣によって作り出された「所得倍増構造」は、大変重要な意味を持っている。

一九九〇年代に、日本が問われていたのは、まさに「所得倍増構造」の改革であったろう。

「所得倍増構造」では、経済が成長し、企業も大きくなり、個人の所得も増えることが、すべての前提となっている。したがって、税収も増える。土地と株の値は長期的に上がりつづける。企業は先行投資で設備規模を大きくしていけば、必ず儲かる。たとえ経常利益や営業利益は出なくとも「含み資産」は増える。田舎から人々が出てきて都市は大きくなるから、団地や地下鉄など公共投資をしなければいけない。そうすると土地の値段は必ず上がる。だから、個人も早めに住宅を買った者が有利だった。

政治的な不安や革命思想を否定し、国民の目を経済に向けさせ、すべてを前向きに発想する、それが「所得倍増」の時代に育まれた戦後的発想であった。

「所得倍増計画」が生み出した構造は、単に経済が成長するだけではない。技術も向上すれば企業も拡大する。したがって土地も株も値上がりする。未来はバラ色であり、先行投資は有利である。企業は従業員の生涯の面倒を見、職場にだけ帰属することが有利で安心で有意義な人生である。そう信じる社会、いわゆる「職縁社会」を確立したのだ。

しかし、池田勇人が日本に植え付けた「所得倍増構造」の社会的仕組みと心理的確信は、今や基本的な条件から変わりつつある。

この現実を、われわれは勇気を持って直視しなければならない。

第十二章

松下幸之助

——日本式経営と哲学の創出

◉国民的英雄となった経営者

『日本を創った12人』の最終章として、松下幸之助を取り上げたい。

松下幸之助は、一介の勤労者から身を起こして、世界的大企業を築き上げると共に、特に一九六〇年代の後半からは独自の経営思想と勤労観を持った哲学者としても、大きな影響を今日の日本に残した人物である。

しかし、松下の最大の特色は、戦後日本が経済大国への道を歩む過程で、他の金持ちや創業者とは異なり、国民的英雄になったことだ。その意味で、この人が今日に残したその有形無形の影響は、絶大だといえるだろう。

では、数ある富豪や起業家の中で、どうして松下幸之助だけが国民的英雄になり得たのか。まずこの問題から入ろう。

昭和三十（一九五五）年、国税庁の発表する所得番付の第一位に、はじめて松下幸之助が登場した。このニュースは、国民の間に大きなセンセーションを巻き起こした。

以前から所得番付は発表されていたが、その第一位は、国の保護によって稼ぐ石炭産業や位置環境がよかった不動産業など、いわば「一発当たった」経営者が多かった。

それに対して、松下幸之助は幼少期から刻苦勉励《こっくべんれい》を重ね、努力と創意工夫を積み上げた末、自らはじめた松下電器産業などの企業を発展させ、所得第一位にまで昇りつめたという印象があった。それが、物不足で沈滞していた一般庶民に、自分も頑張ればあのような成功者になれるかも知れないという夢を与えた。まさに戦後復興期の国民に希望をもたらす英雄だったのである。

松下幸之助は、一気に国民の憧れるジャパニーズ・ドリームの体現者となり、国民的英雄となった。だからこそその哲学者としての言動も、大きな影響力を持ち得たのである。

◉電気との出会い

松下幸之助は、明治二十七（一八九四）年十一月二十七日に和歌山市（当時は海草郡和佐村）で生まれた。生家は貧しく、満九歳の時、丁稚奉公に出た。最初に入ったのは火鉢店だったが、翌年には奉公先の都合で自転車店へ移り、足掛け六年を過ごした。十歳から十五歳ぐらいを自転車と共に過ごしたわけだ。

明治四十三（一九一〇）年に、大阪電燈（現在の関西電力）の見習工となった。これが幸之助少年と電気との出会いである。

職工生活をつづけたのち同社を辞し、第一次世界大戦の最中の大正六（一九一七）年に独立、二灯用改良ソケットを考案した。そしてその翌年、個人経営の松下電気器具製作所を創設。生産品目は当初アタッチメントプラグ、二灯用差込みプラグなどであった。かの有名な「二股ソケット」である。これを使うと一つの電源からいくつも配線することができる。

当時、日本の電灯料はほとんどが定額制で、各家庭の天井からぶら下がっているソケット一つについていくら、という形で料金が徴収されていた。だから二股ソケットを差し込んで電気を引くと得をするということもあって、これがけっこう売れた。

第一次世界大戦が終わって不況になりはじめた大正十二（一九二三）年、関東大震災の起こった年に自転車店での奉公の経験から考案した自転車用ランプを売り出した。これが成功し、さらに昭和二（一九二七）年には、はじめてナショナルの商標をつけた角型ランプを考案、発売、猛烈なヒット商品となった。この時、乾電池メーカーの協力を取り付けて一万個を宣伝用に無料で提供する、というPR戦略を展開した。戦後、私が子供の頃にもまだ売れていた商品である。

昭和四（一九二九）年には社名を松下電器製作所と改称するが、その二年後に飛躍のチャンスが訪れた。

昭和六（一九三一）年、当時まだ非常に珍しかったラジオを安い値段で普及させるため、東京放送局（現在の日本放送協会＝ＮＨＫ）の行った標準型受信機コンクールに、松下電器製作所の作った製品が一等に当選したのだ。松下は、その名も「当選号」というブランドで、このラジオを大量生産するようになった。

この頃から事業がめきめきと大きくなり、総合電機メーカーとしての地位を確立。昭和八（一九三三）年には、早くも事業部制を採用、事業の専門細分化による独立採算の体制を整えた。以来、今日まで松下電器産業では、この体制が伝統的に受け継がれている。

昭和十（一九三五）年には組織を法人化し、「松下電器産業株式会社」と改称、自ら社長に就任、ラジオを中心にして電球などの生産を手掛けた。

やがて太平洋戦争になると無線機器、レーダー、航空機に至るまで軍需品を生産したが、そのため、敗戦後はＧＨＱから財閥指定を受け、公職追放になった。終戦の時、既に財閥に指定されるほどの大企業に成長していたのである。松下幸之助は五十歳だった。

昭和二十二（一九四七）年には、松下労組の抗議運動により公職追放を取り消されて実業界へ復帰したが、人生において働き盛りの四十四歳から五十二歳までの間を、戦争と追放という不運な中で過ごした点は忘れられがちである。

◉強力な販売網で「松下イズム」を普及

社長に復帰した松下は、猛烈なファイトを湧かせて松下電器産業を大きくした。しかもこの結果、昭和三十年には所得番付全国第一位になったことは既に述べた。しかもこれは、資産を取引するとか土地を売るとかいった一時的な所得ではなく、株式配当を中心とした所得によるものだ。したがって、これ以後も、しばしば第一位になっている。

証券取引所が再開されたのは昭和二十四（一九四九）年だが、その頃に松下電器産業の株を十万円で買い、以後の増資も配当を蓄えた資金で払い込んでいたとしたら、バブル景気で一番上がった平成元（一九八九）年末には、なんと二十四億円になった計算になる。この四十年間に松下電器株は二万倍以上の値段になったわけである。

当然、創業者であり大株主でもあった松下幸之助は、大金持ちになった。もっとも松下の持ち株比率はそれほど大きなものではなく、早い機会から株式を公開していた。だから本人だけでなく、松下電器産業にかかわった人々はみな大金持ちになるチャンスがあったし、実際になった人も何十人かはいる。

松下幸之助が所得番付第一位になった昭和三十年以後、急速に様々な電化製品が生まれ、やがて白黒テレビ・電気洗濯機・電気冷蔵庫のいわゆる「三種の神器」時代が到来する。松下電器は、この家庭電化ブームに乗って大発展、家電製品を次々に開発し、大量生産・大量販売を進めた。また、次第に輸出販売網も拡大し、「パナソニック」のブランド名で世界的になっていく。

もう一つ、松下電器の特色は、昭和二十四（一九四九）年から販売代理店の全国ネットワークシステムを作り、全国にきめ細かい販売網を整備したことだ。これによって強力な販売力を持つと共に、いわゆる「松下イズム」の経営哲学が全国に普及することにもなった。

松下幸之助は、しばしば「経営の神様」と崇《あが》められたが、その経営力を支えたのは「営業の松下」と呼ばれる販売ネットワークだった。松下自身をはじめ、松下電器グループの人々は販売代理店に親密な指導をした。これには販売代理店の側も大変喜んだ。

昭和三十六（一九六一）年、松下幸之助は会長となり、昭和四十八（一九七三）年には相談役となって、一応、経営の第一線からは退いた。しかし、会長、相談役としても絶大な影響力を持ち、松下電器産業の経営を大所高所からコントロールする最高指導者だったことは疑う余地がない。

こうした事業活動の一方で、思想面でも様々な業績を残した。戦争が終わって間もない昭和二十一(一九四六)年、「PHP研究所」を設立し、物心両面の繁栄によって平和と幸福を招来するというPHP(Peace and Happiness through Prosperity)運動を興した。

また昭和五十四(一九七九)年には、既に八十五歳の高齢であったにもかかわらず、日本の政治を改革するための人材養成を志し、私費を投じ「松下政経塾」を開き、理事長兼塾長に就任した。この松下政経塾出身の国会議員は、新党ブームにも乗って今や数十名にも達している。

松下幸之助は、晩年を哲学者また改革提唱者として生き、平成元(一九八九)年四月二十七日、九十四歳でその生を終えた。

長命というのも人間の偉大さの一つであろう。長寿であったからこそ様々な仕事をすることが可能だったし、晩年には大所高所から日本の行く末について発言し、世人の共鳴を得るところが多かった。死に至るまで、この人の影響力は衰えなかったといえるだろう。

◉なぜ国民的英雄となり得たか

松下幸之助を論じる場合、何よりも重要なことは、企業の経営者が、戦後日本最大の国民的英雄となった点にある。恐らくこんな企業経営者は、もうしばらくは出ないだろう。

では、何故そうなったのか、松下幸之助の人物像や思想、行動の特徴的な面を挙げつつ、考えてみよう。そこから、この人物が現代の日本人にどのような影響を与えているのか、そして二十一世紀の日本へどういう影響を及ぼしていくか、という問題も見えてくるに違いない。

松下幸之助を国民的英雄にした第一は、その立身出世物語である。

貧困のうちに小学校を中退して丁稚に出るところからはじまって、巨大企業を築いた生涯は、「今太閤」とも呼ぶにふさわしい。

和歌山の田舎に生まれ、九歳で丁稚奉公に出なければならないような境遇に育ち、高等教育を受けることもなかった。学歴は小学校中退である。それが一時は日本一となった大企業、世界的に活躍する松下グループを築いたのだから、太閤秀吉と並ぶサクセス・ストーリーに違いない。これは誰しも憧れるところであり、国民的英雄となる大きな要素だった。

また、松下幸之助が幼少より体が弱かったというのも共感を集めた。確かに小柄で痩せていて、頑健な体格ではなかった。病歴もかなり多く、肉体的にも決して恵まれた条件ではなかった。この点でも秀吉に似ている。

秀吉も肉体的にはハンデを背負っていた。戦国時代の乱世には腕力に勝る豪傑が有利だったが、秀吉は小柄で痩せていて腕力も弱かったという。

出身も貧しく、肉体的にもひ弱だった人が大出世をしたという意味で、松下幸之助と豊臣秀吉とは好一対の感じである。これが国民の共感を呼び、成功に対する嫉妬を和らげた。もし松下幸之助が金持ちの息子で、一流大学を卒業し、肉体的にも堂々としていたら、国民的英雄にはなり得なかっただろう。

第二には、その成功への道のりがさわやかだったことである。

二股ソケットや自転車用ランプの考案をはじめとして、懸賞募集一位の「当選号」ラジオの普及、そして戦後には三種の神器といわれた白黒テレビと電気冷蔵庫と電気洗濯機など、消費者の身近な電化製品を次々と生産し、よりよくしていくイノベーター（革新者）としての新鮮な評価があった。

それまで大金持ちになった成功者は、イノベーターというよりは商業的才能や政治的手腕に負うところが多く、国民大衆を搾取して大金を蓄えた、という印象を持たれ易かった。

例えば、三菱財閥を興した岩崎弥太郎も偉い人には違いないが、そのはじまりは明治政府に保護されて興した汽船会社である。これが西南戦争で政府の軍事輸送を請け負って大当たりした。次に手掛けた石炭でも軍や官営工場に納めることで儲けた。細かい事実は様々あるとしても、政府との関係で成長したという印象が拭えない。

戦後も、松下と並ぶほどの富を蓄え企業を育てた創業者は何人かいる。だが、その多くは鉄道不動産や石炭産業など、政府の認可や補助保護に依存するものだった。このため、事業の推進が強引だとか、政界との癒着とか、暗い背景を勘ぐられることが多かった。

それに比べて、松下幸之助が普及させた電化製品は主に家電製品であり、国民の憧れる身近な存在だった。人々は毎日、ナショナル・ブランド製品の便利さを感じて暮らした。技術と経営、両面のイノベーターとして松下はすばらしいアイデアを勇気を持って実現し、人々に幸福を与えた結果として富を築いた、という好印象を得たのである。

◉終身雇用の「日本式経営」を創始

第三は、戦後のいわゆる「日本式経営」を創り上げたことだ。

松下幸之助は様々な点で新しいことをはじめたが、中でも重要なのは昭和初期の大恐慌の時に示した終身雇用の発想だろう。それがやがて全日本に広まり、戦後の「日本式経営」に発展するからである。

戦後の日本が終身雇用を慣習としていたため、これが日本的伝統だと誤解している人も少なくないが、決してそうではない。

「終身雇用は日本的伝統である。徳川時代から商家へ入ると丁稚から手代、そして番頭となり、やがて暖簾《のれん》分けを受けた。その伝統が引き継がれて今日の終身雇用となっている。退職金は往時の暖簾分けの代わりである」

一時は、こんなことをもの知り顔でいう学者もいたが、これは完全な間違いだ。徳川時代に商家の丁稚で入ればやがて暖簾分けで店が出せたというのは、戦後作られた「神話」である。元禄までの成長期でも丁稚に入った中で番頭にまでなれたのは五人か十人に一人、その番頭でも暖簾分けを授かれたのは何人かに一人だ。享《きょう》保《ほう》以降になると主人の娘婿にでもならない限り、暖簾分けなどまずあり得なかった。

その上、大正から昭和にかけての日本は、労働者横転率（同じ職種、例えば運転手なら運転手、旋盤工なら旋盤工として会社を替わる率）が世界で一番高い、といわれていた。日本ほどクビ切りが簡単で、従業員も会社を替わる国はない、という統計が残っている。昭和十四（一九三九）年に「工場法」が改正されるまでは、クビ切りに対して何の歯止めもなかったし、それを肯定する理論もできていた。いわゆる出稼ぎ労働理論である。

日本の工場勤労者の典型は農村から出稼ぎにくる農家の次男か三男か娘さんであ

る。したがって、解雇になっても郷里へ帰れば、農業をしている親兄弟や親類縁者があたたかく迎えてくれる。そこで農業を手伝っていれば、所得は減るが飢え死にすることはない。そしてやがて景気がよくなれば、また都市に出て工場や商店で働く。

そんなことを繰り返しながら、高等小学校を卒業する十三、四歳から働いて、女性は二十歳くらいで結婚するまでの六、七年間で嫁入り道具を準備し、男性は四十歳近くまでにお金を貯めて帰農し、田地の四、五反も買えれば成功者である。この国には大家族制という公序良俗があるから職場にこだわることはない、労働者が労働組合を作ってクビ切り反対闘争などする必要もない、これが日本のいいところだ、というのである。

つまり、日本人のほとんどは農村に本拠を持ち、人生の一定期間だけ工場や商店へ出稼ぎに行くに過ぎない、と思われていた。「サラリーマンは浮草稼業」といわれたように、会社勤めとは全人生を託すような職業でもなかったし、職場の方も全人生に責任を持つものでもない、と考えていた。

そういった状況のもとで、昭和四、五年の大恐慌が起こった。その時、松下幸之助は自社の従業員を解雇せず、半日操業、全社員は休日を返上して滞貨の販売に取り組むことによって難局を切り抜けた。企業が従業員の人生に責任を持つ、という発想を実行したのである。

幸いなことに、やがて前述の「当選号」の発売によって業績も伸び、クビ切りなしに乗り切ることができた。幸運もあったとはいえ、そういう発想を持って努力し成功したのは独創的である。一介の勤労者として働く者の気持ちの分かる松下幸之助ならではのことだ。これが戦後になると全産業に拡がり、いわゆる日本式経営となったのである。

◉技術者の本田、経営者の松下

松下幸之助は戦後の創業者の代表として、よく本田宗一郎と並び称せられる。業種としては家電と自動車、共に戦後成長した規格大量生産分野だ。しかし、二人の間には根本的な相違点がある。似たような境遇から出発したが、経営・管理の手法の違いは著しい。

本田技研の創立者本田宗一郎は、オートバイから自動車への一点を集中的に追求した。純粋な技術者から出発し、純粋な技術者として生涯を終えた、といってよい。

つまり、本田宗一郎は、自分が本当に好きだったオートバイ・自動車の分野に全精力を注ぎ込み、その業界が成長したことで成功した。オートバイや自動車業界が日本で成長しなかったら、本田は偉大な経営者とはならなかっただろう。本田宗一郎の代表的な著書は『得手に帆あげて』だが、本当に自分の好きなこと、得手なことを命懸けで実行した経営者だった。

本田はまた、個人生活でも金のブレスレットをしてみたり、飛行機を操縦したり、自分の好みを世間を気にせず実行した。その代わりに、経営者としての自分の限界をよく知っており、副社長の藤沢武夫に全幅の信頼を寄せて経理や資金は任せていた。これができたのが本田宗一郎の偉いところであり、それを隠そうとしなかったのも立派である。

社長を辞める時には、自分が好きではじめた会社だから息子に継がせるものではないと主張して、補佐役の藤沢と共に一切の職を辞任した。その意味では己れを知り、自分の本当に好きなことに賭けることこそ人間の幸せだ、という信念に生きた人物であった。

それに比べて松下幸之助は、バランスの取れた経営者だった。最初の改良ソケットや二股ソケットをはじめ電器関係では多くの考案や発明をし、パテントの数は電器産業の中でも一、二を競うほど多く持っていた。しかし、その商品や分野にこだわることはなく、むしろ「販売の松下」といわれるくらい組織と人間関係をうまく育てた。

恐らく松下幸之助は、どんな分野に入っても成功し得たであろう。自制心も利いていたし、まさしく「経営の神様」といわれるにふさわしいバランス感覚もあった。自らカリスマを演じることも非常に巧かった。服装も非の打ちどころはなかったし、表情も常に温和だった。そこが本田宗一郎との鮮やかな違いである。

要するに、松下幸之助は優れた技術開発者だったが、むしろ人間関係や組織者としての天才性がそれ以上に勝っていた。だからこそ代理店制による販売網の整備や終身雇用制の採用など、日本式経営の思想とシステムを創り上げることができたのである。

松下がはじめた終身雇用の思想こそ、日本式経営への第一歩だった。ついで昭和八（一九三三）年から事業部制を採り入れ、これによって権限を分散させた。いわゆる集団主義的意思決定機構であり、これもまた、日本式経営の非常に大きな特徴となる。

外国の企業では、社長が全権を持っている。それだけに決定が早く、責任は明確である。松下電器でも、創業者であり「経営の神様」でもあった松下幸之助自身の権限が絶大であった。もし組織がそのままだったら、松下とその側近が独裁することになっただろう。

それを避けるために、松下幸之助は権限の分散を図り、事業部制という形で実現した。それによって松下自身のカリスマ性は失われるはずもなかったが、組織の上では権限は分散した。松下には、最後に決定権を持って松下電器産業のすべてを動かせるという安心感があったからこそ、事業部制を実行できた、といえなくもない。制度的な権限の分散と権威的な集中を巧みに行ったのである。

◉PHP運動の発案と実施

松下幸之助が国民的英雄になり得た第四の理由は、経営理念を説く哲学者としての顔を持っていたことである。

戦後間もなくPHP運動を発案・実施したが、その背景には、便利なものを大量に市場に売り出し、消費者の生活改善に奉仕すると共に、社員の賃金引き上げと代理店の繁栄を生み出した、という自信と実績があった。

便利な電化製品を大量生産して安価に販売すれば、経済は発展し企業は儲かり、従業員には高給を支払って雇用を保証し、販売代理店に対しても長期契約を結んで全面的に面倒を見ることができる。松下は、そんなグループ・ネットワークを早々と作っていた。

松下幸之助は、この実績を背景に、勤勉に働けば幸せになる、これからの時代は経済的繁栄を通じて平和と幸福を実現すべきだ、と考えた。戦争の勝利を通じて大東亜共栄圏を築こうとした戦争中の軍人の思想に対するアンチテーゼである。

松下幸之助の思想の中に、勤勉の奨励がある点では、第七章の石田梅岩にも通じるところがある。いわば二十世紀の「勤勉の哲学」だ。しかし、梅岩のように倹約を説くことはしなかった。家電製品をはじめとする文明の利器を使うことは善だ、それによって家事労働が軽減され、主婦が余暇を得ることも正義と考えていた。

昭和二十一（一九四六）年に設立されたPHP研究所は、企業文化の取り組みというよりは、松下幸之助の信念を拡めようという動機ではじめたものだ。企業利益の社会還元という発想はまだ日本にはなかった。

その時松下は、占領政策による諸種の経済民主令によって制限を受けていた。したがって、貧しくはなかったとしても、それほど豊かだったわけではない。将来が展望されていたわけでもなく、ひょっとしたら監獄へ入るかも知れない状況だった。誰もが不安な混乱の時代にPHP研究所を設立したのである。

まず「松下哲学」ありき、そのために自己資金を投じた。財団法人にした方が税制上有利だと多くの人からいわれたはずだが、ついぞそうせず、株式会社のままで今日に至っている。企業文化というものと自己の哲学というものとを完全に分離して考えていたのだろう。

松下個人の信念を拡めること、世論に訴えることを役割としてはじまったPHP

研究所は、今や大規模な出版と研究研修機関になり、「ＰＨＰ文化」というべき新しい思想ジャンルを創り出している。社会主義的進歩派がジャーナリズムで大きな力を持っていた時代にも、自由経済と民主主義を主張する重要な媒体でありつづけた。しかもそれを、松下幸之助は経営として成り立たせた。

「自らの活動資金を自ら得て、はじめて活動を永遠にわたって発展させていくことができる。世の中のためになることを行えば、お金はおのずから集まってくる」

この経営的自覚は凄まじい。ＰＨＰ研究所を株式会社とし、利益が上がるようにしたのも松下自身の独特の哲学とそれに基づく主張の実践である。

松下幸之助は、機関誌『ＰＨＰ』での論説や多くの著作を通じて、社会に対して発言をつづけた。

例えば、企業というものは内部留保の巨大なダムを持ち、そこへプールした資金を出したり入れたりしながらやっていくべきであって、かつかつで生きていくべきではない。余裕を持って経営に当たる「ダム式経営」の議論を展開し、戦後の内部留保優先主義を肯定し、日本の企業がさらにそうなるべきだと主張した。

これは、企業は擬態であり、企業の利益は本来株主に配当されるべきだ、という欧米資本主義の精神とは大きく違っている。だが、これも戦後の日本には受け入れられ、低配当が一般化する。

また、消費者から与えられる「ご褒美《ほうび》」としての適正利潤の確保、という発言もあった。

企業とは儲けることによって安定する、と同時に、資本コストを引き下げ、さらに安いものを大量に提供する、それが雇用を安定させ、消費を促進し、結果として人々を幸せにするという「成長の哲学」を説いたのである。

社会主義的主張が強く、企業の利益は「労働者からの搾取」といわれた時代に、堂々と「企業は儲けて蓄えよ」というのは、勇気のいることだった。

こうした企業利益の肯定と成長の礼讃を基本とした信念を持ちつづけた松下幸之助は、やがて政治社会の改革提唱者となり、九十歳を過ぎてなお、日本改革に向けたメッセージを発しつづけた。最晩年には声が聞き取りにくくなり、幸之助の発言に慣れた秘書が通訳しなければ分からないくらいだったが、それでも〝日本をよくしよう〟という情熱は失わなかった。

その中には、国土を大改造しようという提案や、日本から税金をなくそうという無税国家論がある。

松下幸之助は、早い時期から販売代理店の指導などで、多くの企業経営者を育てたが、最後には経営者だけではなく、政治の面でも日本を改革する人材を育てる必要を痛感し「松下政経塾」を作った。また、ユニークな提言で知られる「京都座会」

を主宰し、九十歳になるまで自ら出席、識者の意見に耳を傾けることにも熱心だった。

◉立身出世志向の促進

この松下幸之助から、現在を生きるわれわれは、どのような影響を受け、どのような意識を与えられているのだろうか。

まず第一に、「幸せを売る商売」という発想である。

従来、日本では商売は金儲けを目的とした利己的なものと思われていた。また、世界的にも働くことは辛いこと、そこで得たお金を使う消費にこそ楽しみがある、という考え方が普通である。

松下幸之助はそんな考えから脱却して、商売とは天下万民を幸せにすること、したがって仕事は楽しいこと、会社は生き甲斐の場だと主張した。いわば企業全体を共同体として、そこから売り出す商品が家庭を便利にし、世の中を幸せにする、というわけだ。松下は、まず従業員に、次に代理店に、そして消費者に幸せをもたらすことこそ商売の本質だ、という概念を作った。松下幸之助が終生追求してやまなかった「幸せを売る商売」の発想である。

松下の商売美化、企業共同体化の思想は、国民の勤労意欲と従業員の企業忠誠心を求めるものであり、「会社人間のすすめ」でもある。

経営者と従業員、資本と労働とを対立的に考える社会主義者が聞けば、「資本家のまやかし」「搾取美化の理屈」と怒るだろうが、戦後の日本では、それがかなりの人々に受け入れられた。松下自身の実績があったからだろう。

その意味で、松下幸之助は前章に述べた池田勇人《はやと》と好一対を成す成長の担い手だった。池田が政治的に考えたことを、松下が経営的に実行したのである。こうした政治と経営との両輪によって、戦後日本の「成長志向」が醸成されたわけである。

第二は、人生哲学としての立身出世志向が促進されたことである。

徒手空拳《としゅくうけん》で身を起こし、事業をはじめた松下幸之助が、何万人もの従業員や株主を豊かにし、全国の家庭を便利にすることにみごとに成功した。その姿を見た多くの人々が、自分たちも、と大いに立身出世を夢見るようになった。

戦後の日本では大学進学率が戦前の何倍にも高まり、受験戦争が激しくなった。誰もが一流大学を出て一流企業に入るという目標を、臆面もなく掲げるようになったのである。

一流大学へ行きたい、息子を一流大学に入れたい。そのためには小学生の頃から塾へ通おう、予備校にも行こう。そして成長性のある大企業に就職し、みんなに後れずに昇進したい。そのためなら残業も休日出勤も厭《いと》わない。そして早く自宅を持ち、息子もまた一流大学に入れたい。それには今の日々は辛い努力もする。そうした前向きの姿勢、未来志向の出世主義が日本経済を成長させる上でも、大きな役割を果たしていた。

立身出世の夢、いわゆるジャパニーズ・ドリームが戦後の成長時代を通じて日本人の心に定着したといってもよい。そしてそれを広めたのが、学歴の乏しい成功者、松下幸之助であったというのは、皮肉な現象といわねばなるまい。

明治時代には、「末は大将か大臣か」というほどの大きな夢を持った青年が大勢いた、といわれるが、実際には、その数は著しく限定されていた。圧倒的多数の者は、最初から出世など諦めて小学校で学業をやめた。

戦後は、空想的な大志を抱く者は少なくなった。その反面、誰もが一流大学を出て一流企業に入るという「小さな夢」を持つようになった。夢が小さく現実的になった分だけ、誰もが共通の夢を持てるようになったのである。

そんな中で、松下幸之助という無学歴な英雄がいたことは、出世主義者に巧妙な言い訳を与えた。俺たちは「小さな夢」を追って受験勉強と会社人間で生涯を費やすが、決して無学歴の者を排除も軽蔑もしてはいない。松下さんを見ろ、日本全部が尊敬しているではないか、というわけである。

アメリカン・ドリームは、誰でも大成功して大金持ちになれるかも知れない、という夢である。丸太小屋から大統領が出る、旅行鞄で大実業家が育てられる、そういった個人の生き方から出た夢である。

ジャパニーズ・ドリームは違う。予備校に通って勉強し、まあまあの大学を出、まあまあな大企業か官公庁に入ったら、生涯安定して、途中でクビになる心配もない、交際費も使えれば自宅も持てる、そしてその自宅が値上がりしてまあまあの金持ちにもなれる、そんな社会的に作られた夢だ。それを生み出したのは、松下幸之助の築いた終身雇用と権限の分散といった戦後的日本式経営である。

◉「会社人間」の「職縁社会」を生む

松下幸之助が残した第三のものは、「日本式経営」である。そしてそれが拡まったことで、この国に「会社人間」が育ち「職縁社会」が生まれた。

松下幸之助は、松下電器産業の成功例によって、どの企業でも終身雇用を採り入れることができる、と主張した。戦前はもちろん、終戦から十年間も、ほとんどの経営者はこれを否定、クビ切り自在の経営をつづけようとした。このため、多くの企業で熾烈《しれつ》な労使紛争が生じた。下山事件や松川事件に象徴される国鉄争議、電産スト、血のメーデー事件等々である。

ところが、その間にも日本経済は急速に復興、一九五〇年の朝鮮戦争からは、企業も積極的に従業員を抱え込むようになった。この結果、昭和三十年頃からは終身雇用が定着、結果としては「松下幸之助のいう通り」になったのである。

イギリスでもドイツでもアメリカでも、先進工業国になった国々には、経済が急成長した時期がある。大規模工業が育ち、交通物流が近代化された期間である。

その過程で地域社会や家族制度は崩壊し、都市に住む「自由な労働者」が大量に生まれた。けれども、日本のような「会社人間」を育て、職縁社会を出現させた国はほかにない。

なぜ、そうなったのであろうか。戦後の高度成長の過程で農山村の中学校や高等学校を卒業した若者たちが都市へ出て、単身で企業の寮や社宅に住んだ。これによって一方では、農山村の地域コミュニティや大家族制が崩壊した。他方において都会の地域コミュニティは育たず、若者たちはただただ職場に張り付いていた。

戦後の日本人が「会社人間」になる条件はまず物理的に存在した。そこに、松下幸之助の主張する終身雇用の企業共同体化が加わり、「会社」というコミュニティに生涯にわたって全人格的に帰属する気分ができ上がった。それを企業側も利用して企業忠誠心をあおった。

地方からやってきた従業員を寮や社宅に入れ、福利厚生施設を充実させ、スポーツから生け花まで各種のクラブで趣味や娯楽まで世話をする。買い物は共済組合で買う方が安い、旅行は会社の保養施設を使えば便利だ、といった具合の囲い込みが進んだ。

こうした日本式経営の最初を、松下幸之助が考えかつ実行した。それがやがて戦後の「五五年体制」となって全国に拡がり、「日本的特色」といわれるまでになったわけである。

この結果、多くの企業従業員は職場以外の人間関係を失い、転職すると友だちも趣味の仲間もいなくなるようになった。転職に対して、日本人が異常な恐怖感を持ち出したのも不思議ではあるまい。

「会社人間」で構成される職縁社会は、象徴的にいえば、松下幸之助が昭和初期の大不況の時に、従業員をクビにせずに乗り切った。少なくとも松下が、これによって大発展したという「神話」が戦後の経営者に大きな影響を与え、終身雇用型の日本式経営を確立させるのに効果があったことは間違いない。

◉経営者は〝偉い〟との錯覚を招く

第四に、松下幸之助が経営者として様々の理想を実現しながら、哲学者あるいは改革提唱者としても発言するようになったことから、戦後の日本には、「経営者は偉い」とする風潮が生まれたことだ。

松下幸之助は偉大な企業経営者であったことは誰しも認める。だが、ただの上手な経営者に留まらず、改革提唱者としての発言も多くの共鳴を受け、国民を惹きつけた。

実は、こうした例は世界的に稀有のことだ。経営者というのは私企業のために利益を図る人だというのが、どこの国でも常識になっている。したがって、その儲けを社会に還元して芸術を育てたり、町をきれいにしたり、福祉を施したり、という例は多い。

けれども、現役の経営者が哲学者であり改革提唱者として偉いとみなされ、何事でも意見を聞いてみようという風潮が広まったのは、戦後日本に独特のものである。

現在の日本では、審議会でも国際行事でも、トップには経営者が就くのが通例となっている。

日本でも戦前は、企業経営者は公益よりも私益を考えるのが仕事だと思われていたので、国の委員会や審議会のトップになることはまずなかった。その地位に就くのは、第一に皇族華族、次には各省次官を務めて貴族院議員になった立法と行政の経験者、そして退役軍人や大学教授だった。

外国では今でも、トップに並ぶのがまず王族貴族、政治家、次に宗教家や退役軍人、そして学者や作家などの知識人である。企業経営者は、その立場からの参考までに、という程度に過ぎない。

例えば、一九九二（平成四）年にセビリア万国博覧会が開催された。私は日本館の総合プロデューサーを担当したが、セビリア万国博覧会のテーマ委員などを見ると、まず王族や貴族の末裔、宗教家と退役軍人が入っていた。ヨーロッパの各国はみな同じだ。アメリカの場合は王族貴族の代わりに古い財閥で今は企業経営とかかわりない資本家（ロックフェラーやフォードなど）が入るが、その他はほぼ同様である。

ところが、戦後の日本では、自衛隊OBなどは、よほど特殊な場合でないと学識経験者とはみなされない。宗教家もまず入らない。したがって、財界人、つまり経営者と官僚OBということになる。その中でも、財界人（経営者）がトップになる例が最も多い。例えば、経済審議会、首都機能移転審議会、阪神・淡路大震災復興委員会などの座長とか委員長といったポストを務めるのは大抵、経団連や関経連や同友会の会長といった人々である。

こうなったのにも様々の経緯がある。それには偉い経営者が多かったこともあるが、経営者から松下幸之助という国民的英雄が出たことの影響は無視できない。松下幸之助自身はほとんどそういう公職には就かなかったが、確かに「良いこと」を発言した。

特に晩年には自分の会社の利害を離れて大所高所からの発言を繰り返し、企業の成長発展が国家国民のためである、という主張を各層に浸透させた。この結果、経営者は、よく天下を見ることができる人々である、と思われるようになった。過大評価された戦後の経営者は、ある意味で幸せだったが、ある意味では過剰な負担をかけられたともいえる。

◉偉人の影響を乗り越える時

松下幸之助は、昭和が終わって四カ月後の平成元（一九八九）年四月に亡くなった。まさに昭和の繁栄を代表する経営者として、生き、かつ死んだのである。企業の発展が国民の幸せにつながると主張した哲学者にふさわしい時代を生きた、ともいえるだろう。

しかし、松下の残したものもまた、時代の流れと共に限界に達したものも少なくない。つまり、松下幸之助の残した「昭和」の影響を乗り越える何ものかが求められるところにきた、ということだ。

それでは、松下幸之助の創り上げた理念とシステムとは一体何なのか、そしてそれが現在どういう限界の壁に突き当たっているのかを考えてみたい。

松下幸之助の考えた理想のまず第一は、規格大量生産である。昭和六年に「当選号」というラジオを生産開始した時から、松下は規格大量生産を実行した。最良の規格品を大量生産し大量販売すれば安くて良いものが普及するというのは、近代工業の一般的な思想であり、当時としてはまったく正しかった。

この規格大量生産方式が戦後の日本でも追求され、テレビや電気冷蔵庫から現在のワープロやパソコンにも適用されている。

ところが、近代工業の根幹である規格大量生産そのものが今や限界にきている。規格大量生産とはモノづくりの思想であり、ハードウエアからの発想である。ソフトウエアになると規格大量生産のメリットは少ないし、すべきでない部分が多い。情報時代にはハードウエアよりもソフトウエアが、量よりも質が求められるのだ。

松下幸之助と松下電器産業は規格大量生産のチャンピオンであり、近代工業時代の象徴でもあった。だが今、日本はその限界に突き当たっている。単純な意味での規格大量生産なら賃金の安いアジア諸国でも十分にできるのである。

第二には、日本式経営の限界である。特に終身雇用の慣行は、これからのメガ・コンペティション（国際的大競争）の時代には保ち難いだろう。

終身雇用制がうまく機能するためには、経済が常に成長して企業が拡大し、人口が増加傾向にあって若年労働者が増えるという条件が必要である。昭和の間はまさにそうだったから終身雇用はうまく機能した。ところが、平成に入って賃金の高い高齢者が多くなると急速に困難が深まった。日本は平成七（一九九五）年をピークに若者が減り出している。その意味でも、終身雇用慣行は限界にきている。

第三には、日本的「勤勉の哲学」の二十世紀版を松下幸之助は創った。だが、それも今や見直しを迫られている。

二十世紀を彩ったイデオロギーや思想は様々あったが、集約すると次の三つにまとめることができるだろう。

一つは、ヘンリー・フォードの自動車における、そして松下幸之助の電気機器におけるような「効率勤勉主義」だ。効率よく勤勉に働いて生産を増やし、それによってみんなが幸せになれる、という考え方である。

二つ目は「結果の平等追求主義」である。マルクス、レーニン、そして毛沢東など社会主義の人たちが経済的平等を追求してきた理想である。しかし、現実の社会主義は理想通りにはいかなかった。ソ連でも東欧でも成熟すると、「共産党貴族」が登場し、資本主義国よりもむしろ格差が大きい世の中が生まれた。それを解消しようとした毛沢東主義は、悪平等を拡げることになり、文化大革命の失敗を犯してしまった。

三つ目は、チャールズ・チャップリンやウォルト・ディズニー、ビートルズといった人々の打ち出した「快楽主義」、面白い世の中を作ればいいという考え方である。これを代表したビートルズのジョン・レノンは、「突き詰めたところ、僕は愛と平和にしか興味がない」といい切っている。

冷戦後の世界では、自分の好みを追求する快楽主義が氾濫し、非常に大きな力となっている。それに対応するためには「フォード・松下」システムともいうべき効率勤勉主義は、どのように変形していかなければいけないのか、これが大きなテーマである。

効率勤勉主義の代表であった松下幸之助は、「供給者としての松下電器産業は必ず最良の製品を提供する」という信念を持っていたから、消費者の選択ということはあまり考えなかった。

昭和の象徴であった偉大な松下幸之助の影響の何を引き継ぎ、何を乗り越えてゆくべきか、これこそ残された、平成の世の課題であろう。

おわりに

経済社会のグローバル化とソフト化が進む中で、日本人の独創性がしばしば話題にされる。

日本人は古来、中国や西洋の技術や制度、思想や学問を熱心に学び、よく消化吸収して活用してきた。このおかげで日本は、今日のような経済大国になり教育先進国になり、規格大量生産に秀でた技術先端国ともなり得た。しかし、これからのソフト化の時代には、他国のもの真似では追いつかない。独創性に乏しい日本人が世界大競争時代（メガ・コンペティション・エイジ）に耐えられるだろうか、というのである。

たしかに日本人は外来文化の熱心な受容者だった。古くからこの国は、外来の技術や制度を受け入れると、四十年のちには、それを教えた「師の国」を上回るほどになった。奈良時代に中国から銅溶着技術を学んだ時も、戦国時代に南蛮人から鉄砲を教わった時も、明治初年に近代製糸業や紡績業を導入した時も、そうであった。日本が四十年間で「師の国」を上回るようになったのは、太平洋戦争後の電気製品や自動車に限ったことではない。

しかし、その一方で日本人は、実にユニークな独創性を発揮した。本書に取り上げた十二人の人々の中には、架空の人物も外国人もいる。それらをも含めて、彼らが日本と日本人に与えた影響、それによって創られた日本の社会と文化は、世界に類例のないものである。

まず、聖徳太子が考え出した同時多宗教信仰は、まったく世界に例のない独創だ。世界にキリスト教やイスラム教の原理主義が勃興し、宗教対立の激化が予想されるこれからの時代、日本人が今に引き継ぐこの思想は、世界的な実用価値を持つかも知れない。

源頼朝が考え出した権力の二重構造、または権威と権力の制度的な分離も、世界に例を見ない独創である。しかも幕府という「令外《りようげ》の官」が七百年近くもつづいたことの驚きはさらに大きい。日本人には、便宜のためにはじめたことを、倫理によっても肯定する実際的能力があるらしい。

また、石田梅岩によって創始された石門心学《せきもんしんがく》も、世界に誇るべき独創的哲学である。これほどユニークな発想が、今日に至るも日本人の本能にまで食い込んでいるのは恐ろしいばかりである。

明治近代化以降の人々を見ても、外国の技術や制度を学ぶと称しながら、その実、独創的な解釈や目標を加えている。

渋沢栄一は、洋行帰りの新知識の故に銀行や会社の設立を指導したのだが、実際に渋沢が教え拡めていたのは欧米にはない「合本主義」、いわば官民協調と業界談合制度であった。外国の知識を変造改革して日本化した点では、聖徳太子の系統といえなくもない。

池田勇人も、GNPとか経済計画とか、戦後の世界的流行を採り入れたように見えるが、その行ったところはまったく違う。欧米の学問と用語を織り交ぜて戦後日本に独特の経済主義を実行したのだ。

松下幸之助が利用した技術の基本は、欧米生まれである。松下が発明した製品は数多いが、ほとんどは応用技術か実用新案の類だ。しかし、この人の生み出した日本式経営は、まったく独創的なものであった。松下幸之助を、日本式経営と日本的繁栄哲学の創始者として見るならば、電気技術も電子工学もコンセプトを整えるための舞台装置に過ぎないように思えてくる。

いうまでもなく、ここに取り上げた十二人は「日本を創った人々」の一部に過ぎない。われわれ今日の日本人は、数多くの先人から様々な影響を受け、その分厚い文化的土壌の上に生きている。この国において先人たちの業績が殊更に重要なのは、新しい文化や制度が入っても、従来からのものが失われることがなかった点にある。仏教が拡まっても神道は信仰の対象でありつづけた。幕府ができても太政官は存在した。欧米の制度と技術が拡まっても石門心学の精神は残っている。

その意味では、日本においては「過去」が大きな存在である。今日の日本の成功も失敗も、日本の「過去」とは無縁ではない。

今、日本はまた、大変改の時代を迎えている。日本は「過去」を消し去らぬ反面、「過去」の文化のある面を巧妙に切り捨てた。織田信長は楽市楽座と兵農分離を実現することで、平安貴族の文化を脱ぎ捨てた。源頼朝は鎌倉に幕府を開くことで、貴族化した足利幕府管理体制の文化を過去に追いやった。

大久保利通は、試験で合格した官僚の主導力を確立することで、武士階級というものを、制度や権力としてだけではなく、文化としても否定した。明治十（一八七七）年以降に、武士の服装髪型や言葉遣いが復活することはなかった。フランス革命もロシア革命もなし得なかったことを、明治の日本はあまり血を流さずになし遂げたのである。

同じことは、太平洋戦争のあとでも起こった。戦後の日本人はマッカーサーの指導を、軍人文化の消去と受け取った。このため、この国は軍備や軍事に消極的になっただけではなく、軍人（武官）を文化ある人種とは考えなくなり、勇気や果敢さなどの軍人的徳目を全否定してしまった。

今、われわれが直面している大変革も、制度や組織の変革、財政数値や文章手続きの変更で終わるものではない。必要なことは、明治以来積み上げられてきた官僚文化を改め、「民の文化」を築くことである。その意味でもわれわれは、いくつかの点で〝日本を創った十二人〟を超えなければならない。

先人たちが生み残した何を守り、何を切り捨てるか、その選択こそが日本と日本人の未来を決定するであろう。

この作品は、一九九六年十一月にＰＨＰ研究所より刊行された『日本を創った12人』（前編）と一九九七年六月に刊行された『日本を創った12人』（後編）をまとめたものである。

著者紹介

堺屋太一（さかいや　たいち）

1935年、大阪生まれ。東京大学経済学部卒業とともに通商産業省（現経済産業省）に入る。日本万国博覧会を企画、開催にこぎつける。1978年、通産省を退官、執筆・講演活動に入る。財団法人アジアクラブ理事長。

主な著書に、『団塊の世代〔新版〕』（文藝春秋）、『豊臣秀長（上・下）』『鬼と人と（上・下）』『知価革命』『組織の盛衰』（以上、ＰＨＰ研究所）、『満足化社会の方程式』（日本経済新聞社）、『日本とは何か』『「大変」な時代』（以上、講談社）、『秀吉（上・中・下）』（ＮＨＫ出版）などがある。

ＰＨＰ文庫　日本を創った12人

2006年２月17日　第１版第１刷

著　者　堺　屋　太　一
発行者　江　口　克　彦
発行所　ＰＨＰ研究所
東京本部　〒102-8331　千代田区三番町３番地10
文庫出版部　☎03-3239-6259（編集）
普及一部　☎03-3239-6233（販売）
京都本部　〒601-8411　京都市南区西九条北ノ内町11
PHP INTERFACE　http://www.php.co.jp/
制作協力
組　版　ＰＨＰエディターズ・グループ
印刷所
製本所　図書印刷株式会社

ISBN4-569-66560-8